DREAMS

TOKSYNA

KSIĘGA DRUGA

Tytuł oryginału: Toxic (A Denazen Novel #2)
Autor: Jus Accardo
Tłumaczenie z języka angielskiego: Krzysztof Mazurek
Redakcja: Brygida Nowak
Korekta: Martyna Żurawska
Skład i łamanie: Grzegorz Działo
Projekt okładki: Grzegorz Działo
przy użyciu materiału zdjęciowego © Shutterstock.com

ISBN 978-83-63579-38-8

© 2013 for the Polish edition by Dreams Wydawnictwo
Dreams Wydawnictwo Lidia Miś-Nowak
35-310 Rzeszów, ul. Unii Lubelskiej 6A
www.dreamswydawnictwo.pl

Książkę wydrukowano na papierze Ecco Book Cream 70g vol 2,0
dostarczonym przez firmę antalis® | map

Druk: Rzeszowskie Zakłady Graficzne

JUS ACCARDO

TOKSYNA

KSIĘGA DRUGA

Tłumaczenie Krzysztof Mazurek

Dla mojej najlepszej przyjaciółki...
Kocham Cię, mamo

1

Nie wiem, czy znalazłby się wariat, który radziłby komuś łyknąć parę kolorowych galaretek na wódce przed wyścigiem na szczyt czterometrowego dźwigu. A ja? Co tu dużo mówić, wydawało mi się, że pomysł jest niezły. No, i do tego kolorowe galaretki na wódce? Oślizgły, jarmarczny, bananowo-truskawkowy kisiel nasączony alkoholem wchodził gładko. Może dlatego, że był słodki, jak prawdziwa galaretka... a może dlatego, że to był już piąty z rzędu. Postawiłam pusty plastikowy kubek na ziemi i rozejrzałam się po ludziach. Moi nowi znajomi. Porąbane Szóstki. Co do jednej. Nie, żeby coś było nie tak z moimi starymi znajomymi – prawdę mówiąc, tęskniłam za nimi jak cholera. To, co umiałam nie robiło na nich szczególnego wrażenia, bo był tu gość, który potrafił chodzić po wodzie i laska, która umiała pod nią oddychać.

Tak jednak było bezpieczniej. Na razie. Dzieciaki wiedziały o zdolnościach Kale'a. Wiedziały, jak trzymać dystans, a jednocześnie robiły co mogły, żeby wśród nich czuł się dobrze.

Było nas tam ze dwanaścioro, rozproszonych po placu budowy. Stojąc u podnóża dźwigu, zobaczyłam swój osobisty piorunochron – Davida – tak chyba miał na imię – który odpalał stojące na placu pojazdy jednym dotknięciem ręki. Potrafił ściągać i przepuszczać przez swoje ciało prąd elektryczny. Elektryczność wypływająca ognikami z jego palców ożywiała silniki, a towarzyszyły temu entuzjastyczne okrzyki i oklaski. Czemu faceci mają bzika na punkcie ponadgabarytowego sprzętu? Rozległ się jękliwy, metaliczny dźwięk i jedna z ciężarówek wywaliła zawartość paki. Na ziemię zsunął się gruz. Kilka sekund później w powietrze wystrzelił potężny kawał betonu. Tuż za nim wyleciała w górę kula kurczącego się i rozszerzającego światła, zostawiając błyszczący ślad na nocnym niebie. Obiekty zderzyły się z ogłuszającym hukiem, a beton rozpadł się na milion kawałeczków, które jak twardy deszcz spadały nam na głowy. Znów chór okrzyków i oklasków, a później histeryczny śmiech.

Szóstki czy nie – tym też, jak wszystkim nastolatkom, wydawało się, że rozpieprzanie jest zabawne. Przynajmniej kilka rzeczy w życiu odznaczało się stabilnością. Dobrze, że Paul był z nami, bo ktoś mógłby usłyszeć hałas. Potrafił stojących nieruchomo ludzi, miejsca i przedmioty osłaniać tak, że reszta świata widziała tu tylko przyszłą siedzibę centrum handlowego Parkview. Milczący, pusty plac budowy po zmroku.

Tak. Nic się tu nie dzieje.

Mogłam teraz robić milion innych rzeczy. Zamartwiać się o swoją ubożuchną garderobę i o to, co mam założyć do szkoły. Patrzeć przez ramię na sztywniaków w ciuchach od Armaniego śliniących się, żeby wyciągnąć po mnie łapę. Niepokoić się tym, że zostało mi – z grubsza licząc – pięć miesięcy normalności. Kto wie, może i mniej.

To był nowy, zżerający mój spokój, trend. Zmartwienia, zmartwienia, zmartwienia.

A co ja robiłam? To, co umiałam najlepiej. Świrowałam.

– Ostatnia szansa, żeby zrezygnować, Dez – powiedziała dziewczyna stojąca z drugiej strony dźwigu, machając ręką. Miała brązowe oczy i długie purpurowe włosy związane w wymyślny splot układający się na plecach.

Zrezygnować? Ktoś tu się chyba czegoś poważnie nawąchał. Chwyciłam mocno kratownicę dźwigu i wygięłam plecy w łuk. Usłyszałam pod skórą ciche trzaski.

– Zapomnij, złociutka.

Kiernan była stosunkowo nowym nabytkiem, zwerbowanym przez mafię Szóstek Ginger. Znaleźliśmy ją latem dzięki liście, którą mój kuzyn Brandt dał mi przed wyjazdem z miasta. Jej dar pozwalał na wtapianie się w otoczenie, na tworzenie bańki mydlanej, dzięki której była w zasadzie niewidoczna i niesłyszalna. To było coś, na co czaił się Tata, bo bardzo chciałby mieć taki dar.

I nie mówię, że nie próbował. Starając się zdobyć jej zaufanie, Kale i ja zabraliśmy ją na wycieczkę do parku rozrywki. Ludzie Taty korzystali z okazji, żeby dorwać całą naszą trójkę. Mało brakowało, a skończyłoby się to jakimś nieszczęściem, ale w końcu udowodniliśmy, kto stoi po dobrej, a kto po złej stronie płotu i Kiernan wróciła z nami do Sanktuarium. Była dość opryskliwa i szorstka, niewykluczone, że nawet bardziej walnięta niż ja i za to w pewnym sensie ją kochałam.

Kale, stojący obok, skrzywił się, gdy zrobiłam koci grzbiet i zaczęłam się przeciągać. Nie znosił odgłosu strzelających stawów. Wodził wzrokiem ode mnie do szczytu dźwigu.

– Powiedz mi jeszcze raz, jak to się nazywa?

– Dźwigowanie.

– I właściwie po co to robicie?

– Bo nam nie wolno. Dzięki temu jest naprawdę super.

Zamiast postąpić krok w tył i wmieszać się w gęstniejący tłum, zajął stanowisko tuż obok mnie.

– To ja też idę.

– Nic mi nie będzie – upierałam się.

Gdzieś nad naszymi głowami rozległ się odgłos pioruna i pusty plac budowy owiał chłodny podmuch wiatru. Poczułam dreszcz na plecach. Modliłam się, żeby nie od razu zaczął padać deszcz, bo Kiernan wygrała ostatni wyścig. Chciałam, żebyśmy miały równe szanse na zwycięstwo. Kale wywrócił oczami – a to dla niego coś nowego.

– Oczywiście, że tak. Pójdziesz, ale powiedziałaś, że to megafajne. A ja chciałbym spróbować.

Poczułam, że serce mi mięknie. Głęboki, aksamitny głos. Tylko zobacz. Oczy, na których dnie widać duszę. No, zobacz sama. Umięśnione ramiona, na których widok dziewczynom miękną kolana, i skłonność do ryzyka. I znów można zapisać mu coś na plus. Czy dałoby się znaleźć faceta jeszcze doskonalszego niż on?

– Idziecie oboje? – Kiernan kopnęła dwa razy w podstawę dźwigu, usłyszeliśmy jakiś grzechot, echo wibracji, które poszły po metalowych szynach. – Ale pamiętaj, żadnej ściemy!

– Ja nie muszę oszukiwać – zawołał do niej Kale. Uśmiechnął się do mnie półgębkiem i przecisnął się między metalowymi prętami do wewnątrz dźwigu. Wystawił głowę na zewnątrz i pocałował mnie. Nie był to jednak przelotny buziak w policzek. Nie, pocałunki Kale'a mogłyby przyprawić o rumieniec gwiazdę filmów porno. I dlatego to było niesamowite, że Kale to mój chłopak. Mój super mega. Dziwnie niewinny, ale który potrafiłby cię zabić kostką mydła. Mój chłopak.

– To się jeszcze zobaczy, synku. Mały ninja. – Kiernan zaśmiała się głośno. Nazywała go małym ninją od dnia, kiedy go poznała i jakoś to do niego przylgnęło. W zeszłym tygodniu kupiła mu nawet koszulkę z napisem „Jestem ninja". Kale udawał, że to go irytuje, ale jestem pewna, że choć miała krótkie rękawy, w głębi duszy uwielbiał tę koszulkę.

Kiernan przygotowała się, położyła dłonie na metalowych prętach dźwigu, odwróciła się i skinęła głową na Kirka – niewysokiego chłopaka, który miał zdolności pozwalające manipulować drewnem – i kiwnęła głową.

– Jazda! – ktoś wrzasnął.

Kale puścił do mnie oko.

– Do zobaczenia na górze.

I w tej samej sekundzie już go nie było. Pamiętam moment otępienia, kiedy patrzyłam, jak pnie się po dźwigu szczebel za szczeblem, jak jakaś pół–małpa, pół–człowiek na sterydach. Żaden normalny człowiek nie potrafiłby się tak poruszać.

No tak, cofam to. Kale nie był normalnym facetem. Kiedy ktoś potrafi jednym palcem pokonać zapaśnika WWE, to na pewno nie mamy do czynienia z kimś normalnym.

– Szlag to trafi – splunęłam przekleństwem, kiedy zniknął mi z pola widzenia. Mam się wspinać. Powinnam się wspinać.

Zacisnęłam palce na chłodnym metalu i zaczęłam wchodzić.

Początkowo szło mi dość dobrze. Dwa razy kątem oka zobaczyłam Kale'a, a Kiernan była sporo z tyłu. Im jednak wyżej się wspinałam, tym bardziej czułam zmęczenie ramion. Wiatr też nie pomagał. Doszłam do wysokości, na której musiałam się zatrzymać i założyć kaptur, bo łopotał na wietrze i rozpraszał moją uwagę.

Kiedy byłam już w połowie wysokości dźwigu, zaczęło mi iść gorzej. Kilka razy nie trafiłam stopą w podpórkę i prawie się ześlizgnęłam. Zaczęły mi drętwieć palce. Kiernan wciąż nieustępliwie deptała mi po piętach, była bardzo blisko. Kale'a nigdzie nie było widać.

Zahaczyłam ramieniem o najbliższy szczebel, żeby złapać równowagę i zatrzymałam się, żeby uspokoić oddech. Ktoś na dole wrzasnął i usłyszałam symfonię śmiechu. Słyszałam swoje imię, ale kakofonia odgłosów wyładowań elektrycznych na niebie zagłuszyła całą resztę.

I wtedy (bo pewnie musiałam coś zrobić, żeby wkurzyć Matkę Naturę) zaczęło lać.

– No nie, tylko nie to. – W tej chwili każdy normalny człowiek by sobie odpuścił. Ale nie ja. To były momenty, dla których żyłam. Otarłam dłonią czoło, odsunęłam nasiąknięte wodą warkoczyki i ruszyłam w górę.

– Poddajesz się? – Kiernan próbowała przekrzyczeć odgłosy burzy. Nie mogłam się nie uśmiechnąć. Sądząc po lekkim drżeniu w jej głosie, to ona była gotowa się poddać.

– W życiu! – odkrzyknęłam.

Coś jeszcze powiedziała, ale nie usłyszałam, chociaż pewnie nie była zadowolona. Jej słowa utonęły w wyciu wiatru.

Kiedy w końcu dotarłam na szczyt, znalazłam Kale'a. Nogi miał przeplecione przez metalowe szczeble, żeby utrzymać równowagę. Uśmiechnął się do mnie mokrym od deszczu uśmiechem, od którego miękły kolana.

– Wolno ci szło – powiedział, wyciągając rękę.

Nasze palce się splotły i całe moje ciało natychmiast ogarnęło odczucie ciepła. To dziwne, że tak się może stać po jednym dotknięciu. Pozwoliłam mu podprowadzić się kilka ostatnich centymetrów i siadłam obok niego, również przeplatając nogi między blisko osadzonymi szczeblami na samym szczycie dźwigu. – Kiernan chyba się poddała.

Westchnął i strzepnął z oczu kosmyk mokrych włosów. Deszcz nieco ustał, teraz tylko słabo mżyło. Burza jednak się jeszcze nie skończyła, gdzieś w oddali horyzont rozświetlały błyskawice, od czasu do czasu po niebie przetaczał się głuchy odgłos. – Warunki pogodowe nie były optymalne do wspinaczki.

Każdy inny człowiek powiedziałby: „Si", albo „No właśnie", słysząc takie stwierdzenie, ale nie Kale. Ten facet był zdolny udzielić mi informacji, że jabłko smakuje, jak jabłko, a ja byłabym zachwycona tylko z tego powodu, że mogę usłyszeć jego głos.

– Powiedz uczciwie. Jesteś częściowo małpą, tak?

Zamrugał oczami.

– Oczywiście, że nie. – Kilka chwil później wygiął usta w podkówkę. – Chodziło ci o to, że potrafię się wspinać, tak?

– Tak. To było naprawdę niesamowite.

Uśmiechnął się, ale to był tylko cień jego normalnego uśmiechu.

– Potrafię się wspiąć na ścianę budynku, jeżeli to konieczne. Tak zostałem wyszkolony.

Tak był wyszkolony. Oczywiście. To by wyjaśniało jego niezbyt entuzjastyczną reakcję.

– Jest na to jakaś nazwa?

– To się chyba nazywa parkour.

– Parkour! Tak, to jest to. Widziałam filmiki na Youtube. – Uśmiechnęłam się i przybliżyłam do niego, delikatnie kąsając go w dolną wargę. – To supersprawa.

Więcej mu nie było trzeba. Trzymając jedną ręką stalową konstrukcję dźwigu, drugą chwycił mnie w pasie i przyciągnął tak blisko, że jego usta znalazły się na moich. Było coś niezwykle gorącego – palącego, jak słońce pustyni – w tym pocałunku, od którego drętwiały mi palce u stóp, kiedy balansowaliśmy wysoko w powietrzu w samym środku burzy.

Ciepłe palce wśliznęły się pod skraj mojej bluzeczki i przesuwały się wzdłuż linii kręgosłupa.

Niewiarygodnie, niewiarygodnie niesamowite.

Lekkie jak piórko dotknięcia palców Kale'a wzbudzały falę adrenaliny. Wyplątałam jedno ramię i palcem wskazującym przesuwałam po grubej bliźnie, ukrytej pod jego podkoszulkiem. Zaczynała się na obojczyku, a kończyła na barku. Dziesięć centymetrów niżej była jeszcze jedna. To wynik któregoś ze szkoleń, które źle się skończyło – jak kiedyś mi powiedział. Znałam każdą z tych blizn na pamięć – była to mapa dni i wydarzeń, prowadzących do jego wolności. Opowiedział mi o większości z nich, ale z kilkoma wciąż się krył. Niektórymi historiami nie chciał się dzielić. Nigdy go nie naciskałam, chociaż bardzo chciałam. Opowie mi, jak będzie gotowy.

Kiedy jego palce wiodły po gorących ścieżkach wzdłuż mojego kręgosłupa, cały świat przestał istnieć. Nie było już burzy. Denazen nie istniał, a kilkoro naszych przyjaciół gdzieś w dole wcale na nas nie czekało. Nie było żadnej presji matury, nie robił mi się węzeł w żołądku za każdym razem, kiedy myślałam o szkolnym zadaniu na temat „supremacji" i o tym, co się może zdarzyć, kiedy skończę osiemnaście lat. Tam byłam tylko ja, Kale i sam szczyt świata. Elektryzujące dotknięcia. Pocałunek rozbudowywał się powoli, był wszechogarniający i szorstki. Czułam się tak, jakbym leciała w powietrzu. Coś ciepłego przesuwało się powoli od żołądka do kręgosłupa, później przez ręce i nogi, jak gdybym odczuwała istnienie głównej linii przewodzącej adrenalinę. Odebrało mi oddech, a jednocześnie w jakiś dziwny sposób ten pocałunek budził mnie do nowego życia.

– Lubię dotknięcie twojej mokrej skóry – szepnął Kale wprost w moje usta, kiedy deszcz znowu się wzmógł. Odsunął się nieco i pieścił zarys mojej szczęki, po chwili jego palce zawędrowały ku linii szyi i wycięciu bluzeczki. – Ale mokre ubrania są denerwujące. Nie mogę się przez nie przebić do ciebie.

Skinęłam głową i pociągnęłam za rękaw jego ociekającego deszczem podkoszulka. Pochyliłam się do przodu, chwyciłam zębami płatek jego ucha, a później szepnęłam – Chyba najlepiej będzie to załatwić od razu. Pozbądźmy się tych ciuchów.

Odsunął się w mgnieniu oka, ściągnął podkoszulek przez głowę, po czym przeciągnął go przez pętelkę paska od spodni.

17

– W porządku.

Niedokładnie to miałam na myśli, ale nie będę się uskarżać. Ciało Kale'a było jak wyrzeźbione. Otworzyłam usta, żeby mu powiedzieć, że powinniśmy wrócić do hotelu, ale znów mnie pocałował i wszystkie rozsądne myśli gdzieś wyparowały.

Każdy centymetr mojego ciała był ożywiony, wibrował, a później nagle rozdarł mnie ból.

Jak gdyby ktoś owinął mi klatkę piersiową gumową taśmą – nie mogłam oddychać. Walczyłam o powietrze, ale zamiast tego zaczęłam się dławić i dusić, wstrząsało całym moim ciałem, kaszel rozrywał mi gardło. Opuszki palców płonęły, jak gdyby ktoś mi je przycisnął do rozgrzanego żelaza, czułam, że skóra mi pęknie. To było straszne. Cholera. Na pewno walnął w nas piorun.

To byłoby logiczne, gdyby nie to, że David był na ziemi i ściągał na siebie wszystkie wyładowania elektryczne. Ale może już sobie poszedł? Odsunęłam się, wzdychając ciężko. Serce niemal mi zamarło, kiedy wyplątywałam nogi z metalowych szczebli.

Oczy Kale'a, niebieskie i zdezorientowane, uchwyciły moje spojrzenie.

– Dez, co się stało?

– Nie wiem. – Był dopiero początek września, ale czuło się już powiew chłodu, czoło zalał mi pot. Serce waliło jak młotem, mięśnie napinały się bezwiednie. Czułam się pusta, czułam, jakby mnie ktoś obdarł ze skóry. Po kilku sekundach oddech wrócił do normy, a powietrze trochę się ochłodziło. Oparłam się o zimny metal i zamknęłam oczy, a Kale przyciągnął mnie do siebie. Objął mnie ramionami, a ja wzięłam głęboki oddech. – Nagle poczułam, jakby...

Całkiem nowe odczucie – fala intensywnych zawrotów głowy – pojawiło się znikąd, a wraz z nim wrażenie pędzącego powietrza. Odsunęłam się od śliskiego metalu, nogi same rozplątały się i puściły szczeble, jak gdyby były zrobione z galarety. Trzymałam się przez sekundę kolanami stalowego pręta, a potem cały świat odwrócił się do góry nogami. W chaosie dżdżu i oślepiających wstążek światła, które przecinały niebo, Kale nagle zniknął. A później zniknął dźwig. Przez chwilę nie było nic. Świat zawirował i zobaczyłam wokół siebie czerń. Nie byłam w stanie się niczego chwycić, chociaż próbowałam znaleźć dłońmi coś solidnego. Przesunęłam palcami po boku metalowej kratownicy dźwigu, ale padał deszcz i czułam, że się ześlizgują.

Nagłe zatrzymanie ruchu rozciągnęło całe moje ciało. Powstrzymanie pędu sprawiło, że rąbnęłam całą długością ciała w bok dźwigu. Uderzyłam głową o metal i rozległ się ogłuszający trzask, wszystko wokół mnie się rozmyło, rozciągnęło, dopiero po chwili zaczęłam widzieć wyraźnie.

– Trzymam cię – sapał Kale gdzieś nad moją głową. Zatrzymał mnie w upadku, jego mocne dłonie były zaciśnięte wokół moich nadgarstków jak imadła, zaczął podciągać mnie do góry, ale się ześliznął. Dźwięk wydawany przez ocierającą się o metal gumową podeszwę przepowiadał nieszczęście. Kale zaklął pod nosem, kiedy zsunęliśmy się jeszcze kilka centymetrów. W tamtej chwili byłam pewna, że spadamy.

Kiedy moje ciało przestało się kołysać, odwróciłam się na bok i obejrzałam przez ramię. Była jeszcze bardzo długa droga w dół, co mnie nie martwiło. Martwił mnie tylko beton, na którym bym się zatrzymała. Modliłam się w duchu, żeby Kiernan udało się zejść. Słyszałam głosy stojących pod dźwigiem – czasami ktoś coś krzyknął, od czasu do czasu się roześmiał. Nie mieli pojęcia, co się dzieje.

– Trzymaj się. Muszę inaczej stanąć – zawołał Kale. W jego głosie była absolutna pewność, kiedy zaplótł się nogą o dwa najbliższe szczeble, później zgiął kolano i zaklinował stopę pod szczeblem poniżej. Ja nie byłam tak pewna siebie. Znów wracało uczucie lęku. Coraz trudniej było mi oddychać, łapałam powietrze krótkimi, płytkimi haustami. Wszystkie mięśnie paliły żywym ogniem, w gardle czułam papier ścierny. Nie wiem, czy nie wrzeszczałam.

Coś strasznego wdarło się w moją podświadomość. Coś nie do pomyślenia. Zmroziło mi krew w żyłach.

– Kale – powiedziałam, próbując się uspokoić. Usłyszałam odgłos – jakieś dziwne brzęczenie, które robiło się coraz silniejsze. Wszystko wokół zaczęło się kręcić w kółko, w tym dziwnym brzęczeniu roztapiały się odgłosy otoczenia. – Chyba...

Nad krawędzią metalowego kształtownika pojawiła się jego twarz. Krople deszczu skapujące mu z włosów uderzały mnie po głowie, słyszałam pojedyncze pluśnięcia.

– Trzymam cię, nie martw się. Przygotuj się. Za chwilę cię podciągnę.

Poprawił uchwyt dłoni na moich nadgarstkach i wtedy przeszył mnie ogień, który chwilę później wybuchł. Ból przesuwał się, jak kropla wody, po palcach dłoni, pełzał do ramion. Stamtąd rozlewał się na klatkę piersiową i wdzierał do nóg. Czułam się tak, jak gdyby ktoś mnie rozrywał na strzępy, zapalił w moich wnętrznościach ognisko i zaszył wszystko zardzewiałą igłą. Kopałam, próbując zahaczyć się trampkiem o najbliższy szczebel tak, żebym mogła uchwycić metalową kratownicę dźwigu, ale but się ześlizgiwał.

– Dez, przestań się miotać! – w jego głosie był ślad paniki. Samo to wystarczyło, żebym zaczęła wariować. Kale nie panikował. On był kamienną twarzą podczas kryzysu. To kolejna rzecz, którą wyniósł ze szkoleń.

Normalnie nie byłoby żadnego problemu z utrzymaniem się – miałam mięśnie nie od parady – ale po tym deszczu, i tym, że wiłam się jak piskorz, jego prawa dłoń ześlizgnęła się z mojego nadgarstka na kciuk i później zupełnie mnie puścił. Natychmiast poczułam, że ciało nieco stygnie. Nie na tyle, żeby zdusić ból, ale na tyle, by to zauważyć.

Na tyle, żeby potwierdzić to, co było nie do pomyślenia.

– Kale, puść mnie!

Niebo rozdarła następna błyskawica. Było blisko. Poczułam, że włos mi się jeży na szyi, jak gdybym włożyła palec do gniazdka.

Kolejna fala bólu. Buczenie zrobiło się głośniejsze. Wiatr ucichł, krople już nie uderzały metaliczne o kratownicę dźwigu. Nasi kumple na dole byli cicho, miałam też wrażenie, że gdzieś w oddali zamarł ruch uliczny. Nawet Kale, którego usta poruszały się nerwowo, milczał.

W odruchu paniki znów spróbowałam zaczepić się stopami o metal, ale to na nic. Gumowe podeszwy ześlizgiwały się z mokrych szczebli.

– Proszę – błagałam, zastanawiając się, czy w ogóle słyszy mój głos przez to dziwne buczenie. – Puść mnie.

Kiedy nie puszczał, rozluźniłam palce. Znów parę centymetrów.

Przerażony poprawił uchwyt, zamachnął się wolną dłonią, ale deszcz utrudniał mu zadanie. Nie pomagałam, a jego palce prześliznęły się tylko po moim nadgarstku. Udało mu się chwycić mnie za drugą rękę obiema dłońmi, ale już się wyślizgiwałam. Znów poruszył wargami i wydawało mi się, że widzę na nich moje imię.

Zmusiłam się do wzięcia głębokiego oddechu. Ból był nie do zniesienia. Jak gdybym próbowała oddychać przez potłuczone szkło. Już dłużej nie mogłam tego znieść.

– Kale, zabijasz mnie. Puszczaj!

I puścił.

2

W głębi duszy odczułam ulgę, ale nie mogłam uwierzyć, że naprawdę mnie wypuścił z rąk. To mu nie ujdzie płazem. Cholera. Jaka jest pierwsza reguła, kiedy człowiek spada z dużej wysokości? Odprężyć się! Rozluźnić mięśnie, rozluźnić całe ciało. Bywało i tak, że ludzie przeżywali upadki z dużych wysokości. Z budynków. Wyskakiwali z samolotów. To nic nadzwyczajnego. Zamknęłam oczy, nastawiłam się na zderzenie z ziemią i...

Powietrze się nieco uspokoiło. Jakby znieruchomiało. Moje włosy, które jeszcze dosłownie kilka sekund temu były jak rozwalona miotła brzozowa, znów opadły i otoczyły moją twarz. Wstrzymałam oddech i okręciłam się, żeby zobaczyć ziemię – była zaledwie metr ode mnie, ale nie pędziłam ku niej z prędkością światła. Przeszło kilka sekund nieważkości i znów spadałam, ale bez miażdżącego kości efektu nagłego zatrzymania, którego człowiek mógłby się spodziewać po upadku z ponad dziesięciu metrów. Wylądowałam miękko w czyichś silnych, ciepłych ramionach.

– Muszę powiedzieć, Dez, że adrenalina skoczyła nam wyjątkowo wysoko... – Alex postawił mnie na ziemi, a pozostali otoczyli mnie zwartym kręgiem.

Słowa uwięzły mi w gardle. Miałam sucho w ustach, końcówki nerwów tak pobudzone, że chwiałam się i trzęsłam, jak mój ulubiony bohater sceniczny Spider One.

Usłyszałam uderzenie pioruna, a kilka sekund później zobaczyłam rozbłysk na niebie. Poczułam gęsią skórkę na ramionach i szyi. Światło błyskawicy wycięło na ciemnym niebie sylwetkę Kale'a, który schodził zręcznie z dźwigu, zeskoczył na ziemię i ruszył biegiem, żeby jak najszybciej znaleźć się przy mnie – na szczęście miał już na sobie koszulę.

Ktoś szturchnął mnie w ramię. To był Alex.

– Dez? Wszystko w porządku?

– Ty... Co ty robisz...?

Spojrzał na mnie dziwnie.

– Dlaczego zeskoczyłaś z dźwigu, Dez?

– Nie zeskoczyłam...

Przerwał mi w pół słowa okrzyk Kale'a. – Dez! – Biegł w kierunku zgromadzonej grupki ludzi. Rozstępowali się, żeby mógł się do mnie przedrzeć. Stanął metr ode mnie i żadne z nas się nie poruszyło.

– Co się tam stało? – spytała Kiernan, przepychając się do przodu. Stanęła, oparłszy dłonie na biodrach i przesuwała niechętne spojrzenie od Kale'a do mnie.

Odezwał się Alex. Kątem oka zobaczyłam, że pokazuje palcem w kierunku nieba.

– Nie wiadomo, dlaczego Dez postanowiła zeskoczyć ze szczytu dźwigu.

Wszyscy naraz zaczęli gadać, ale ich nie słyszałam. Jakieś bzdury. Splątane głosy w tle. Słyszałam gwizdy pełne podziwu i gwizdy oznaczające, że jestem wariatką, wszystkie zmieszały się w nierozpoznawalny szum radiowy.

Wszechświat w końcu wkroczył, tupnął nogą i wziął zapłatę. Wiedziałam, że tak będzie. Daun, Szóstka, która ocaliła Kale'a po bitwie pod Sumrun, ostrzegała nas nieraz. *Musicie być czujni* – mówiła. – *Zjawi się, kiedy będziecie się tego najmniej spodziewać.* Miała rację.

Kale zrobił krok naprzód.

Ja też.

Zatrzymaliśmy się o parę centymetrów od siebie, żadne z nas nie sięgało ku drugiemu ręką. Widziałam wszystko w jego oczach. Lęk. Poczucie winy. Zrozumienie.

– Dez... – Zrobił ruch, jak gdyby chciał unieść rękę, ale zatrzymał się w pół gestu i zacisnął mocno pięść. W głowie dźwięczały mi słowa Daun. Niechciane, ale nieustępliwe. *Efekt uboczny. Wymiana. Nie wiadomo, co to będzie.*

Słyszałam też swoją odpowiedź. *Wszystko bym za niego oddała.*

Cofnęłam się o krok i o mało się nie wywróciłam pomimo tego, że nagle poczułam się boleśnie otrzeźwiona.

– Proszę cię, nie. Wiedzieliśmy, że tak będzie. Nie okłamujmy się. Dostałam coś i wiedziałam, że coś innego w zamian będę musiała stracić.

Kale zacisnął szczęki, po czym cofnął się o krok.

– Nic straconego. To minie. Możemy wszystko naprawić. Opanuję to, nauczę się kontrolować – tak mówiła Ginger.

– Głos mu lekko zadrżał i nie byłam pewna, czy stara się przekonać mnie, czy siebie samego.

Nie mogłam się powstrzymać i roześmiałam się. To był gorzki śmiech, tak niepodobny do mnie. Coś w rodzaju maniackiego chichotu, który potężnieje wraz z szaleństwem. To taki chichot, który człowieka opanowuje, zanim straci nerwy w kolejce na poczcie. Wszyscy zebrani otoczyli nas półkręgiem i patrzyli. Przyglądali się. Nikt nie rozumiał, co się dzieje. Nie wiedzieli, co zrobiłam. Powiodłam wzrokiem po ich twarzach. Zobaczyłam całą gamę emocji. Od szczerego zaniepokojenia do irytacji, a wszystko skierowane w moją stronę. Zbyt duży ciężar na moich ramionach. Bez słowa odwróciłam się na pięcie i pobiegłam. Przez kilka chwil słyszałam za sobą czyjeś buty rozchlapujące błoto. Ktoś próbował dotrzymać mi kroku. Były jednak zbyt ciężkie na Kale'a – poza tym gdyby to był on, nie słyszałabym żadnego dźwięku, więc domyśliłam się, że to Kiernan. Na szczęście dała sobie spokój, kiedy dobiegłam do skraju placu budowy.

Przeszłam przez ulicę i zawahałam się na rogu. Dokąd, do cholery, miałabym pójść?

Może do hotelu. To jednak z pewnością pierwsze miejsce, które sprawdziłby Kale. Teraz nie mogłam się z nim widywać. Poczucie winy, które widziałam w jego oczach, było jak stalowe ostrze noża, którym ktoś dźgnął mnie prosto w gardło.

Mogłam się trochę powłóczyć, ale to nie był dobry pomysł. Byłam na samej górze listy Taty do zwinięcia i zakopania. Nigdy mu nie ułatwiałam życia. I nie ma powodu, żeby akurat teraz zaczynać.

To była ostatnia kalendarzowa noc lata. Rano miała się zacząć szkoła, co znaczyło, że czekają nas też imprezy. Będą co najmniej trzy duże balangi – jedna u Curda, bo jego starzy znowu pojechali do Paryża, jedna w lesie pod górą Putnam i jedna na łąkach za dawnym domem Brandta.

W normalnych warunkach chętnie wybrałabym się na każdą z nich, ale kręcenie się w towarzystwie w takim akurat momencie wydawało mi się chybionym pomysłem. Chciałam być sama.

Dokąd więc skierowałam kroki? Tam, gdzie zawsze byłam sama.

Do domu.

Klucz był wciąż przyklejony taśmą pod luźnym, przesuwnym panelem narożnika budynku. Założyłabym się, że dotrwał tam aż do teraz jedynie dlatego, że Tata nie miał pojęcia, że jest tam schowany. Zabunkrowałam klucz w zeszłym roku, kiedy miałam fazę tracenia wszystkiego. Gdzieś w Parkview były trzy klucze, które wciąż czekały, żeby ktoś je znalazł. A właściwie dwa. Jeden zakończył żywot na dnie jeziora Milford po tym, jak nie udał się numer z podmianą opon.

Drzwi otworzyły się bez trudu – choć raz się nie zacięły – i weszłam do środka. Pytałam samą siebie w duchu, dlaczego tak długo zlekałam, żeby tu wrócić, a z drugiej strony coś we mnie kazało mi odwrócić się na pięcie, wycofać i nigdy już tu nie zaglądać. Tyle się wydarzyło, ale prawda była taka, że niezależnie od tego, jak bardzo by się popsuło między mną a Tatą, to był dom. I trochę za nim tęskniłam.

Wspomnienia to wspomnienia, niezależnie od tego, czy są dobre, czy złe.

Zamknęłam drzwi i zmarszczyłam brwi. Dom był zupełnie wyczyszczony z mebli. Nie było olbrzymiej skórzanej kanapy, na której Tata nie pozwalał mi kłaść nóg, ani miękkiego jak kocia wełna beżowego fotela, na który rozlałam poncz w trakcie pierwszej imprezy, jaką tu urządziłam – nawet dywan w holu ktoś zrolował. Zostały tylko brudne drewniane listwy wzdłuż skraju podłogi i trochę kurzu. W powietrzu czuć było stęchlizną. To nie była wilgoć, ale zapach długo nie wietrzonego pomieszczenia. Tak, jak gdyby nikt tu miesiącami nie otwierał drzwi, co pewnie nie było dalekie od prawdy. Kiedy znikłam ze sceny, Tata nie miał powodu, żeby dalej udawać. Jego domatorskie zapędy od samego początku były wątpliwe. On i mama nigdy nie wzięli ślubu. A ja byłam tylko eksperymentem. Byłam przedstawicielem pokolenia projektu Supremacji Denazen. Częścią operacji, która miała na celu wyprodukowanie silniejszych, bardziej utalentowanych przydupasów, marionetek, którymi Denazen mógł manipulować.

Po raz pierwszy zmieniłam jedną rzecz w drugą, kiedy miałam siedem lat. Już wtedy wiedziałam, że jestem inna. Nie taka, jak wszyscy. Coś było ze mną nie tak. Przynajmniej jeżeli chodzi o normy społeczne. Trzymałam więc buzię na kłódkę.

Okazało się, że to dobry plan. Kilka miesięcy temu dowiedziałam się, iż Tata jest treserem zabójców wykorzystującym takich, jak ja – Szóstki – tak nas nazywali w związku ze zmianami w naszym szóstym chromosomie. Wykorzystywano nas, żebyśmy zajmowali się mokrą robotą. Okazało się, że kiedy mama była w ciąży, Tata szprycował ją jakimiś dziwnymi substancjami chemicznymi, żeby „wzmocnić" mój dar. I nie byłam jedyna. Gdzieś w świecie jest garstka chłopaków i dziewczyn w moim wieku, którzy za chwilę skończą osiemnaście lat – i prawdopodobnie już świrują – mających nadludzkie zdolności i moce.

A ta substancja chemiczna, którą się posłużyli? No, tak. Miała niewątpliwie poważne skutki uboczne.

Otrząsnęłam się i skręciłam za róg. Krok po kroku wspinałam się po stopniach schodów do mojego dawnego pokoju. Chociaż wiedziałam, jaki jest Tata i co mu się roiło w głowie, miałam wciąż nadzieję, że coś tam zostało. Koszula, książka. Do cholery, nawet but. Cokolwiek, co kiedyś było moje.

Powinnam się była domyślić.

Wszystkie moje wspomnienia, wszystkie pamiątki, które obdarzałam takim sentymentem i zbierałam przez całe lata, znikły. Nie było nawet jednego wieszaka w szafie, ani miotełki do odkurzania kryjącej się w kącie pokoju. Antyczna toaletka, którą Brandt pomógł mi tu przeciągnąć z jakiejś garażowej wyprzedaży kilka lat temu, wezgłowie łóżka, na którym razem z Alexem wyryliśmy swoje imiona, a nawet naklejki Powerman 5000 na zderzaki, które przymocowałam do ściany po to tylko, żeby wkurzyć Tatę – to wszystko zniknęło.

Poczułam się tak, jak gdyby ktoś jednym ruchem wymazał całe moje życie.

– Do cholery jasnej! – kopnęłam w róg drzwi. Skrzydło poleciało na ścianę i odbiło się z hukiem.

To wszystko nie powinno mnie było obchodzić. Przecież to tylko przedmioty, ale poczułam, że coś mnie ściska w gardle. To przecież moje rzeczy. Część mojego życia. Wrzasnęłam wniebogłosy – Gnojek!

Może zaczęłabym coś rozbijać, na przykład okno, bo tylko to było do rozbijania, ale powstrzymał mnie jakiś dźwięk dochodzący z dołu.

Nie było to ani głośne uderzenie, ani huk wystrzału, ale coś niewielkiego. Delikatne skrzypnięcie. Jak gdyby ktoś próbował się skradać i ciągnął za sobą coś dużego. Przez te wszystkie lata tyle się naskradałam po całym domu, że znałam na pamięć wszystkie jego jęki i skrzypnięcia. To akurat dochodziło od drzwi kuchennych.

Ktoś jeszcze był w domu.

Przez sekundę zastanawiałam się, czy nie śledziła mnie Kiernan, ale szybko odrzuciłam tę myśl. Na pewno by mnie zawołała po imieniu. Nie pałętałaby się po domu w ciemności. Trzy tygodnie temu, kiedy zaskoczyła mnie zachodząc od tyłu, oberwała tak, że spuchła jej warga. Dostała nauczkę.

Przycisnęłam się plecami do ściany i wyjrzałam ostrożnie za róg do holu, żeby posłuchać, co się tam dzieje. Nic. Już zaczęłam się odprężać i podejrzewać, że to jakaś paranoja, kiedy po podeście obok schodów przebiegły jakieś dwie postacie, rzucając na ścianę rozmyte cienie.

Wśliznęłam się z powrotem do pokoju, serce waliło mi jak młotem. Jasne, że Tata kazał komuś obserwować dom. Ależ byłam idiotką, że o tym nie pomyślałam.

Oczywiście.

Poczułam, że strach zaciska mi gardło, a przez pokój powiał wiatr lęku. Gdzie mam się schować? Szafa nie wchodziła w grę. Nawet, jeżeli Tata nie wymontowałby zamków całe lata temu, kiedy znalazł tam ukrywającego się Alexa, faceci mogliby wyłamać drzwi, kiedy by tylko chcieli.

Ruszenie z kopyta w kierunku drzwi wejściowych nie wchodziło w grę. Nie miałabym szans bezszelestnie zejść po schodach. Wiedziałam, że jest ich więcej niż dwóch.

Nawet ja nie byłam aż tak dobra. Rozejrzałam się po pokoju i stwierdziłam, że istnieje tylko jedno rozsądne wyjście. Okno. Podkradłam się do parapetu i odsunęłam zasuwkę. Powoli otwierałam okno, a ono jęknęło jakby w proteście. Wysoki dźwięk i delikatne skrzypnięcie. Wstrzymałam oddech i nie puszczałam ramy okiennej nasłuchując, czy mnie nie odkryli. Nie usłyszałam ani wrzasku, ani odgłosu stóp na schodach.

Przerzuciłam nogę nad parapetem, pomachałam nią w powietrzu i zatrzymałam się na chwilę. Bez trudu mogłam zeskoczyć cicho na ziemię i uciec, ale niczego bym się nie dowiedziała. Chciałam wiedzieć, kim są ci ludzie i być pewna, że pracują dla Taty. Nie ulegało kwestii, że dom przez dłuższy czas był pusty. Może to jacyś dzicy lokatorzy. Albo szukają miejsca na imprezę. Mój kumpel Curd posyłał ludzi, żeby sprawdzali opuszczone domy, kiedy chciał zorganizować większą balangę.

Przerzuciłam drugą nogę, chwyciłam dla równowagi pień dębu, skuliłam się i zamknęłam prawie do końca okno, zanim weszli do pokoju. Gałąź była na tyle gruba, że mogłam prześliznąć się na bok i przemieścić na drugą stronę okna.

Jeżeli by wyjrzeli na zewnątrz, też by mnie nie zauważyli.

Taką miałam nadzieję.

— Na pewno widziałeś... — zaczął jakiś facet. Głos brzmiał młodo, ale trudno było stwierdzić, nie widząc go. Przycisnęłam ucho mocniej do parapetu.

— Jak wchodziła?

— Tak — dokończył za niego ten pierwszy. Tak mi się przynajmniej wydawało, że to był ten pierwszy. Ich głosy brzmiały niemal identycznie.

Okno było niedomknięte. Słyszałam, że się zbliżają. Chwilę później jeden z nich stuknął kilka razy palcem w szybę.

– Cross wiedział, że ona wróci.

– W końcu? Tak. Ale gdzie jest ta dziewczyna?

– Nie wygląda na to, żeby wyszła przez okno. Czy to możliwe...

– Że się koło nas prześlizgnęła? Wątpię, ale sprawdźmy od frontu, żeby się upewnić. Cross skopie nam tyłki, jeżeli się dowie, że ona tu była, a my pozwoliliśmy jej uciec.

W porządku, w takim razie teoria z Tatą się potwierdza. A chodzenie tam i z powrotem? Bardzo denerwujące.

Po kilku chwilach błogosławionej ciszy zaryzykowałam i przybliżyłam się do okna. Nieśmiało wyjrzałam ponad parapetem. Pokój znów był pusty. Nie wiedziałam, dokąd poszli, więc postanowiłam, że już czas się zmywać. Przysłał ich Tata. Jeśli bym się tu jeszcze pokręciła, może bym się od nich dowiedziała, czego chcą, ale to mnie nie interesowało.

Pochyliłam się do przodu, wstrzymałam oddech i powiodłam wzrokiem po podwórku, żeby się upewnić, że przedpole jest czyste. Na razie wszystko było w porządku. Trzymając się drzewa, ześliznęłam się na trawę. Solidny dąb już nieraz pomagał mi w utrzymaniu odpowiedniego poziomu życia towarzyskiego i od wielu lat asystował w nocnych wyprawach. Jego poskręcane gałęzie i głęboki, roślinny zapach pocieszały mnie i wywoływały wspomnienia.

Kiedy zeskoczyłam na mokrą trawę, usłyszałam delikatny plusk i poczułam mrowienie w nogach. Obejrzałam się po raz ostatni na dąb i powiodłam palcami po jego nierównej korze. Pewnie już tu nigdy nie wrócę. Bo i po co. To miejsce było jak wydmuszka. Pusta okładka książki, która kiedyś chroniła przed kurzem i brudem skomplikowany świat wymyślonych faktów i zdarzeń.

Kiedy się odwróciłam, żeby ruszyć do wyjścia, przez podwórko przetoczył się silny powiew wiatru. Poczułam gęsią skórkę na ramionach i próbowałam nie zatrząść się z zimna. Jak gdyby żegnając się ze mną, gałęzie dębu zadrżały, parę liści opadło na ziemię. Podniosłam jeden z nich i zwinęłam w palcach, a na wszystkie strony poleciały kropelki deszczu. Usłyszałam trzask, jakby chrupnięcie, jak gdyby ktoś butami rozdeptywał suche liście, i zamarłam. Zanim zdołałam się odwrócić, chwyciły mnie jak w imadło czyjeś silne ramiona. Nie było czasu na myślenie. Tylko reakcja spanikowanego mózgu. Uderzyłam stopą do tyłu, dokładnie celując i obróciłam się na pięcie.

Grad przekleństw i postawione w szpic tlenione blond włosy. – Dez... Co jest, do cholery?

Na widok Alexa zaczęłam świrować. Złapał mnie, kiedy zleciałam z dźwigu, a choć powinnam być mu za to wdzięczna, gotowałam się cała z gniewu. Teraz, kiedy posiadałam już jasny obraz sytuacji – przynajmniej tak mi się wydawało – miałam ochotę zrobić mu z twarzy befsztyk.

Nie widzieliśmy się od tamtej nocy w Sumrun. Stał wtedy nad Kale'em. Zakrwawione ostrze wyśliznęło mu się z palców... Pamiętam odgłos uderzenia metalu o ziemię... Wyraz jego twarzy... Wściekłość... Zdradę...

To wszystko nagle wróciło. Walnęło, jak grom z jasnego nieba.

– Masz czelność zbliżać się do mnie, tak? – Odepchnęłam go z całej siły. Potknął się, ale nie próbował mnie zatrzymać.

– Co ty tu w ogóle robisz?

Już otwierał usta, żeby odpowiedzieć, ale zamiast tego pokazał coś nad moją głową w kierunku domu. Z okna wpatrywali się w nas dwaj identyczni faceci. – Jest znacznie ważniejsze pytanie. Co oni tutaj robią?

– Cholera jasna! – Serce zabiło mi jak młotem, wrzuciłam czwórkę, puściłam się pędem przez trawnik i obiegłam narożnik domu, ślizgając się na mokrej trawie. Straciłam równowagę i upadając, oparłam się na dłoni, kiedy moje trampki sunęły po mokrych źdźbłach. Po kilku nerwowych próbach udało mi się wrócić do pionu i znów ruszyłam do biegu. Wprawdzie się nie otrzepałam, ale to mnie wcale nie spowolniło. Usłyszałam odgłosy pogoni. Faceci siedzieli mi na karku. Byli blisko. O wiele za blisko. Odważyłam się spojrzeć przez ramię. Zajęło mi to sekundę, nawet nie tyle – raczej ułamek sekundy. Zobaczyłam sapiących i dyszących blondyna i bruneta – Alexa – później znów spojrzałam przed siebie. Ten ułamek sekundy kosztował mnie o wiele za dużo.

Z impetem wpadłam na coś wielkiego i ciemnego. Jeden z facetów z domu. – Głupiątko. Próbowało...

Alex wpadł na tego drugiego. – Uciekać? Tak.

Cofając się, zmusiłam się do uśmiechu, mając nadzieję ukryć pod nim ten lęk, jakbym się bała, że się zsikam. Zazwyczaj niełatwo mnie przestraszyć, ale co robić, kiedy człowiek ma spotkanie pierwszego stopnia z piekłem, którym jest Denazen? Powiedzmy w skrócie, że nie miałam ochoty na kolejną misję.

Ubrani od stóp do głów na czarno Cudowni Bliźniacy blokowali każdy centymetr ścieżki. To ci sami dwaj brzydale z okna. Jakby zeszli z kserokopiarki, podobni w najmniejszych szczegółach, aż do rozmytych, czarnych kresek pod oczami i nierównego czarnego lakieru do paznokci. Obaj mieli jednak oczy różnego koloru – pierwszy miał lewe niebieskie, a prawe brązowe, zaś drugi – odwrotnie.

Zrobiłam gest w ich kierunku.

– Dużo lasek udaje się wam w ten sposób poderwać? Bo całkiem poważnie, chyba sobie zaraz powyrywam kolczyki z uszu.

Jeden z nich uśmiechnął się do mnie półgębkiem i dotknął otwartą dłonią niby ronda kapelusza, którego nie miał na głowie.

– Jestem Aubrey, a to mój brat.

– Able. Tak, to ja – dokończył za niego ten drugi. Z bliska słyszałam, że jest niewielka różnica w ich głosach. Able mówił dziwnie, jak gdyby z obcym akcentem. Nie do końca wymawiał dźwięk S. Jego S brzmiało prawie, jak Z.

Alex jeszcze raz obrzucił ich niechętnym spojrzeniem. To jego wersja przyglądania się konkurencji.

– Robicie zlecenia dla Crossa?

Able skinął głową parę razy, jak piesek z tylnej półki samochodu. Obszedł Alexa wkoło, zmrużył oczy, ale ku mojemu zdumieniu nie próbował go skrępować.

– Ty nie jesteś Dziewięćdziesiąt Osiem.

– Bardzo mi przykro, ale tu nie używamy numerów. Nazywam się Alex Mojourn.

Aubrey zmarszczył brwi i założył ramiona na piersiach. Mnie również nie mieli zamiaru chwytać ani wiązać. Ten objaw braku agresji trochę mnie denerwował. Coś było nie tak – a to... Miałam wrażenie, że Able nie podziela dezaprobaty brata. Uśmiechnął się, puścił do mnie oko, jak gdybyśmy mieli jakiś wspólny wielki sekret. Na niebie nad głowami usłyszeliśmy huk pioruna. – Rozczarowani? Tak. Chociaż mogłoby być zabawnie.

– Zgaduję, że jesteście Szóstkami. I to wasz dar? Wkurzanie ludzi na śmierć głupim gadaniem?

Alex potarł uszy i zmarszczył nos.

– Chłopaki. Ona ma rację. Po co ta głupia gadka? Już mi się z wami nudzi.

Przez chwilę nikt się nie odzywał. Cała nasza czwórka po prostu stała tam i gapiliśmy się na siebie nawzajem. Cisza przed burzą. Ostatnie kilka pełnych napięcia chwil, zanim ptaki uderzą w ścianę budynku. Serce waliło mi jak młotem, mięśnie kurczyły się gotowe do biegu. Fakt, że jeszcze na nas nie naskoczyli, sprawiał, że drżałam cała, jak ćpun, a wiedziałam, że długo to nie potrwa. Coś miało się wydarzyć. Widziałam to w ich oczach.

Zyskali przewagę, bo nie mieliśmy pojęcia, co potrafią. Mój dar był z gatunku nieagresywnych i dałabym sobie rękę uciąć, że o tym wiedzieli. Poza tym byłam dość bezużyteczna. W każdym razie w tamtej chwili. Miałam podobno rozwinąć w sobie jakieś opętańcze umiejętności w wyniku leku Supremacji, ale oprócz kilku dziwacznych zdarzeń – rzeczy, które przypisywałam brakowi snu – nie było żadnych oznak tego, że jestem jakimś nadczłowiekiem.

Z drugiej strony Alex nie był tak bezużyteczny. Miał zdolności do telekinezy – to znaczy, że potrafił siłą umysłu przesuwać różne rzeczy. To mogłoby być dla Bliźniaków powodem do niepokoju, ale chyba zbytnio się tym nie martwili. Na pewno nie tylko pakowali na siłowni, jeżeli Tata posłał ich w nadziei, że wpędzą w pułapkę kogoś takiego, jak Kale. Później wszystko szło jak w zwolnionym tempie. Alex pierwszy zrobił ruch. Nie miałam czasu, żeby się zdenerwować, bo chwycił mnie za ramię i poprowadził dookoła nich.

– My idziemy. Powiedzcie Crossowi, że może mi naskoczyć.

Udało mu się zrobić cztery kroki, zanim obrócił się na pięcie i ruszył w kierunku ulicy, niemalże wyrywając mi ramię ze stawu. Jeden z Bliźniaków gdzieś za nami wydał z siebie wysoki okrzyk, później usłyszeliśmy podwójną dawkę mrożącego krew w żyłach śmiechu. Tak, dokładnie. Tato ma wyjątkową zdolność do wyłuskiwania świrów.

Wpadliśmy z impetem w bramę, a później wybiegliśmy na podwórko przed domem. Puściliśmy się pędem przez ulicę. Czujnik ruchu, umieszczony obok skrzynki pocztowej starego Philbena, ożył i zamigotał snopem światła na naszej ścieżce. Philben zamontował go mniej więcej w tym czasie, kiedy zaczął opowiadać sąsiadom o tym, jak porwali go kosmici. Podobno goście z innej galaktyki interesowali się zawartością jego czerwono-biało-niebieskiej skrzynki pocztowej w kształcie ptaka.

Alex machnął dłonią jak szaleniec. Gdzieś za nami kilka kubłów na śmieci naszych sąsiadów pofrunęło w kierunku rogu starego domu, tam, gdzie Able i Aubrey wybiegali przez bramę. Kubły wpadły na Bliźniaków i przewróciły ich na ziemię z odgłosem postukującego metalu i odorem ciepłych śmieci.

Chciałam się zatrzymać, ale Alex popchnął mnie do przodu.

– To ich nie powstrzyma. Musimy uciekać!

Ruszyliśmy za następny róg i pobiegliśmy, ile sił w nogach. Kiedy byliśmy w połowie trzeciej przecznicy, nagle to do mnie dotarło. Coś tu jest nie tak. Zatrzymałam się w pół kroku i przycupnęłam przy ścianie sklepu jubilera Marlow's, pociągnęłam za sobą Alexa.

– Dlaczego byłeś na budowie?

– Co takiego? A jakie to teraz ma znaczenie?

– Dlaczego tam byłeś? Od miesięcy cię nie widziałam. Swoją drogą, mądry ruch, i nagle się pokazujesz? A co gorsza, dlaczego mnie śledziłeś? – Dźgnęłam go mocno w pierś. Te dwa obrzydliwe Bliźniaki były trochę za bardzo odprężone. Jak gdyby miały asa w rękawie. Asa w kształcie Alexa. – Jesteś z nimi w zmowie?

Wyjrzał zza ściany budynku. Kiedy wrócił, miał oczy szeroko otwarte ze zdziwienia.

– Pytasz mnie, czy próbuję cię porwać i dostarczyć Tacie? Naćpałaś się? Nigdy bym...

Ruszyłam na niego z zaciśniętymi pięściami. Kłykciami uderzyłam w krawędź jego kościstej szczęki, w każdym z palców poczułam tysiące igieł bólu, ale było warto. Miał właśnie powiedzieć, że nigdy by mnie nie skrzywdził. Więc myślał, że nie zaboli mnie patrzenie na to, jak wybebesza Kale'a? Po tym wszystkim podejrzenie, że może jednak pracuje na zlecenie Taty wywoływało u mnie falę mdłości. Tym i owym się różniliśmy, były to w równym stopniu kłamstwa i nieporozumienia, ale kiedyś byliśmy dla siebie ważni.

A później musiał spróbować zabić mojego chłopaka. Potrząsnął głową zdziwiony i dotknął twarzy.

– W porządku. Zasłużyłem na to. Ale teraz...

– Chrzań się. – To nie był dobry moment, żeby go okłamywać, ale pamięcią wracałam do tego, co wydarzyło się w Sumrun. Widziałam obraz Alexa stojącego nad Kale'em, obraz wypalony jak żelazem w moim mózgu. Nieważne, ile wody upłynie w rzece, ten obraz nie zniknie. Poza tym fakt, że zjawił się dokładnie w tym momencie, kiedy spadałam z dźwigu? Trochę za dużo tych przypadków. Niewielka, logiczna część mojego mózgu podpowiadała mi, że nie mógł wiedzieć, że straciłam odporność na Kale'a – a tym bardziej nie mógł wiedzieć, w którym momencie to się stało. Nie ufałam mu. Było coś ponadto. Musiało być.

– Taki macie plan? Wciągnąć mnie w jakąś ciemną alejkę i poczekać, aż przyjdą i mnie stąd zgarną?

Uniósł ręce i kopnął w ścianę budynku.

– To ty mnie wciągnęłaś w tę alejkę.

Obrzuciłam go niechętnym spojrzeniem, ale nic nie odpowiedziałam.

– Ja próbuję ci pomóc. – Wyglądał tak, jak gdyby miał za chwilę eksplodować. Już nieraz widziałam, jak Alex wychodzi z nerwów i to wcale nie był piękny widok, a był już chyba na skraju wybuchu. Jego twarz zrobiła się szkarłatna, a dłonie – zaciśnięte w pięści do tego stopnia, że kłykcie niemal świeciły mu w ciemności – trzęsły się z irytacji. – Dostałem cynk od Ginger, żeby pójść na budowę. Rozumiesz? Powiedziała, że będziesz mnie potrzebowała.

– Akurat – odparowałam. – Dlaczego miałaby cię o cokolwiek prosić? Próbowałeś zabić jej wnuka.

– Do chole... To nie były...

Coś się poruszyło na drugim końcu alejki, usłyszeliśmy zduszony chichot. Alex nie czekał. Bez ceregieli pociągnął mnie z całych sił w kierunku ulicy. Nie trzeba było mi dwa razy powtarzać. Być może nie chciałam, żeby kiedykolwiek znalazł się ode mnie w odległości czterdziestu metrów, ale jeżeli miałam do wyboru jego i odwiedziny u Taty, on na pewno wygrywał.

– Uciekajmy w kierunku Parker Avenue – to dzielnica banków – powiedziałam, dysząc ciężko. – Tam ich zgubimy.

Puściliśmy się pędem przez Mill Street, później na ukos w kierunku parkingu przy Food Smart do Parker Avenue, kiedy znów lunęło.

– Biegiem! – usłyszałam zdyszany głos Alexa. – Szybciej!

Bo się ociągałam i nie biegłam tak szybko, jak potrafię? Kretyn!

Przez całe lato nie byłam w dzielnicy banków. Kilkoro ludzi ze starej ekipy kiedyś zbierało się tu w weekendy i skakało po budynkach. Te znajdujące się na obrzeżach dzielnicy – kilka pozostałych tu jeszcze czynszówek i biur – stały na kupie i łatwo po nich skakać. Nazywaliśmy je starterami lotu. Gmachy w samym centrum – fabryki i magazyny – stały w pewnej odległości od siebie. To większe wyzwanie. Kiedy ostatnim razem byliśmy tu wszyscy, Gillman zarzekał się, że będzie skakał po dachach w samym centrum. Zastanawiałam się, czy się odważył.

Zatrzymałam się przed fabryką Jansecka, żeby złapać oddech, ale Alex nie chciał o tym słyszeć. Pociągnął mnie za ramię i popchnął w kierunku wysokich, znanych mi dobrze kamienic po drugiej stronie ulicy.

– Chodź. Tam, gdzie kiedyś mieszkałem drzwi na dachu są prawie zawsze otwarte. Możemy się jakoś przemknąć i przyczaić.

Po zmroku ruch uliczny niemal zamierał – ulica Parkview w dzielnicy banków i zakładów przemysłowych nawet w środku dnia nie była atrakcyjna. Puściliśmy się pędem na drugą stronę, okrążyliśmy kompleks budynków, w których kiedyś znajdowało się mieszkanie Alexa.

Drabina przeciwpożarowa nie była opuszczona i nie mogliśmy do niej sięgnąć, ale z tym nie było kłopotu. Alex machnął ręką i ruszyła ku nam z hukiem, metal uderzał o metal, szyna ocierała o szynę.

– A może by tak po prostu wystrzelić flarę, albo przez megafon ogłosić, gdzie jesteśmy?

Ruszając po drabinie powiedziałam teatralnym szeptem:

– Lepiej nie zwracać na siebie aż takiej uwagi, co ty na to?

Podciągnęłam się nad krawędzią i wspięłam na dach. Wiatr, wiejący mi w plecy, wywołał dreszcz i żałowałam, że zrzuciłam bluzę z kapturem, wspinając się na dźwig.

– To tutaj. – Alex przebiegł pędem przez dach i pociągnął za rączkę włazu. – Cholera...

– Ta cholera nie zabrzmiała za dobrze. Co jest? – Zrobiłam krok do przodu. – Gadaj!

Mój anioł stróż chyba znowu się naćpał. Miałam wrażenie, że tego wieczoru nic mi nie wychodzi.

Alex po raz ostatni z całych sił szarpnął za rączkę.

– Zamknięte na kłódkę.

Moją uwagę przykuł metaliczny odgłos dobiegający z tyłu. Bałam się wyjrzeć znad krawędzi.

– Muszę lecieć. – Ruszyłam na ukos przez dach, słyszałam, że Alex depcze mi po piętach. Po chwili rozległ się głos Abla.

– Co to, bawimy się w chowanego?

– Uchu! – jego brat wydał z siebie mrożący krew w żyłach okrzyk, a tuż za nami rozbrzmiały ich głośne kroki.

– Skacz! – krzyknął Alex, pędząc do przodu i odbijając się od krawędzi.

Zatrzymałam się w pół kroku, żeby zobaczyć, jak szybuje w powietrzu, pokonując przestrzeń między dwoma budynkami, a później wali o skraj dachu. Udało mu się jakoś chwycić skraj parapetu i wspiął się do góry. Czułam ucisk w żołądku, cofając się parę kroków, żeby się rozpędzić.

– No, chodź! Nie chcesz się z nami...

Alex był silniejszy i wyższy. Jeżeli nie trafił w dach, istniało duże prawdopodobieństwo, że i ja nie trafię.

– ...pobawić? No właśnie – skończył ten drugi.

Już byli w połowie drogi do krawędzi i poruszali się szybko. Zbyt szybko.

Chrzanić to. Zaryzykuję walkę z siłami grawitacji.

Odepchnęłam się i wybiłam z prawej nogi. Pośliznęłam się na zlewanej deszczem powierzchni, co zmniejszyło prędkość rozbiegu. Kiedy podwinęłam palce stopy zaczepiając o skraj dachu, odepchnęłam się tak mocno, jak potrafiłam i wzleciałam nad przestrzenią dzielącą budynki. Chłód przemoczonego do suchej nitki ubrania i chłodne, wrześniowe powietrze, które poczułam na skórze, teraz zastąpiła warstwa nerwowego potu.

Już w połowie skoku wiedziałam, że mi się nie uda. Za słabo się odepchnęłam. Za wolno biegłam. Zamiast zbliżać się do dachu sąsiedniego budynku, spadałam. W innych okolicznościach zaczęłabym z siebie samej szydzić. To był naprawdę byle jaki skok, a stać mnie było na więcej. Ale teraz? Czułam, że rośnie we mnie krzyk, słyszałam dudnienie własnego serca. To już drugi raz tego samego wieczora skakałam z dużej wysokości. Albo los chciał mi coś powiedzieć, albo wszechświat miał naprawdę niezdrowe poczucie humoru. Na szczęście na coś się przydają ludzie z umiejętnością telekinezy. Jeszcze przed sekundą krawędź budynku szła w górę, a ja w dół. Teraz krawędź posuwała się w dół, a ja leciałam w górę.

Poczułam, jak bolesne uderzenie w pokryty papą dach wyciska mi powietrze z płuc, gdy lądowałam u stóp Alexa. Dysząc ciężko, pozwoliłam mu postawić się na równe nogi, kiedy pierwszy z Bliźniaków wylądował tuż za nami z irytującą gracją. Kilka sekund później drugi dotknął dachu tuż obok brata.

Nie było czasu na strach. Bracia ruszyli do ataku, zanim mieliśmy czas mrugnąć oczami i rozdzielili nas. Jeden z nich – nie mam pojęcia który – pociągnął Alexa do tyłu za szyję i wrzucił go do czegoś, co wyglądało, jak olbrzymi klimatyzator. Usłyszałam nieprzyjemny odgłos pękania, łamania i wyraźny szum, kiedy uderzenie kazało mu zrobić głośny wydech. Dobrze wymierzony cios pięścią w splot słoneczny i Alex złożył się na dachu jak mokra serwetka.

Poczułam poruszenie w żołądku. Nie miałam już dla niego żadnych serdecznych uczuć, ale widząc kogoś takiego, jak Alex, przerzucanego jak kółko frisbee, poczułam lekkie mdłości. Pewnie dlatego, że gdzieś w głębi duszy ja sama pragnęłam trochę nim porzucać. Drugi z braci stał nade mną i się uśmiechał. Dziwne, że to zauważyłam, ale miał odprysk na przednim zębie, a jego nos wyglądał na nieco wykrzywiony. Pewnie ktoś mu go kiedyś złamał. Kości są jak papier. Kiedy się raz zemnie kartkę, niezależnie od tego, jak bardzo chciałoby się ją wyprostować, nigdy nie będzie już taka sama. Może to jedyny sposób na odróżnienie braci Jacka i Placka, kiedy nic nie mówią, co rzadko się nie zdarza.

– Nie wiem, o co ten cały raban. Ty przecież jesteś zwykłą małą dziewczynką, tak, czy nie?

Chłodna powierzchnia asfaltu i małe kamyczki żwiru kłuły mnie przez dżinsy, czułam igiełki na całym ciele, kiedy czołgałam się do tyłu na pośladkach. W końcu dotarłam do krawędzi dachu.

Able – tak, to był Able – pochylił się w moim kierunku, a uśmiech miał coraz szerszy. Wyciągnął rękę i chwycił mnie za prawe ramię, docisnął do krawędzi dachu i zachichotał. – Będzie się pani podobało.

Uniósł drugą rękę, wyciągnął długi palec z pomalowanym na czarno paznokciem i wcisnął mi go pod obojczyk. Coś było w jego oczach – spojrzenie, jakby się na chwilę odmeldował i coś innego – coś innego – zameldowało się na jego miejsce. Coś chorego psychicznie.

Wiłam się, próbując się uwolnić, ale to nie miało sensu. Jego dłoń, przyciśnięta do mojego barku, nie pozwalała mi się oderwać od powierzchni dachu. Kąciki jego ust zadrżały w nerwowym tiku, przesunął palec po mojej nagiej skórze wzdłuż zarysu barku i narysował kilka małych kółek, zanim zatrzymał się tuż nad pachą Chociaż byłam przemoczona do suchej nitki i przemarznięta, dotyk jego palca powodował drżenie na całym ciele. To nie było dobre drżenie. To coś wnikało w moje jestestwo, czułam, że w środku drętwieję. To był zły dotyk. Chory. Wierciło mnie od niego w brzuchu, miałam gęsią skórkę na rękach i ramionach. Po chwili poczułam falę mdłości i zakręciło mi się w głowie. Zarys jego twarzy zrobił się wodnisty, a później nagle zobaczyłam wszystko bardzo jasno, jak gdyby ktoś za mocno podostrzył cały świat wokół niego. Wszystko było zbyt żywe – niemal bolesne. Kolejny rozbłysk, któremu towarzyszyło dźgnięcie palca Bliźniaka w moją miękką skórę, i wszystko nagle wróciło do normy.

Ucisk na prawym ramieniu zelżał, kiedy Able wyprostował się i uśmiechnął do mnie krzywo.

– Dobre, co?

Zamrugałam powiekami i rozprostowałam palce.

– Co...

Kucnął na wprost mnie i posłał mi w powietrzu pocałunek.

– Jestem trochę rozczarowany. Nie wyglądasz na dziewczynę, która sprawia kłopo...

Przetoczyłam się do tyłu i w bok, i kopnęłam. Uderzyłam go z całej siły obiema obutymi w trampki stopami w brzuch.

– Kłopoty? Kłopoty to moja specjalność.

Sapnął, zatoczył się w tył i zaklął. Zanim upadł na plecy, niemal odzyskał równowagę. W jego pełnym nienawiści spojrzeniu odczytałam obietnicę zapłaty. Skoczył na równe nogi i rzucił się na mnie. Przetoczyłam się na bok. Nie trafił, złapał w ramiona tylko powietrze, usłyszałam wtedy głos Alexa.

– Dez!

Sekundę przed tym, jak Able zamachnął się po raz kolejny, zatoczył się na bok i walnął w filar półtora metra dalej. Alex był już na nogach i opierał się o ścianę budynku, ściskając prawe ramię. Drugiego Bliźniaka nie było nigdzie widać. Nie sprzeczaliśmy się, czy poczekać, aż wróci. Ruszyliśmy co sił w nogach.

4

– Powiesz mi, co się stało na placu budowy?

Obiektywnie rzecz biorąc, Alex uratował mi tyłek nie raz, ale dwa razy. To dziwne, ale nie czułam się ani trochę wdzięczna.

– Może byś się ode mnie odczepił?

– Pomyśl tylko, Dez. Gdyby mnie tam nie było, już byś nie żyła. Co tam się stało? – Zatrzymał się przed oknem kawiarni Blueberry Bean. Wnętrze było ciemne. Kiedyś tu było czynne dwadzieścia cztery godziny na dobę, ale w ubiegłym miesiącu zaczęto zamykać o północy. Cholera. Naprawdę jest aż tak późno?

Byliśmy jakieś trzy przecznice od Sanktuarium, wokół panowała cisza. Oparłam się plecami o szklaną ścianę. Deszcz w końcu przestał padać, wyglądało na to, że Bliźniacy odpuścili.

Żałowałam, że Alex nie chce tego zrobić.

Pewnie nic nie pomoże, jak zacznę błagać, ale byłam w desperacji. Nie miałam już siły, żeby znowu go uderzyć, czułam, że nadchodzi ból głowy wielkości Marsa.

– Proszę, odejdź, dobrze?

Ramiona założył na piersi i spojrzał na mnie niechętnie.

Fred – bo tak nazwaliśmy jego szczęśliwą buźkę na szpilce,

którą miał przekłutą wargę – kiwał się na boki, kiedy Alex dotykał jej językiem. A to widomy znak, że coś go niepokoi. Czy za dużo żądam prosząc, żeby mnie zostawił w spokoju? Może już mi zabrakło siły, żeby dalej walczyć. Aż mnie korciło, żeby jeszcze raz dać mu w gębę, jeżeli sobie nie pójdzie. Znając moje głupie szczęście, złamię sobie palec na jego twardej czaszce i w ten sposób zakończy się ta jedna z najgorszych nocy w moim życiu. Nie dosyć tego, przyniosą mnie na tacy mamie i Ginger. Z powodu Denazen Kale i ja mieliśmy szlaban. Nie wolno nam było chodzić na nocne imprezy, ale w moim słowniku pojęcie „nie wolno" nie istniało i robiłam to, na co miałam ochotę. Może i nie wolno mi było chodzić na oficjalne imprezy tylko dla Szóstek, ale raz na jakiś czas, tak, jak dzisiaj, ktoś z dziewcząt czy chłopaków proponował mały wypad. A ja nie lubiłam odmawiać.

Prawdę mówiąc, dobrze wiedzieć, że pewne rzeczy się nie zmieniają.

Najgorsze było to, że Kale nie rozumiał, co to znaczy wymykać się chyłkiem. Beze mnie zjawiałby się przed drzwiami wejściowymi i oboje mielibyśmy przerąbane.

Alex odchrząknął.

Wciąż tu tkwił. Okazuje się, że będę musiała mu tłumaczyć, jak krowie na rowie.

W porządku.

– Naprawdę jesteś aż taki głupi? – rzuciłam, kiedy rozbłysk pioruna przecinał nocne niebo. Widać burza jeszcze z nami nie skończyła. – Trzeba być skończonym dupkiem, żeby stać tu tak, jak ty i próbować ze mną rozmawiać po tym, co zrobiłeś.

– Po tym, co zrobiłem? Uratowałem ci tyłek!

Podeszłam do niego i dźgnęłam go palcem w klatkę piersiową.

– Mówisz poważnie? Naprawdę mówisz poważnie?

– Nie wiem, co ci odpowiedzieć, Dez. – Przeczesał palcami mokre, stojące na sztorc blond włosy. – Rozumiem, że słowo „przepraszam" na nic się nie zda. Kapuję. Ale ja nie próbowałem go zabić.

– A tak to właśnie wyglądało z miejsca, gdzie stałam.

– No pewnie, że tak. Bo ty nigdy się nie ustawisz w ten sposób, żeby widzieć świat takim, jaki jest naprawdę – warknął. – Czy ja go nienawidzę? Oczywiście, że tak. Stoi mi na drodze do tego, czego chcę. Tamtej nocy w Sumrun stał na drodze do twojej wolności i tylko to mnie obchodziło. Musiałam kazać sobie przymknąć buzię. Jak to mówił Brandt? „Bo ci muchy nalecą." Tak mówił ironicznie, kiedy chodziło o Alexa.

– Do mojej wolności? Bo Tata nie pozwoliłby mi stamtąd z tobą odejść?

– Obiecywał, że pozwoli.

– Och, jak chętnie walnęłabym cię w gębę.

Znów ruszyłam przed siebie wściekła. Drżałam z zimna na chłodnym wietrze, przemoknięta do suchej nitki, a sądząc po coraz głośniejszych grzmotach i błyskawicach to tylko kwestia czasu, zanim znów zacznie padać.

– A skąd miałem wiedzieć, że on kłamie? – żalił się Alex, idąc za mną chodnikiem.

Jak ktoś mógł być tak tępy? Alex wiedział o moim Tacie, zanim ja się dowiedziałam. Okłamywał mnie przez całe lata. Co więcej, zaczął ze mną chodzić tylko po to, żeby szpiegować, co się dzieje u Taty. Nawet, jeżeli nie próbowałby rozciąć mojemu chłopakowi brzucha, samo to wystarczyłoby jako ostrzeżenie. Może bym jakoś i przełknęła oszustwo – może kiedyś – ale to, że mnie wykorzystywał? Żadnej szansy.

Alex, który nigdy nie odpuszczał, zatrzymał się w pół kroku, chwycił mnie za ramię i pociągnął do tyłu.

– Wiem, że ci zależy na tym odmieńcu i przykro mi, że go dźgnąłem, ale musisz zrozumieć dlaczego.

Wyrwałam ramię i odepchnęłam go, kiedy nad naszymi głowami niebo rozerwała bardzo głośna błyskawica. Sekundę później znów lunęło.

– Doskonale wiem, dlaczego to zrobiłeś – próbowałam przekrzyczeć odgłosy deszczu. – Bo jesteś egoistyczną świnią. Nie potrafisz znieść, że coś idzie nie po twojej myśli.

Jeszcze raz dowodząc swojej niedojrzałości, Alex tupnął nogą, rozchlapując wodę z szybko zbierającej się kałuży.

– Ja... Ty... Jesteś niemożliwa!

Poddał się i rzucił w moim kierunku, otoczył mnie ramionami w pasie i przyciągnął do siebie. Wokół szalała burza, a on zmiażdżył mi ustami wargi, zanim mogłam pomyśleć, co właściwie robi, nie mówiąc już o tym, żeby go powstrzymać. Chłodna, metalowa powierzchnia Freda wciskała mi się w brodę, deszcz zalewał mi twarz, a usta Alexa przesuwały się po moich. Ciepło i dobrze znany, nieco korzenny smak zniewoliły mi wargi.

Na pół sekundy.

Zgięłam palce w szpony – tego lata miałam sposobność wyhodować sobie długie paznokcie – i teraz wpiłam się nimi w jego przedramiona i podciągnęłam kolana, kopiąc tak silnie, jak potrafiłam. Skulił się i potykając się, odszedł dwa kroki, sapnął ciężko, a ktoś za nami wydał z siebie niesamowicie wściekły odgłos.

Odwróciłam się na pięcie i zobaczyłam Kale'a pędzącego w naszym kierunku, przemoczonego do suchej nitki i wściekłego. Niewiarygodnie szybko, w mgnieniu oka pokonał tę krótką odległość.

– Przestań! – wrzasnęłam, rozpościerając ramiona przed Alexem. Nie po to, żeby go bronić, ale z myślą o Kale'u. Teraz był wściekły, ale będzie się czuł winny, jeśli kogoś zabije. Kto wie...

Odruchy miał wyrobione. Kale zatrzymał się jakieś piętnaście centymetrów przede mną, z włosów i ubrania spadały mu krople wody.

– Co on tu robi? – Jad w jego głosie odzwierciedlał wściekłe skrzywienie ust i ledwo skrywaną nienawiść w oczach. Zamiast strzelić z palców – a to u Kale'a odpowiednik nerwowego tiku – zwinął dłonie w pięści i był gotów do działania.

Może nie będzie miał poczucia winy.

Położyłam ostrożnie dłoń na materiale jego przemokniętej podkoszulki i odepchnęłam Kale'a. Na początku się opierał, jego chłodne, pełne wściekłości, niebieskie oczy świdrowały Alexa. Po kilku chwilach poczułam, że nacisk na mojej dłoni słabnie i zrobił krok wstecz.

– Wyjaśnij mi, zanim go dotknę.

Na razie nie pójdziemy nigdzie, gdzie jest ciepło i sucho. Kale nie ruszy się z chodnika, zanim się nie dowie, co się dzieje. Na szczęście powoli przestawało lać.

– Szedł za mną, kiedy wyszłam z placu budowy.

Kale miał niepewną minę.

– To przecież on cię złapał.

Był tak zaaferowany tym, co się zdarzyło na dźwigu, że nawet do niego nie dotarło, że Alex tam jest. Prawdopodobnie wszystkim to wyszło na dobre, bo Alex mógłby nie zejść z placu budowy o własnych siłach.

Zasadniczo mógłby nie zejść o własnych siłach z tego chodnika, nie wiedziałam tylko, które z nas go zabije. Kale, czy ja.

– To dobrze, że tam byłem, kolego Rozpruwaczu. Ktoś musiał ją chwycić, kiedy spadała. A ty oczywiście nie potrafiłeś.

Coś się zapaliło w oczach Kale'a. Tak, wściekłość, ale było coś więcej. Poczucie winy. Wstrząsnęło nim, jak gdyby Alexowi udało się go trafić w czuły punkt. Nie trwało to jednak dłużej niż kilka sekund. Po chwili na jego ustach pojawił się krzywy uśmieszek. Rozluźnił ramiona i założył ręce na piersi.

– Ona od ciebie niczego nie chce.

Alex odpowiedział mu jeszcze bardziej mrocznym uśmiechem.

– Wygląda na to, że dzisiaj czegoś ode mnie chciała. Zastanawiam się, o co jej chodzi? Może jest coś, czego ty nie potrafisz jej dać?

Nacisk na mojej dłoni. Kale popychał, chciał iść naprzód, palce znowu zwijały się w pięść. Tylko Alex potrafił go doprowadzić do ostateczności.

– On nie jest tego wart – powiedziałam, nie ustępując.

Za wszelką cenę chciałam utrzymać ich z dala od siebie. To ostatnia rzecz, na którą miałam ochotę – znaleźć się w środku kotłujących się, wściekłych, pijanych testosteronem facetów.

Kale nie wyglądał na całkiem przekonanego.

– Widziałem, jak cię całuje.

Wyciągnęłam do niego rękę i ścisnęłam. Kontakt. Połączenie. To była jedna z nielicznych rzeczy, które go uspokajały – mnie też uspokajały. Coś jak druga natura. Nigdy się nad tym głębiej nie zastanawiałam.

Otarłam się opuszkami palców o kostki jego zaciśniętych pięści, ale tego wszechogarniającego, znanego ciepła, które kojarzyłam z domem i bezpieczeństwem, nie było. Na jego miejscu było coś bolesnego i odpychającego. Rosnący nacisk, któremu towarzyszyło uczucie gorąca buchającego z żołądka i zawrót głowy. Próbowałam się ugryźć w język, ale nie mogłam. Westchnęłam niezauważalnie i ramiona mi zesztywniały. Przerażony Kale oderwał dłoń i popchnął mnie w tył – w kierunku Alexa.

– Co, do... – Alex złapał mnie tuż zanim upadłam na ziemię. Zszokowany pomógł mi się pozbierać, a ja łapałam powietrze, jak ryba wyrzucona z wody. Nacisk ustał, szum w uszach roztopił się w słowa Kale'a, przepraszającego mnie zbolałym głosem.

– Dez, nie gniewaj się! – cierpienie, które słyszałam w jego słowach, sprawiło, że coś zaczęło mnie szczypać pod powiekami. On przeprasza? Przecież nic nie zrobił. To ja byłam idiotką, która go dotknęła. Idiotką, która próbowała dotknąć swojego chłopaka.

– To przez ciebie spadła. – W tonie Alexa brzmiała nuta zrozumienia. Obszedł mnie dookoła i stanął z Kale'em twarzą w twarz.

Chociaż wiedziałam, że burza już słabnie, widziałam oczami wyobraźni rozbłysk pioruna nad głową, który wznieca iskry z ramion obu chłopaków. Byli, jak tytani, gotowi walczyć na śmierć i życie.

– Już jej nie możesz dotykać, prawda?

Zakaszlałam, wciąż próbując złapać głęboki oddech. Chwyciłam Alexa za rękaw i pociągnęłam tak mocno, jak umiałam, ale to na nic. To było tylko lekkie szarpnięcie.

– Alex, odpuść.

– Prawie byś ją zabił – mówił dalej, nie zwracając na mnie uwagi. W jego głosie wyczułam prawie niesłyszalną nutę przerażenia, ale co więcej, rozbawienie. Zadowolenie. Nie obchodziło go to, że o mało nie umarłam. Obchodziło go tylko to, że pokazywał światu winę Kale'a. Typowe!

Kale milczał, ale widziałam wszystko w jego oczach. Liczył. Prostował palec za palcem, a później zaginał. Ćwiczyliśmy to latem. Za każdym razem, kiedy miał ochotę kogoś ukarać, liczył do dziesięciu. W większości przypadków uspokajał się przy ośmiu. W tym zaś przypadku pewnie będzie musiał policzyć do dwudziestu. Albo i do pięćdziesięciu.

Gdyby policzył do stu, też mogłoby nie wystarczyć.

Bezpieczniki mu wywalały z powodu nieznaczących rzeczy. Cóż, nieznaczących dla innych ludzi. Dla niego ważnych. Wciąż nie rozumiał potrzeby istnienia niewinnych kłamstewek i sekretów. Świat Kale'a był czarno-biały, nie było w nim miejsca na szarość. Teraz jednak chodziło o coś innego. O coś osobistego. Dla niego to nowe emocje.

Kiedy Kale w końcu się odezwał, mówił spokojnym głosem, ale ja wiedziałam, co się święci. Jeżeli to w ogóle możliwe, było w nim jeszcze więcej nienawiści, niż przedtem.

– Masz rację. Przez jakiś czas nie będę mógł jej dotykać, ale ty też nie.

Kąciki ust Alexa zadrżały. Założył ramiona na piersi i głęboko westchnął, po czym się wyprostował. Znałam tę postawę. To wyzwanie.

– Założysz się?

– Założę się – odparł chłodno Kale. – Bo jak spróbujesz jeszcze raz, to ja cię dotknę. A później ty będziesz mógł dotykać tylko powietrza, bo wiatr rozniesie cię na cztery strony świata.

Alex nie odpowiedział. Resztki inteligencji kazały mu się cofnąć o kilka kroków.

Objęłam się ramionami i próbowałam nie drżeć z zimna. To idealne zakończenie najgorszego dnia w historii świata. Jedyne, co mogło się zdarzyć gorszego, to inwazja kosmitów wysłanych w celu pobrania ludzkich próbek.

– Wynoś się stąd, Alex.

– Na pewno? Mógłbym...

Kale warknął.

– Wypad!

Alex spojrzał na mnie w przelocie, skinął głową i zaczął się wycofywać chodnikiem, a niebo rozdarł ostatni rozbłysk burzy. Mrugnął do mnie na koniec okiem i powiedział:

– Na razie, Dez.

5

Z materaca wystawała sprężyna. Przebijała się przez pufę kanapy i dźgała mnie w udo. Kale siedział na małym szezlongu po drugiej stronie pokoju. Nie spuszczał ze mnie wzroku od chwili, kiedy mama zaprowadziła nas do świetlicy.

– Wiesz, że nie wolno wam wychodzić z hotelu po zmroku – powiedziała. Siedziała na brzegu stolika do kawy między nami i patrzyła raz na mnie, raz na niego. Bawiła się długopisem, który ktoś tu zostawił po konferencji dentystów w zeszłym tygodniu. Wciskała prztyczek raz po raz. Przypomniała mi się Mercy, która prowadziła ze mną rozmowę w Denazen i której udało się mnie oszukać – uwierzyłam, że jest po naszej stronie.

Bez słowa wzruszałam ramionami i patrzyłam w sufit. Tuż nad moją głową widniało mikroskopijne pęknięcie. Powiodłam za nim wzrokiem i stwierdziłam, że w zasadzie przecina pokój na pół. Rozdziela mnie od Kale'a. Czy to nie ironia? Jeśli byłabym przesądna, wzięłabym to za zły omen.

– Wszystko w porządku? – spróbowała jeszcze raz. Przeciągała trochę samogłoski, kojarzyłam to u niej ze stresem. Mama nie potrafiła radzić sobie z codziennymi sytuacjami tak dobrze, jak Kale.

Miałam ochotę wrzeszczeć. Cholera, wcale nie! Nic nie jest w porządku. To, co najgorszego mogło się zdarzyć, właśnie się zdarzyło. I nie sposób tego wyprostować. Ja jednak skinęłam głową.

– Na pewno? – nie ustawała. Trudno mi było ją winić. Wystarczyło jedno spojrzenie na Kale'a albo na mnie by zobaczyć wyraźnie, że to kłamstwo.

Kale wyglądał jak gitara, której struny zaraz pękną. Prawą dłonią ściskał oparcie szezlonga, lewą zaciskał na skraju poduszki, kłykcie miał zbielałe. Jedynym dźwiękiem, który dochodził z jego końca pokoju, był cichy plusk kropel wody, które odrywały się od brzegu nogawek jego dżinsów i głośno kapały na podłogę.

Ja chyba nie wyglądałam lepiej. Bolały mnie mięśnie od dotyku Kale'a, w głowie mi huczało, jak gdyby pod czaszką zespół heavy metalowy ćwiczył solówkę na perkusji. Byłam przemoknięta do suchej nitki, na lewym ramieniu miałam ciemną plamę – pamiątka po walnięciu w dach tamtego budynku. Siniec zaczął zbierać kolory. Rano będzie przepięknie rozrośnięty. Bolał mnie prawy bark tam, gdzie ścisnął mnie Able, a lewy opanowało dziwne odczucie. Nie bolał, ale jakby coś mnie łaskotało. Coś pomiędzy mrowieniem, kiedy drętwieje noga, a oparzeniem słonecznym.

Kiedy mama zdała sobie sprawę, że żadnego z nas nie zmusi do mówienia, zaczęła rzucać nerwowe spojrzenia raz na mnie, raz na Kale'a, to znów na drzwi. Pewnie nie trwało to dłużej niż pięć minut, choć myślałam, że minęły ze trzy godziny, od chwili kiedy Ginger, biologiczna babcia Kale'a – Don Babcia Mafii Szóstek, bo tak ją lubiłam w duchu nazywać, pojawiła się w progu. Już miałam pęknąć.

Zazwyczaj kotłowała się wokół niej horda młodych mężczyzn bez koszul, ale dzisiaj była w innym towarzystwie. Zobaczyłam pełną niebezpiecznych krągłości rudą dziewczynę, całą w lokach, i o uśmiechu żywcem wyjętym z reklamy gumy Orbit.

Ginger przystanęła na środku pokoju, w ręce miała plastikowy kubek z tym, co zwykle pije – ponczem owocowym. Uśmiechnęła się.

– Mam dla ciebie prezent, Kale.

Ruda wyszła zza pleców Ginger. Głowę trzymała wysoko. Jej oczy natychmiast znalazły oczy Kale'a. I nie odrywała od nich wzroku.

Od razu mi się nie spodobała.

– To jest Jade. – Ginger wychyliła zawartość kubka, później pokazała palcem na mnie i powiedziała: – To jest Deznee Cross. Córka Sue. A to – dodała, kiwając głową w kierunku Kale'a, który właśnie wstawał – jest Kale. To z jego powodu tu jesteś.

– No dobra, wciśnij hamulce, a później ostrożnie wycofaj – rzuciłam. – Dajesz mojemu chłopakowi rudą jako podarunek? To nie w porządku. Już nie mówiąc o tym, że wbrew prawu.

Kale popatrzył na Jade, a później na mnie i zmarszczył brwi.

– Nie lubisz jej.

To nie było pytanie – mówił coś, co jest oczywiste. Albo coś, co według niego było oczywiste – a w tym przypadku miał absolutną rację. Wciąż pracowaliśmy nad tą kwestią – kiedy można coś powiedzieć, a kiedy lepiej zamilknąć. To była jedna z większych przeszkód. Kale nie wierzył w filozofię ukrywania czegokolwiek. Jeśli człowiek o czymś myślał, to trzeba było to powiedzieć. Jeśli to była prawda, waliłeś prosto z mostu. Akceptacja społeczna to w jego przypadku przegrana sprawa.

– Nie znam jej, więc nie mogę jej nie lubić. – Miałam straszną ochotę powiedzieć „jeszcze", ale trzymałam gębę na kłódkę. Osobowość miałam tak ukształtowaną, że łatwo było się ze mną zaprzyjaźnić, chyba że jesteś babą, która patrzy na mojego faceta, jakby był soczystym stekiem, a na deser porcją lodów czekoladowych z nutą mięty. W tym przypadku, żeby uniknąć niedomówień, właśnie tak było.

– Przyprowadziłam Jade, żeby pomogła Kale'owi nauczyć się zapanować nad jego darem. – Ginger zmarszczyła brwi.

– Zważywszy na to, co się dzisiaj stało, sądzę, że rychło w czas.

Jade zrobiła krok naprzód, a ja próbowałam jakoś się pozbierać, później wyciągnęła rękę do Kale'a. On zaś wstał, po czym cofnął się tak gwałtownie, że przewrócił mały stolik do kart, stojący obok szezlonga, próbując utrzymać dystans. Spanikowany spojrzał na Ginger i powiedział:

– Ona próbuje popełnić samobójstwo?

– Wszystko w porządku, Kale. Zaufaj mi.

Jade, która wciąż miała przyklejony do ust irytujący uśmiech, zrobiła krok naprzód i potrząsnęła dłonią Kale'a – ani się nie skurczyła, ani nie eksplodowała.

– Bardzo się cieszę, że w końcu możemy się poznać, Kale. Czekam na to od miesięcy.

Nic nie odpowiedział, tylko wpatrywał się w jej małą dłoń, zaciśniętą na jego dłoni. Poczułam mrowienie, którego nie doświadczałam od dłuższego czasu – coś mi się zaczęło kotłować w żołądku, tak jak się kotłuje w butelce oranżady, która spada po schodach z dziesięciu pięter. Otwórz ją, a wybuchnie. Wielkie, potężne bum! Miałam ochotę zetrzeć jej ten uśmieszek z gęby, ale jeszcze bardziej miałam ochotę rozerwać uścisk ich dłoni. Bo wciąż nie wypuszczała go ze swojej rączki – tego zasadniczo nie powinna potrafić.

Do tej chwili tylko jedna żywa osoba na całym świecie mogła dotykać Kale'a i przeżyć. To ja. Cóż, do tej chwili. Teraz przychodzi ta Panna Słoneczna Buzia i ot, tak sobie ściska mu rękę?

Zapomnijcie o tym, że mówiłam, że jej nie lubię. Nienawidziłam jej.

Zachichotała i przygryzła dolną wargę – sztuczka, która niewielu dziewczynom się udaje, bo przy tym zawsze się wygląda głupio. Na nieszczęście dla całej rzeszy dziewczyn, Jade to jakoś uchodziło.

– Nie jesteś zdziwiony?

Kale nie odpowiadał. Jego dłoń była wciąż jak przyklejona do jej dłoni.

To robiło się irytujące. Ktoś musiał wkroczyć do akcji, bo jeśli się nie puszczą, to ja prawdopodobnie eksploduję od wewnątrz. Albo zacznę odrywać obecnym członki. Odwróciłam się do Ginger.

– Jak to jest możliwe, że ona może go dotykać?

– Ma bardzo szczególny talent – Ginger przywołała gestem mamę.

Miała łzy w oczach i patrzyła na Kale'a tak, jakby był jakąś mityczną istotą, której nigdy w życiu nie widziała.

– Całe życie czekałam, aż to zrobisz. – Mój system znów doznał szoku, bo mama objęła ramionami Kale'a i ścisnęła go – rezultat był taki sam, co przy Jade. Nic. Po kilku chwilach głuchej ciszy Kale zacisnął mięśnie ramion i wyplątał się z uścisku.

– Jak...

Ginger uśmiechnęła się chytrze.

– Jade potrafi uziemiać szkodliwe umiejętności w promieniu mniej więcej pięciu metrów.

– Poza tym umiem jeszcze to. – Jade sięgnęła po długopis mamy i dźgnęła się mocno w szyję. Przez chwilę nikt nic nie mówił. Po jej szyi spływały maleńkie krople atramentu i zsuwały się drobinki plastiku, spadając na podłogę. Kiedy odsunęła rękę, jej irytująco kremowa skóra była nienaruszona. Żadnych zadrapań, żadnych pęknięć tam, gdzie długopis wszedł w jej ciało.

W porządku, powiedzmy, że jest dobra. Zaczynałam się czuć trochę nie na miejscu. Ja potrafiłam tylko przemieniać różne rzeczy mimicznie – przeważnie małe rzeczy – w coś innego. Zamieniać jabłko w gruszkę, dwadzieścia pięć centów w centówkę. Zwykły papier w gotówkę – no, dobra, to się przydawało, kiedy miałam na oku nową parę butów. Czasami potrafiłam nawet zmieniać samą siebie. Zrobiłam to też z kimś innym, ale skończyło się to okropnie. Poza tym cała historia miała przykry, bolesny efekt uboczny.

– Jade jest nieczuła na urazy – powiedziała Ginger. – Emanuje również aurą, która wytłumia krzywdzące dary. Jedyny minus to fakt, że ma to wpływ indywidualny i zmniejszony.

– Zmniejszony? – spytał Kale, patrząc na mnie. Wiedziałam dokładnie, co ma na myśli, bo ja myślałam o tym samym.

– Sądząc po poprzednich spotkaniach, jeśli Jade jest blisko, będzie powstrzymywać dar Kale'a i ułatwi mu bezpieczne przechodzenie przez pokój pełen ludzi. Wpływ umniejszony ujawnia się na bazie spotkań w cztery oczy, albo od spotkania do spotkania. Im mniej kontaktu fizycznego ktoś ma z Kale'em, tym w mniejszym stopniu wpływa na niego aura Jade. – Odwróciła się do mnie i zmarszczyła brwi. – To jednak nie powinno sprawiać problemu większości ludzi.

Kale był nieco blady.

– Więc po jakimś czasie aura sprawi, że Dez w ogóle nie będzie mogła mnie dotknąć?

– Do tego nie dojdzie. – Ginger popatrzyła najpierw na Jade, a później na mnie. – Tak sądzimy.

Jade znów wzięła go za rękę i ścisnęła, a ja musiałam się ugryźć w język, żeby nie powiedzieć czegoś dosadnego. Kale w tym samym momencie postanowił na mnie spojrzeć. Kilka razy mrugnął, później wyrwał rękę z dłoni Jade, patrząc na mnie przepraszająco. Prawdę mówiąc, nie mogłam go za nic winić. Odkrycie, że w końcu znalazło się to, czego zawsze się pragnęło, może być przytłaczające.

Nie mówiłam tego głośno, bo nie chciałam wyjść na zboczoną, ale żałowałam, że nie może potrząsać ręką mojej mamy. Nie podniecał mnie uśmieszek tej laluni, który pojawiał się na jej twarzy, kiedy tylko na niego spojrzała.

Jade popatrzyła na mnie, później na niego, wywróciła oczami i powiedziała bez zająknięcia:

– W przeszłości ludzie, którzy przedawkowali moją aurę potrzebowali nieco więcej przestrzeni. Po kilku dniach znów wszystko było dobrze.

– Więc co się dzieje, jeżeli ktoś przedawkuje twoją aurę? Dotknie Kale'a i co, umrze?

– Wyobrażam sobie, że zanim by do tego doszło, taka osoba musiałaby bardzo cierpieć. Na szczęście taka *osoba*, która go dotyka, będzie na pewno na tyle bystra, żeby puścić jego rękę. Jego dar jest bardzo silny. Nawet ja go czuję. – Jade zachichotała i posłała w jego kierunku zalotny uśmiech.

– To jakby łaskotanie. Myślę, że każdy, kto ma kontakt ze skórą Kale'a, coś poczuje. Nawet jeśli to tylko przelotne.

– Wciąż z głupim uśmieszkiem na twarzy powiedziała – Najlepiej nie dotykać go za długo i wszystko powinno być w porządku.

Z każdą sekundą, gdy w pokoju przebywała ta lalunia, dar Kale'a wydawał się robić coraz mniejszy.

Ginger odwróciła się do mamy.

– Poczułaś coś?

Mama spojrzała na Kale'a i zawahała się. On zachowywał posągowy spokój, czekając na jej odpowiedź. Jeżeli na świecie był ktoś oprócz mnie, kto mógłby umrzeć nie zważając na ból, to właśnie ona. Wychowała go wewnątrz Denazen.

– Poczułam coś, ale to nie był ból – mówiła pospiesznie dalej. – Coś, jakby podrażnienie skóry. Podobne do uczucia, kiedy wbijają ci igły podczas akupunktury.

– Doskonale – powiedziała Ginger, miażdżąc w dłoni plastikowy kubek. Pociągnęła mamę do kąta przy telewizorze i o czymś szeptały. Normalnie próbowałabym podsłuchać, ale uwagę miałam skierowaną gdzie indziej.

Jade uśmiechnęła się do Kale'a współczująco. No tak. Jest dobra. Faceci prawdopodobnie ślinią się, widząc te długie rzęsy i wydęte usteczka.

– Nie potrafię sobie wyobrazić, jak to jest nie mieć żadnej interakcji z drugim człowiekiem – powiedziała. To musi być straszne.

Otworzył usta, żeby coś odpowiedzieć, ale weszłam mu w słowo.

– On miał ludzkie interakcje. Miał mnie.

Jade udała, że marszczy brwi.

– Miał, ale w czasie przeszłym. Ginger powiedziała, że teraz jesteś taka, jak wszyscy inni. Jezus, Maria. Czy oni chcą wydawać jakiś biuletyn wiadomości? Opłacić stronę ogłoszeń w „Tygodniku Szóstek"?

– Prawdę mówiąc, jeszcze godzinę temu mógł mnie dotykać do woli.

Chytry wyraz jej twarzy doprowadził mnie na skraj wybuchu nerwowego. Zaczęłam się zastanawiać, gdzie mogę zakopać jej ciało i jak szybko. Latem spotkaliśmy Szóstkę, która miała zdolność manipulowania glebą. To by się przydało przy improwizowanym kopaniu grobu...

Jade założyła ręce na piersiach.

– Ale już nie może, prawda? To znaczy, jeśli mnie przy tym nie będzie.

– Możesz mnie nauczyć, jak zapanować nad tą umiejętnością – Kale wszedł między nas. – Tak, żebym mógł znów dotykać Dez.

– Mogę spróbować – odparła Jade. – A kogo będziesz chciał później dotykać, to już zależy od ciebie. Poza tym pomieszczeniem jest jeszcze cały świat pełen ludzi.

Poza tym pokojem. Miała na myśli mnie! Obrzuciłam ją niechętnym spojrzeniem od stóp do głów. Być może jest odporna na przykre odczucia, ale kto wie, czy nie czuje bólu.

Jeśli bym jej buźką walnęła w jakiś mebel, może by mi się udało pozbyć trochę napięcia nerwowego.

Nie. Niedobra Dez.

Wzięłam głęboki oddech. Wdech przez nos. Wydech przez usta. Jeśli bym ją sprała na kwaśne jabłko, to by Kale'owi nie pomogło. Muszę tylko ustanowić tu jakiś porządek. Powiedzieć, co do kogo należy tak, żeby co do jej i mojego miejsca w szeregu nie było żadnych wątpliwości.

– No tak, skoro już tu jesteś, może mnie dotykać. – Odwróciłam się do niego, próbując odepchnąć podświadome wahanie na wspomnienie naszych ostatnich chwil na szczycie dźwigu. – Tak?

Zbliżył się do mnie o centymetr. Nikt tego nie zauważył, ale ja tak. Drżała mu dłoń, kiedy sięgał ku mojej twarzy. Coś go powstrzymywało. A tego nigdy przy mnie nie czuł. Odrzucił wątpliwości i powiódł palcami po moim policzku, zostawiając ślad ognia. Ognia i lekkich ukłuć.

Cofnął rękę.

– Bolało?

Pokręciłam głową i uśmiechnęłam się.

– W ogóle nie.

Wypuścił powietrze z płuc i runął do przodu. Otoczył mnie w pasie ramionami, przyciągnął do siebie mocno i zatopił twarz w moich włosach. Tam, gdzie dotknął policzkiem mojej twarzy, przez kosmyki włosów poczułam budzące się do życia maleńkie ukłucia.

Pewnie by już tak został, obejmując mnie, ale ja się odsunęłam. W normalnych okolicznościach nic by mnie to nie obchodziło. Nie obchodziła mnie publiczność tak, jak nie obchodziła Kale'a. To właśnie czuł i koniec. Nic do ukrycia.

Więc dlaczego go puściłam? Jeśli bym tak stała i Kale trzymałby się mnie, jak tonący brzytwy, mogłabym przekazać wiadomość Jade, że nie ma szans. Jest wzięty i najwyraźniej szczęśliwy z tego powodu. Istniał jednak niewielki problem. Im dłużej się przytulał, tym było gorzej. Ból już nie był, jak ukłucia igiełek, ale jak krótkie ciosy pięścią. To nic w porównaniu z tym, co czułam na placu budowy, ale był wyraźny. W głębi duszy zastanawiałam się, czy to nie rośnie szybciej niż powinno. Czy to możliwe, że już przedawkowałam aurę Jade? Coś tu nie grało. Przecież ona dopiero co weszła, a między Kale'em a mną nie było zbyt wiele kontaktu fizycznego.

Powinnam była coś powiedzieć. Właśnie tu i teraz, powinnam była otworzyć usta i zapytać, ile czasu zajmie zmniejszenie tego wpływu, ale nie potrafiłam. Kale był wyraźnie uspokojony. Ulżyło mu. W końcu ból nie był aż tak dojmujący.

Nie aż tak...

– A ty? – mówiła przesłodzonym głosem Jade. – Ty nie jesteś Szóstką?

Wskazałam gestem delikatną bransoletkę na jej nadgarstku.

– Ładne cacko.

Wyciągnęła ramię i potrząsnęła dłonią. Złote kółeczko przesunęło się parę razy w przód i w tył, złapało odbłysk światła z sufitu. Uśmiechnięta szeroko odparła:

– To z Francji.

Wyciągnęłam rękę i delikatnie dotknęłam chłodnego metalu, a drugą musnęłam kilka plastikowych bransoletek na własnym nadgarstku. Poczułam pulsowanie w skroniach i nagłe uderzenie mdłości, ale szybko ustąpiły. Im bardziej skupiałam się na mimicznym przekształcaniu, tym było łatwiej. Ćwiczyłam całe lato. Zamieniałam w co innego co najmniej dwie rzeczy dziennie. Skutki nie były takie złe i nie trwały tak długo, jak kiedyś. Kiedy spojrzałam, czarny plastik zalśnił i zmienił się w coś innego. Po chwili miałyśmy na nadgarstkach to samo. Trzeba przyznać, że bransoletka nie wyglądała tak ładnie na mnie, jak na niej. Błyszczące złoto było nie na miejscu na mojej zbyt bladej skórze.

– Moja jest z Targetu.

Zaśmiała się. Dźwięk jej śmiechu był jak tysiące małych dzwoneczków. Delikatny, czarujący i strasznie wkurzający.

– Ale to śliczne.

Śliczne? Zaraz jej pokażę śliczne. Ginger pewnie spojrzała w moją stronę w tej właśnie chwili i zobaczyła, co się dzieje na mojej twarzy, bo przestała szeptać coś na ucho mamie, po czym weszła między nas – niestety zanim doszło do obrażeń ciała z mojej winy. – Chyba czas, żebyśmy wszyscy poszli spać. Czeka was wszystkich jutro ważny dzień.

– Ważny dzień? – powiedziałam niechętnie, odstępując na krok.

– Jutro zaczyna się szkoła.

– Szkoła? – spytał Kale przerażony. – Ja nie mogę iść do szkoły.

Ginger uśmiechnęła się.

– Sprawa załatwiona. Mówię wam, że opracowałyśmy plan bezpieczny dla wszystkich, a Jade nie będzie was odstępować ani na krok.

Coś było naprawdę nie tak. Teraz można oficjalnie podsumować ten dzień jako potworny.

Fantastyczny, że szlag go trafi!

Rozejrzałam się po niewielkim pokoju hotelowym i skrzywiłam twarz. To na nic.

– Na którym łóżku chcesz spać? – mama zadawała mi to pytanie co wieczór, regularnie, jak w zegarku. Tak, jak gdybym miała z dnia na dzień zmieniać zdanie.

Wyłoniła się z łazienki w białej podkoszulce i różowych spodniach od piżamy w małe, niebieskie pingwinki. Nie tego się człowiek spodziewa po morderczyni, która wykańcza ludzi z zimną krwią, tak czy nie?

Mama, podobnie jak Kale, była więźniarką korporacji Denazen, odkąd się urodziłam. Zmuszano ją do okropnych rzeczy pod ich rozkazami. Dorastałam myśląc, że zmarła przy porodzie, łudziłam się nadzieją, że porozmawiam z nią choć raz. No i tu, w tym hotelu, nie tylko z nią rozmawiałam, ale i spałam pod jednym dachem.

W naprawdę małym pokoju.

Przez pierwszych kilka tygodni w hotelu mama trzymała wszystkich na dystans. Dzieliłyśmy ten sam pokój, ale ona przez większość czasu trzymała się na uboczu. Nie jadła z nami posiłków i nigdy się do nas nie przysiadała w świetlicy, żeby zagrać w pokera albo obejrzeć film. Wydawało się, że jest w stanie dotrzymywać ludziom towarzystwa co najwyżej przez piętnaście minut. Kiedy mijał kwadrans, zaczynała się nerwowo kręcić i szukała pretekstu, żeby wyjść. Jedynymi wyjątkami – z upływem czasu – okazałyśmy się Ginger i ja. No i, oczywiście, Kale. Całe godziny spędzała na rozmowach z nim. W towarzystwie wszystkich innych była milcząca, rzadko się odzywała, chyba, że miała coś ważnego do powiedzenia. Po jakimś czasie trochę się rozgadała, ale chyba nigdy nie będzie cierpieć na przypadłość, którą Brandt nazywał słowotokiem.

Wzruszyłam ramionami, jak gdyby to nie miało znaczenia, ale pokazałam na łóżko najbliżej okna, skoczyłam pod ohydny obraz starej stodoły. Nie lubiłam spać przy drzwiach. Miałam zbyt wiele koszmarów o ludziach z Denazen, wpadających do pokoju, gdy spałam. Tata na czele szarży, żeby mnie skądś wyrwać.

– Ginger mówi, że przeniośli Kale'a do innego pokoju. Wiesz dokąd? Chciałabym sprawdzić, co z nim.

To była prawda. Chciałam sprawdzić, co z nim. Mieliśmy oboje ciężką noc. Nie będę mogła zasnąć, dopóki się nie upewnię, że u niego wszystko w porządku. Teraz jednak musiałam wyjść z tego pomieszczenia. Kochałam mamę. Byłam szczęśliwa, że jest bezpieczna i uczestniczy w moim życiu. To jednak skończy się nieciekawie. Na pewno nie zasnę po tym wszystkim, co się stało, a siedzenie i plotkowanie o chłopakach to nie była dobra opcja. Co można mówić komuś, kto był pod kluczem przez co najmniej siedemnaście lat, traktowany jak zwierzę, wykorzystywany jako narzędzie i przynęta prowadząca ludzi na śmierć. „A może byśmy obejrzały film? Nowy, z Benem Barnesem. Ale chwila. Przecież nie wiesz, kto to jest Ben Barnes, prawda?"

Od początku tego lata zaczęłyśmy się lepiej poznawać, ale proces był powolny. Kiedy wróciłam pierwszego wieczoru, siedziałyśmy w pokoju ponad godzinę próbując rozmawiać. Żadna z nas nie miała pojęcia, co powiedzieć, ani od czego zacząć. Rozdzielało nas całe życie.

Okazało się, że wszystko wymaga czasu. To dziwne, ale mama była jeszcze bardziej pokręcona niż Kale. Tak jak on, miała swoje dziwne przyzwyczajenia. W pokoju nie mogło być nic czerwonego, a za każdym razem, kiedy brała prysznic, zostawiała otwarte drzwi i kazała mi przyrzekać, że wszędzie będzie zapalone światło. Kazała mi nawet zapalać wyświetlacz w nowej komórce.

A oprócz tego, co wszyscy uważali za niewielkie dziwactwa, miała również i poważniejsze problemy. Nie pozwalała zbliżać do siebie niczego, co jest elastyczne na odległość bliższą niż trzy metry. Gumki do włosów, gumki do majtek, cholera, odwaliło jej, jak zobaczyła moją kolekcję gumowych bransoletek. Posuwała się do tego, że wypruwała ze swoich ubrań każdą elastyczną nitkę. Drugiego wieczoru, kiedy już mieszkałyśmy razem, tuż przed tym, gdy Kale i ja ruszyliśmy, żeby ostrzec wszystkie Szóstki z listy Brandta, weszłam do środka i zobaczyłam, że wypruwa gumki z bielizny. Czy można to nazwać dziwactwem? Teraz spojrzała na zegar stojący na stoliku między naszymi łóżkami.

– Już prawie pierwsza w nocy.

Zaczęłam się wycofywać w kierunku drzwi.

– Wiem. Dzięki Bogu, jeszcze wcześnie, prawda?

– Dez. – Wyglądała na zakłopotaną. Dobrze, że nie tylko ja się tak czułam. – Chyba powinnyśmy o czymś pogadać.

– Pogadać?

– Są sprawy, które trzeba wyciągnąć na światło dzienne. To nie mogło się dobrze skończyć. Na pewno dostanę ochrzan za to, że wymknęłam się na tę imprezę. No, ale sobie wybrała moment, żeby się pobawić w mamę.

– Wiem, że ty i Kale zbliżyliście się do siebie...

– Chodzi ci o Kale'a? – zrobiłam lekceważący gest dłonią i wycofałam się jeszcze parę kroków. – Uwierz mi, ten statek już dawno odbił od nabrzeża.

– Dez – powiedziała jeszcze raz, tym razem donośniej. Zamarłam. Jej ton był jak uderzenie kowalskim młotem w kolana.

– Teraz przebywanie sam na sam z Kale'em jest dla ciebie zbyt niebezpieczne. Jak myślisz, jak się będę czuła, jeśli coś ci się stanie? – Pomyślała chwilę i dodała: – Poza tym jutro szkoła. Nie możesz iść.

– Nie mogę? To popatrz.

Natychmiast pożałowałam tych słów. Nie chciałam jej robić przykrości – to było bardziej z nawyku. Nie byłam przyzwyczajona do posłuchu. Tata nie interesował się moim życiem, a kiedy raz czy drugi się zainteresował, to tylko po to, żeby mi czegoś zabronić. Zazwyczaj nie zwracałam na niego uwagi i robiłam, co mi się żywnie podobało.

– Przepraszam. – Oparłam się o ścianę. – To z przyzwyczajenia. Niełatwo poddaję się autorytetom.

– Tak słyszałam – powiedziała sucho.

– Nie zrozum mnie źle, ale od bardzo dawna potrafię o siebie zadbać i to bez wtrącania się rodziców. Tata coś mówił, a ja puszczałam to mimo uszu. Trochę za późno, żeby ktoś mi przypominał o odrabianiu zadania, myciu uszu i kładzeniu się spać przed dziesiątą.

73

– Dla nas obu to spora zmiana. Może i wychowywałam Kale'a w obrębie Denazen, ale bycie matką tutaj... – Mama rozejrzała się po pokoju z takim wyrazem twarzy, który pamiętam u Kale'a, kiedy pierwszy raz wszedł do mojego domu. Był zdezorientowany, zakłopotany i nic nie rozumiał. Pochyliła się i podniosła puszkę Sprite'a, którą zostawiłam na stoliku nocnym, po czym nią potrząsnęła. – Wszystko jest zupełnie inaczej. Wiem, że nie potrafisz tego zrozumieć...

– No właśnie. Nigdy nie zrozumiem, jak ty się czujesz, ale ja spędziłam dość czasu z Kale'em, żeby wiedzieć, że świat z twojego punktu widzenia musi wyglądać, jak cywilizacja obcych.

– Jestem twoją matką, mam wobec ciebie pewne obowiązki. – Postawiła puszkę i zrobiła krok naprzód, ale w jej głosie brzmiała niepewność.

– Bardzo proszę, nie zrozum tego źle, ale nikt się mną przez bardzo długi czas nie zajmował.

Pochyliłam się i pocałowałam ją w czoło. Trochę się skrzywiła – miała problemy z dopuszczaniem kogoś bardzo blisko.

– Przyrzekam, że to długo nie potrwa. Chcę tylko sprawdzić, czy z nim wszystko w porządku.

Nie dałam jej sposobności, żeby się sprzeciwić. Wyszłam nie oglądając się za siebie, a później ruszyłam przez korytarz. Kiedy dotarłam do podnóża schodów na pierwszym piętrze, zorientowałam się, że mama nie powiedziała mi, do którego pokoju przeniesiono Kale'a. Ruszyłam do recepcji, gdzie – jak można było przypuszczać – Rosie była wciąż zakorzeniona przed swoim małym telewizorkiem.

Pomachałam jej dłonią przed nosem i skrzywiłam się.

– Nikt ci nie mówił, że perfumami nie da się zastąpić mydła? – Codziennie czuć było od niej jakieś nowe, potwornie duszące perfumy. Wyobraziłam sobie, że dom Rosie od podłogi do sufitu jest wypełniony małymi buteleczkami o różnych kształtach i kolorach, z naklejkami producentów perfum i metkami z ceną. Niekiedy zapach był tak nieznośny, że zastanawiałam się, czy nie eksperymentuje, mieszając jedne z drugimi, by stworzyć swój własny dziwaczny zapach.

Wzruszyła ramionami.

– To smutne, że nie masz gustu. Taka rzecz powinna podlegać prawu karnemu.

Próbowałam oddychać przez usta. Chociaż to nie pomagało, bo w ten sposób przy okazji smakowałam perfumy na języku.

– Ty nigdy nie sypiasz?

– Nie potrzebuję snu – odparła.

Nie byłam w stanie powiedzieć, czy żartuje, czy mówi poważnie. Po tylu latach wciąż nie wiedziałam, na czym polega dar Rosie.

– Przenieśli Kale'a. Mogłabyś mi powiedzieć, w którym teraz jest pokoju?

Normalna reakcja Rosie polegałaby na dziesięciu minutach unikania odpowiedzi, pięciu minutach sporów, a później dałaby mi odpowiedź wielokrotnego wyboru i poczęstowałaby mnie miną, która odstrasza małe dzieci od cukru. Tym razem jednak jej twarz rozświetlił uśmiech, kiedy bawiła się okładką księgi gości.

– Pewnie. Przenieśli go do pokoju tuż obok tej słodziutkiej, rudowłosej. Jak ona ma na imię? Jade? Widziałaś ją?

Naprawdę piękna. Kale ma szczęście, że może być tak blisko niej. Pokój 162.

Przełknęłam sarkastyczną uwagę. Nie odezwałam się, a pomógł mi duszący odór perfum. Nie dałam jej tej satysfakcji. Udałam, że nic mnie to nie obchodzi. Skinęłam głową i wyszłam z recepcji, po czym pofrunęłam korytarzem w rekordowym czasie, silnie umotywowana nowymi informacjami. Oczywiście, że umieścili go w pokoju obok Jade. Ona była jak kosmiczny wyłącznik.

Kiedy otworzył drzwi, wyglądał na zmęczonego, ale w tej samej sekundzie, w której spotkały się nasze oczy, jego twarz rozświetliła się, jak burzowe niebo za oknem. Wystarczył sam jego widok, stojącego na środku pokoju i patrzącego na mnie w ten sposób, żeby rozpędzić resztki niepewności. Już się nie bałam, co zrobi ta, jak no tam jej na imię.

– Dez.

Zrobił krok w bok i przywarł plecami do ściany, żeby mi ustąpić miejsca. Zamknęłam za sobą drzwi, przeszłam przez pokój do telefonu i powiedziałam:

– Pięć metrów, tak?

Uśmiechał się złowieszczo, kiedy podszedł do mnie i wybierał numer pokoju obok. Słyszałam przez ścianę, jak telefon dzwoni pięć razy, zanim Jade odebrała i rozespanym głosem powiedziała coś do słuchawki.

– Proszę, nie wychodź z pokoju – powiedział Kale. – Teraz będę całował Dez.

Nie mogłam powstrzymać śmiechu. Założę się, że nie to chciała usłyszeć, kiedy zadzwonił.

Uśmiechnięty Kale odłożył słuchawkę.

– To będzie naprawdę denerwujące. – Próbowałam przybrać poirytowany wyraz twarzy, ale było mi trudno, kiedy stał obok, uśmiechnięty od ucha do ucha. Przez kilka chwil w ogóle nic nie mówił, a później zaczął się śmiać.

– Co cię tak śmieszy? – Chociaż z ręką na sercu nic mnie to nie obchodziło, tak długo, jak się śmiał. Słyszałam ten śmiech w snach co noc. Głęboki, trochę ciemny i zachrypnięty. Ten dźwięk sprawiał, że serce zaczynało mi mocniej bić, czułam maleńkie motyle w żołądku, trzepoczące skrzydełkami. To był mój ulubiony dźwięk, najbardziej ulubiony ze wszystkich na świecie.

– Tak samo się czułeś, jak się wściekałam na Alexa? – Kale był w dobrym nastroju, ale na dźwięk imienia Alexa coś pociemniało w jego oczach. Byłam zazdrosna. Byłam zazdrosna o Jade.

– Nie było najgorzej – przyznałam, po czym wycofałam się o krok. – Ale to nie to samo.

Odchylił głowę do tyłu, uniósł lewą brew nieco wyżej niż prawą.

– Powiedz, nie jesteś zła dlatego, że Jade może mnie dotykać?

– To na pewno nie. – To tylko półprawda. Byłam zła, w każdym razie, że ona musi być w pobliżu po to, żebym ja mogła go dotykać. To takie przedstawienie, ale podglądaczom zawsze mówiłam „stop".

Znów się zaśmiał i przyciągnął mnie do siebie.

– Podoba mi się to. Lubię to uczucie.

– Założę się, że to ci się bardziej spodoba – szepnęłam nachylając się.

Chwycił dłońmi moją twarz tak, żebym nie mogła się ruszyć. Zachichotałam bezwiednie. Miałabym się ruszać? Dokądkolwiek, stąd?

Ciepło wybuchało wszędzie tam, gdzie mnie dotykał. Zachłanne palce prześlizgiwały się po nagich ramionach, wciskały się pod wciąż mokre ramiączka mojej bluzki, rysowały niecierpliwe linie w górę i w dół karku. Ciepło. I jeszcze coś innego. Delikatne ukłucia. Takie, jak te, które czułam, gdy Jade była blisko, ale trochę bardziej agresywne. Po kilku chwilach zaczęło mi szumieć w głowie. Niski dźwięk, który pobudzał pracę żołądka i sprawiał, że swędziały mnie uszy. Cień tego, czego smak poczułam na dźwigu, ale wystarczyło, żeby zaburzyć delikatną równowagę.

Postanowiłam to zignorować i odepchnąć się od ściany. Właśnie to. Po to tu przyszłam. Tak, chciałam sprawdzić, czy u niego wszystko w porządku. Tak, chciałam się wydostać z pokoju, w którym byłam z mamą. Przede wszystkim jednak chciałam poczuć łączność z Kale'em. Moją linią życia. Moim zastrzykiem adrenaliny. Musiałam poczuć, że wciąż żyję. Poczuć, że oboje wciąż żyjemy. Musiałam się przekonać, że pojawienie się Jade i jej umiejętność dotykania i odczuwania niczego między nami nie zmieniła.

I nie zmieniła, bo nic tego nie mogło zmienić.

Po kilku chwilach szczęścia Kale się odsunął.

– Coś nie tak? – spytałam.

– Nie chcę ci zrobić krzywdy. – Był rozdarty. Widziałam to w jego oczach. Tak bardzo chciał mnie dotykać, ale jednocześnie był przerażony tym, że sprawi mi ból.

Objęłam go mocno za szyję i przyciągnęłam do siebie.

– Nie czuję nic oprócz szczęścia – szeptałam między pocałunkami. – Przyrzekam.

Poddał się po kilku sekundach wewnętrznej debaty. Wycofywał się powoli i nie odrywając warg od moich ust, manewrował w kierunku łóżka. Opadliśmy na materac w plątaninie rąk i nóg, ani na chwilę się od siebie nie odrywając. Z każdym dotknięciem buczenie w mojej głowie rosło. Delikatne ukłucia były coraz mocniejsze, czułam nieustanne pulsowanie, budził się płomień bólu, zaczynało się to na koniuszkach palców i szło przez całe moje ciało. Wciąż jednak nie zwracałam na to uwagi. To nie miało znaczenia. Nic nie miało znaczenia oprócz tego. Oprócz nas.

– Jednego nie chcę – szeptał między pocałunkami. – Pójść za daleko. Jeżeli boli.

Przyciągnęłam go do siebie, chwyciłam za skraj podkoszulka – już zdążył się przebrać w suche rzeczy – i przeciągnęłam mu go nad głową. Nie wychodząc z rytmu, sięgnął ku krawędzi mojej koszulki, ale chwyciłam go za ręce i zacisnęłam za swoimi plecami.

– Wierz mi, coś czuję, ale to nie jest ból.

– Z tobą wszystko jest lepsze. – Jego lodowobłękitne oczy przeszywały mnie na wskroś. Kiedy Kale tak patrzył, łatwo było zapomnieć o całym świecie. Zaplótł palce o szlufki mojego paska i przyciągnął mnie do siebie blisko. – Tylko ty, Dez.

Nie chodziło o szalejące hormony nastolatki, ani o to, co powiedział, chociaż oczywiście to wszystko było fantastyczne, ale nie to mnie ruszało. Pociągała mnie intensywność tego, jak Kale żył. Niemal feralny i nieodparty błysk w jego oczach. Głęboki, chropawy głos.

To mnie ciągnęło na samą krawędź.

Odepchnęłam od siebie głos, który słyszałam gdzieś z tyłu głowy, ściągnęłam z siebie mokrą koszulkę i upuściłam na podłogę. Dłonie, wargi i biodra. Wszystko było plątaniną płonących członków. Jeszcze przed chwilą jego pocałunki rysowały miękką linię wzdłuż mojej szczęki, a sekundę później palce Kale'a niecierpliwie zmagały się z guzikiem moich dżinsów.

Próbowałam zachichotać, widząc jego entuzjazm, ale nie bardzo mi to wyszło. Zamiast chichotu – ciężkie sapnięcie.

A potem następne.

Piekło i niebo. Ciemność i światło. Można to było odmalować milionem odcieni purpury. Żaden z nich jednak nie zbliżyłby się nawet do tego, co naprawdę czułam. Buczenie w mojej głowie zamieniło się w ryczący płomień, tym razem nie dało się go zepchnąć na margines. Wróciła gumowa opaska, która chciała wycisnąć mi resztki powietrza z płuc tam, na szczycie dźwigu. Przyprowadziła ze sobą koleżanki. Całą czeredę.

Wciąż jednak nie mogłam go odepchnąć. Gdybym go odepchnęła, to, co się teraz działo, nigdy by już nie wróciło. A do tego nie mogłam dopuścić.

Przygryzłam wewnętrzną stronę wargi, żeby nie krzyknąć, ale to na nic. Z ust wyrwał mi się cichy odgłos. Kale zawahał się, a ja oplotłam jego barki ramionami.

Ciaśniej.

Bliżej

Nie poddam się. Tego nie stracę.

Nie mogłam tego stracić.

– Dez?

Drżałam. Cała się trzęsłam. Tak bardzo chciałam zwalczyć narastający ból, nie dopuścić do tego, żeby zobaczył, co robi z moją skórą, ale to na nic. Nie sposób było tego ukryć.

– Ja... – Oderwałam się od niego i opadłam na łóżko. W momencie, kiedy się rozdzieliliśmy, ból zaczął ustępować, czułam, że nabieram świeżego powietrza w dusznym pokoju. – Nie potrafię...

Na twarzy Kale'a malowało się teraz coś zupełnie innego.

– Bolało, prawda? – Usiadł, wyprostował się i zszedł z łóżka. Przeszedł przez pokój i zatrzymał się dopiero przy przeciwnej ścianie – tak daleko ode mnie, jak było można w ciasnej przestrzeni.

Otworzyłam, a później zamknęłam usta. Cokolwiek bym nie powiedziała, to tylko pogorszy sprawę.

Uchwycił moje spojrzenie. Przez dłuższą chwilę oboje mogliśmy tylko na siebie patrzeć. Piekło. Jak gdyby tuż przed oczami ktoś machał jedyną rzeczą, której oboje chcieliśmy i której nie mogliśmy mieć.

Kale pierwszy przerwał milczenie i czar prysł.

– Powinnaś już iść.

Wzdrygnęłam się, jak gdyby mnie uderzył. To nie może się dziać naprawdę...

– Iść? To znaczy co? Chcesz, żebym stąd wyszła?

Odwrócił się, przycisnął ręce do boków, pięści miał zaciśnięte. Ból fizyczny był niczym w porównaniu do tego, co rysowało się na jego twarzy. To go zabijało, a w efekcie niszczyło i mnie.

– To, że tu jesteś, jest... niebezpieczne. Nie potrafiłbym sobie wybaczyć, gdyby coś... – Odwrócił się do mnie. – Powinnaś wracać do swojego pokoju.

Zsunęłam się z łóżka, założyłam koszulkę i wyszłam bez słowa. Zjawiłam się tu, żeby coś naprawić, a wszystko popsułam.

§

Byliśmy znów na placu budowy. Kale i ja staliśmy na samym szczycie dźwigu, wiatr rozwiewał nam włosy we wszystkich kierunkach. Już nie padało, ale nad naszymi głowami od czasu do czasu pojawiały się rozbłyski wyładowań elektrycznych.

– Co byś zrobiła, gdybym cię pocałował, Dez? Pozwoliłabyś mi?

Uśmiechnęłam się, ale cała zesztywniałam. Uśmiech był wymuszony.

– Oczywiście.

Przybliżył się do mnie.

– Podoba ci się? Kiedy cię całuję?

Język miałam ciężki, jak gdyby umoczony w kleju. Wiedziałam, że te słowa są właściwe, ale czułam, że coś jest nie tak.

– Wiesz, że tak.

– Nie powinnaś mu pozwalać się całować – usłyszałam głos z drugiej strony dźwigu. Odwróciłam się i zobaczyłam mojego kuzyna Brandta, który obecnie zamieszkiwał w ciele Sheltie, gościa, który go zabił.

Pytanie wydawało mi się samo w sobie dziwne, ale tak czy owak je zadałam.

– Dlaczego?

Brandt tylko wzruszył ramionami.

Kale szturchnął mnie kolanem.

– W takim razie mogę? Pocałować cię?

Odwróciłam się od Brandta.

– A od kiedy to musisz pytać?

Kale pochylił się i musnął mnie ustami. Miał zimne wargi. Zupełnie nie, jak Kale. Pachniał też inaczej. W powietrzu unosiło się coś dusznego. Jakby zapach rozkładu. A jednak go nie odepchnęłam.

Składał lodowate pocałunki na mojej brodzie i szyi. Odsunął ramiączko mojej koszulki, został chwilę dłużej przy moim lewym ramieniu, a ja poczułam zimny dreszcz na plecach. – Tik tak. Zegar tyka, maleńka.

Odsunęłam się gwałtownie, niemal tracąc równowagę. Kale'a nie było, a zamiast niego zobaczyłam jednego z dwóch oślizgłych Bliźniaków ze starego domu. Tego ze złamanym nosem. Able'a.

– Miłej podróży – zachichotał. Nagle wysunął ramię i stuknął mnie w bark. To wytrąciło mnie z niepewnej równowagi. Belka, na której stałam, wyślizgnęła mi się spod nóg, świat zawirował w zmieszanych kolorach chaosu.

Już spadałam. Coraz szybciej w kierunku pewnej zagłady. Chwilę później stałam na ziemi obok Brandta, który był Sheltie'em.

– Jezus, Maria! – zrobiłam niepewny krok w tył. Nie mogłam oderwać wzroku od dźwigu. Serce waliło mi jak młotem, na szyi i plecach czułam pot. Kurczowo trzymałam się żelaznej konstrukcji, żeby nie upaść.

– Mówiłem ci, żebyś go nie całowała.

– Wielkie dzięki – rzuciłam łapiąc oddech.

– No, nie bądź taka. To twój sen.

Przyjrzałam mu się dokładnie. Miał na sobie te same wypłowiałe dżinsy i podkoszulek Strokesów, w którym widziałam go ostatni raz w Sanktuarium. Czekał wtedy na mnie w pokoju, żeby mi powiedzieć prawdę o tym, kto i co każe mu pryskać z miasta.

– To jest właśnie to? Sen?

Wzruszył ramionami. – Tak jakby.

– Tak jakby? – typowa odpowiedź Brandta.

– Tak jakby to za mało. Dla mnie nic z tego nie wynika.

Znów wzruszenie ramionami.

– Naprawdę tu jesteś?

– Tak jakby?

– Brr...

Zmarszczył w skupieniu brwi.

– Layne Phillps.

– Co takiego?

– Layne Phillps. – Wyglądał tak, jakby miał o wiele więcej do powiedzenia, ale zamiast tego tupnął nogą w błoto i pokazał palcem szczyt dźwigu. – Dzieją się pewne rzeczy. Bądź uważna, Dez.

– Uważna? – powiodłam wzrokiem za linią, którą wskazywał jego palec. Widziałam tylko szczyt dźwigu. Nie było tam nikogo, wokół nas też pustka. – Mam uważać, ale na co?

Nagle zobaczyłam jego twarz tuż przy mojej. Jego palce wczepiały się w mój bark, kiedy powtarzał

– *Bądź uważna.*

Pod wpływem jego dotknięcia ból eksplodował, jak rozgrzana do białości stal. Upadłam na kolana. Miałam mgłę przed oczami, ziemia pod nogami zapadała się i kołysała.

– *Bądź uważna* – usłyszałam ostatni raz okrzyk Brandta. Wariackie echo odbijało się od ścian mojej czaszki.

Usiadłam wyprostowana, ciężko dysząc i okazało się, że jestem owinięta kołdrą, ściskam kurczowo poduszkę, a irytująca muzyka country and western z radiowego budzika mamy rozdziera mi czaszkę. Sen. Brandt próbował mi coś powiedzieć. Wszystko nagle wróciło falą.

Coś ostrego ukłuło mnie pod skórą. Usłyszałam darty materiał, kiedy w pośpiechu odsuwałam, żeby zobaczyć, co tam jest.

– *Bądź uważna.*

A ja nie byłam.

Na lewym ramieniu zobaczyłam wściekle czerwoną plamę. Była ciepła w dotyku i cholernie swędziała. Able. Właśnie w to miejsce Able dotknął mnie na dachu dawnego domu Alexa. Właśnie tam, nad tym miejscem, zadrżały nieruchome usta Able'a w moim śnie.

– Zegar tyka, maleńka.

Cholera. Zaczynały się poważne kłopoty.

7

Odsunęłam kołdrę i przywaliłam pięścią w radiowy budzik, żeby uciszyć muzykę. Obudzić się, czując się tak, jak gdybym właśnie została pocięta na puree w blenderze, to jedno, a obudzić się, jak gdyby blender zrobił ze mnie papkę muzyki country and western – to drugie. Jak tak dalej pójdzie, mieszkanie w jednym pokoju z mamą nie wyjdzie nam na dobre. Omiotłam wzrokiem pokój, ale nie było po niej śladu. Znikła. Zanotowałam imię, które podał mi Brandt, próbując jednocześnie nie zwracać uwagi na swoje ramię. Jeśli bym komuś o tym powiedziała, uznaliby mnie za wariatkę. Spanikowaliby. To jak zapowiedź nieszczęścia. Poza tym wiedziałam, że Kale'owi, chociaż był nerwowy w tłumie, spodoba się w szkole, kiedy już się tam znajdzie. Ten chłopak był jak gąbka pijąca wszystkie nowe informacje. Tego mu nie mogłam odebrać. Jeśli mama i Ginger dowiedziałyby się o moim ramieniu, na pewno by nas nie puściły.

Nie. Odczekam kolejną chwilę. Kto wie, co się jeszcze wydarzy? Nie ma powodu do paniki. Może nic się z tego więcej nie zrobi – może to jakaś alergia. Trochę bólu, swędzenie na skórze przecież nikogo jeszcze nie zabiło.

Wyjęłam z szafy ciuchy, które miałam do wyboru – granatowe dżinsy i rozciągliwą, czarną koszulkę z nieco zbyt niebezpiecznie głębokim dekoltem. Wzięłam prysznic i ubrałam się.

Rozczesałam swoje długie włosy – wciąż były kasztanowe od pamiętnego numeru, kiedy udawałam Larę Croft na imprezie kostiumowej Sumrunu – i zaczęłam zaplatać warkocz, który upięłam gumką schowaną w sekretnym miejscu. Będę musiała niedługo ustalić kolor tych włosów, bo krowi brązowy był bez sensu. Poza tym po trzech miesiącach bez farbowania zaczęły wyłazić blond odrosty. Cały zeszły tydzień myślałam o tym, żeby coś z tym zrobić, ale wciąż było coś ważniejszego. Jeżeli nie rozpraszałoby mnie to, co się obecnie dzieje w moim życiu, pójście do szkoły z tym czymś na głowie byłoby wykluczone. Tata powiedział mi kiedyś, że gdy człowiek się starzeje, zmieniają mu się priorytety. To jedyna prawda, którą się kiedykolwiek ze mną podzielił.

Zrobiłam makijaż i po raz ostatni rzuciłam okiem do lusterka na końcowy efekt. W głębi duszy byłam przerażona. Nigdy nie potrafiłam wyskoczyć z łóżka, wejść pod prysznic i być gotowa do wymarszu w czasie poniżej godziny, ale nie miałam wyboru. Kiedy byłam w połowie prysznica, przypomniałam sobie, że do szkoły idziemy nie tylko Kale i ja.

Jego samoprzylepna nowa sympatia też się z nami zabiera.

Byłam w holu dokładnie czterdzieści trzy minuty po wyłączeniu budzika. Nowy rekord świata, chociaż nie byłam z niego za bardzo dumna. Kale i Jade już na mnie czekali. Jej rude włosy układały się luźno na plecach, gęste loki unosiły się i opadały, kiedy szła, jak w puszczanej w zwolnionym tempie reklamie Pantene. Za duży czarny sweter był spięty luźno dopasowanym paskiem i zwisał ledwo zakrywając jej pośladki, niemal dotykając wysokich, sięgających do połowy ud, czarnych, zamszowych kozaków. Znów poczułam falę zazdrości. Oczywiście ona obudziła się na czas.

– Siema – powiedziałam, patrząc tylko na Kale'a. Nie będę zwracała na nią uwagi i będę się zachowywać tak, jakby się nic nie stało. Może sobie pójdzie. Może się schowa pod zlew, albo coś w tym stylu.

– Dez... – W jego głosie było zdziwienie. Ale dlaczego? Łaskawie odpowiedziała Jade.

– Już się lepiej czujesz? Myśleliśmy, że zostaniesz dzisiaj w łóżku. – Pochyliła się do przodu i po aktorsku położyła rękę na ramieniu Kale'a. – Słyszałam, co się stało. Bardzo mi przykro. Mam wrażenie, że już przedawkowałaś moją aurę. Słyszała, co się stało? To znaczy, że on jej powiedział? Nikt inny nie próbował mnie budzić, co oznaczało, że im też powiedział. Naprawdę myśleli, że zostanę w domu i nie pójdę do szkoły? Pozwolę Kale'owi pójść z Jade? Panną Empatyczny Dotyk? Chyba wszyscy są naćpani.

Sięgnęłam ręką w kierunku Kale'a, ale potykając się, zrobił krok w bok. To było zrozumiałe po tym, co się wydarzyło wczoraj w nocy, ale nie znaczy, że mniej zabolało.

– Muszę z tobą porozmawiać.

Wszystko sobie przygotowałam, całą tę przemowę pod tytułem „Przejdziemy przez to razem", kiedy byłam pod prysznicem. Jednak stojąc tam obok niego, czując jego spojrzenie, miałam wrażenie, że wszystko się gdzieś rozpłynęło. Chciałam tylko wyciągnąć rękę i dotknąć jego dłoni.

Jeszcze jeden zamach i chwyciłam go za rękę, pociągnęłam na bok i wokół kontuaru Rosie.

– Słyszałeś, co mówiła Jade. Za dzień lub dwa będę mogła cię dotykać.

Nie od razu odpowiedział. A kiedy otworzył usta i usłyszałam, co ma do powiedzenia, ściany wokół mnie zawirowały.

– To chyba nie jest dobry pomysł.

– Co takiego?

Mówił niskim głosem. Pełnym smutku. Zobaczyłam palce liczące kolejne cyfry u jego boku. Wskazujący, środkowy, serdeczny i mały.

– To wszystko wydarzyło się tak szybko, Dez. Wczoraj wieczorem tak mocno się nie dotykaliśmy, a ty przedawkowałaś, jak to nazywa Jade.

Zmusiłam się do uśmieszku i próbowałam flirtować.

– Z tego, co pamiętam, dość sporo się dotykaliśmy wczoraj w nocy...

Nie odpowiedział uśmiechem.

– Rozwaliłem drzwi.

– Co takiego?

– Jak wyszłaś... Strasznie cię bolało. W pierwszej chwili pomyślałem, że ona... Wiesz, te drzwi między naszymi pokojami – pomyślałem, że Jade wyszła i dlatego tak szybko zrobiło się źle, więc je wyłamałem.

– Chwila, moment. Coś tu nie gra. To musi być pomyłka.

– Drzwi łączące wasze pokoje? Chyba sobie żartujesz?

Sądząc po wyrazie jego twarzy, nie dostrzegał problemu. Oczywiście, że nie, bo przechodzenie przez te drzwi, żeby się spotykać z Jade, nigdy by mu nie przyszło do głowy.

Założę się jednak, że jej przyszło.

Cofnął się o jeszcze jeden krok i stanął tak, że narożnik kontuaru Rosie znalazł się między nami.

– Przepraszam, że wczoraj wieczorem tak cię zabolało. Nie wiedziałem...

Uniosłam dłoń. Sama myśl o tym, że się usprawiedliwia i przeprasza, była nieciekawa.

– To nie twoja wina. Wiedziałam, co się święci i sama napierałam.

Zbladł, kiedy zaciskał palce na krawędzi kontuaru. Przez najdłuższą chwilę mojego życia tylko patrzył na mnie bez słowa.

– Wiedziałaś, że jest coraz gorzej i nie przestawałaś?

Zrobiłam gest i chciałam chwycić go za rękę, ale odsunął się ode mnie gwałtownie. Skrzywiłam się i powiedziałam

– Mój wybór. Mój. Jesteś wart odrobiny bólu.

– Nie – powiedział, odpychając się od lady recepcji. Po raz pierwszy, odkąd się poznaliśmy patrzył na mnie poirytowany. – Nie pozwolę na nic, co sprawia ci ból. A ja na pewno nie będę przyczyną tego bólu.

Ten wyraz twarzy. Ten ton. Przypominał sobie dni spędzone w Denazen. Jak to było, zanim się poznaliśmy. Ich *wyjątkowe* metody motywacji. Ból to obszar, o którym Kale to i owo wiedział.

Już chciałam zacząć się spierać, ale Jade odchrząknęła i przebiegła drobniutkimi kroczkami przez hol, po czym sięgnęła ręką do ramienia Kale'a. Jej nie odtrącił.

– Nie chcielibyśmy się spóźnić. Na pewno dobrze się czujesz, Dez?

Zacznij działać normalnie. Ta wywłoka musi wiedzieć, gdzie jej miejsce. Zmusiłam się do śmiechu i rozprostowałam ramiona.

– Nic mi nie jest, Jade. Dzięki za troskę. Już się zaczęła odwracać, ale chwyciłam ją za drugie ramię, za to, którym nie przyciskała się do mojego chłopaka. Parafrazując to, co Kale powiedział Alexowi wczoraj wieczorem, powtórzyłam:

– A tak dla przypomnienia, nie mogę dotykać Kale'a *na razie*, ale *ciebie* mogę.

Rzuciła włosami i założyła swoją drogą torebkę na ramię.

– Dobrze ci w zielonym, Dez.

Ugryzłam się w język i ruszyłam za Kale'em przez hol do wyjścia. Już stałam w progu, kiedy usłyszałam głośny, ostry gwizd.

– Stójcie!

Popatrzyłam przez ramię i ujrzałam Ginger stojącą na środku holu. Miała na sobie purpurową podomkę w paski i dopasowane kolorem papcie. Patrzyła na nas groźnie ze środka czerwono-złotego holu hotelowego. Pod pachą miała stertę papierów i płócienną torbę, wyglądało na to, że trzymany ciężar powali ją na podłogę.

– A wy dokąd?

Weszłam do środka i zamknęły się za mną drzwi.

– Czy to jest... jakieś podchwytliwe pytanie?

Zmarszczyła się i odwróciła niechętnie do Rosie.

– Zapomniałaś im o czymś powiedzieć, Rosie?

Rosie, nie odwracając się od ekranu telewizora, wzruszyła ramionami i mruknęła coś niezrozumiale.

Ginger westchnęła ciężko i poprawiła torbę na ramieniu.

– Pamiętając o tym, czego się dowiedzieliśmy na początku tego lata, że nie wspomnę już o innych źródłach, uzgodniono, że powrót do twojego liceum nie będzie bezpieczny. Wstrząsnęło mną. Uzgodniono? Kto uzgadniał? I kiedy zapadły te uzgodnienia?

– Miałam wrażenie, że ściany wirują i Sanktuarium zrobiło się bardzo małe. – Bo mnie nikt nie pytał.

– Wczoraj wieczorem powiedziałyście, że dziś zaczynamy szkołę – wtrącił się Kale. Trudno było nie zauważyć rozczarowania w jego głosie. Miałam rację. Niepokoił się, ale jednak się na to cieszył. – Powiedziałaś, że coś wymyślisz.

– Bo wymyśliłyśmy. – Uśmiechnęła się i machnęła na nas ręką, żebyśmy za nią poszli. – Tędy.

Wróciliśmy przez hol, potem ruszyliśmy korytarzem i dotarliśmy do niewielkiej sali konferencyjnej. Nie było ich w tym hotelu za dużo. Dokładnie dwie. I choć ta druga była większa, to z uwagi na bliskość kuchni zawsze śmierdziało w niej spleśniałym serem. I nikt nie wiedział dlaczego.

Ginger zaprosiła nas do środka po kolei i wskazała krzesła ustawione wokół dużego, owalnego stołu. Usiedliśmy, a ona rzuciła torbą o blat i powiedziała:

– Witamy w pierwszym dniu klasy maturalnej.

– To jakiś kawał, tak? Jakiś głupawy rytuał inicjacyjny, tak? – Nie wierzyłam, że to w naprawdę się dzieje. Nie mogłam tkwić w tych ścianach dwadzieścia cztery godziny na dobę i siedem dni w tygodniu. – A co z moją dawną szkołą? Z kolegami i koleżankami?

Starsze kobiety o babcinych osobowościach łatwo było przekonywać. Były przyjazne światu, współczujące i ciepłe. Rozdawały dzieciakom uśmiechy i cukierki.

Ale nie Ginger.

Walnęła pięścią w stół i obrzuciła mnie *śmiercionośnym spojrzeniem Ginger.*

– Jestem ciekawa, Deznee, ilu ze swoich kolegów i koleżanek zobaczysz zza krat klatki Crossa?

Otworzyłam usta i od razu je zamknęłam. Nie wiedziałam, co powiedzieć, bo zasadniczo miała rację i to mnie wkurzało.

– Zaraz wracam. – Odwróciła się do drzwi, a później zawahała. – I, Deznee, siedź tam, gdzie siedzisz.

Udawałam obrażoną. – Tak, jakbym miała ochotę wychodzić. – Powinnam była wiedzieć, że ta starsza pani potrafi czytać w ludzkich umysłach, poza wszystkimi innymi umiejętnościami, bo naprawdę chciałam chwycić Kale'a za rękę i wyrwać się stąd przy pierwszej możliwej sposobności.

– Nie będzie tak źle – usłyszeliśmy głos zza drzwi. – Przynajmniej jesteście w dobrym towarzystwie, to znaczy zasadniczo w całkiem niezłym.

Kale wstał i obszedł stół zanim zdążyłam mrugnąć.

– Co ty tam robisz?

Podeszłam pospiesznie, stanęłam między nimi i podniosłam dłoń.

– Proszę, nie. – Zwracając się do nowoprzybyłego, powiedziałam – Alex?

– Postanowiłem wyprostować swoją przyszłość. – Położył rękę na dłoni. – Mogę tego dokonać tylko wtedy, kiedy otrzymam odpowiednie wykształcenie.

Co za bzdury!

– Odkąd to? Wyleciałeś ze szkoły dwa lata temu.

– Teraz widzę swoje błędy.

– Dobra, w takim razie gratuluję – odparowałam. – Wiesz, gdzie jest liceum, tak? Czy mam ci narysować mapę?

Zmarszczył brwi i dramatycznie cofnął się o krok przez próg, a ja zastanawiałam się, czy nie trzasnąć mu drzwiami prosto w twarz.

– Naprawdę tak chcesz mi podziękować za to, że wczoraj wieczorem uratowałem ci tyłek? – Patrzył teraz na Kale'a. – Ponieważ przychodzi mi do głowy parę sposobów okazania wdzięczności.

Kale zbliżał się centymetr po centymetrze.

– Mamy niedokończoną sprawę – warknął. Nie wiedziałam, czy mówi o tym, co się zdarzyło w Sumrun, czy o wczorajszym pocałunku. Tak czy owak, jeśli chodzi o Alexa, pogląd Kale'a na to, co złe i dobre, był poważnie zaburzony.

Alex zupełnie go zignorował, wszedł z powrotem do środka i usiadł przy stole naprzeciwko mnie. Skinął na Jade i spytał:

– A ty kto?

– To ekspert Ginger. – Usiadłam. – Podobno ma nauczyć Kale'a samokontroli.

Jedna brew wystrzeliła w górę. Elvis. Alex rozsiadł się na krześle.

– Podobno? A jakie ty masz kwalifikacje?

Byłam zadowolona, że zapytał, bo sama się nad tym zastanawiałam. Poza tym, że byłaby świetnym celem na strzelnicy z tymi przesadzonymi powiekami i poza tym, że potrafi neutralizować zdolności Kale'a, nie dostrzegałam niczego, co mogłoby zakwalifikować Jade jako osobę zdolną do pomocy.

Jade spojrzała na niego przelotnie bez większego zainteresowania, po czym odwróciła się do Kale'a i uśmiechnęła.

– Mam kwalifikacje do robienia wielu różnych rzeczy.

No tak. Wymiana ciosów między nami jest nieunikniona.

– Ty jesteś jej byłym, tak? – Teraz Jade rozsiadła się na krześle i uśmiechnęła szeroko do Alexa. – Ty i Dez tworzycie śliczną parę. Widzę, że jeszcze między wami fajnie iskrzy.

– Tak – powiedziałam i głowa opadła mi na blat. – Może te iskierki zapalą Alexowi włosy.

– Aua – powiedział, uderzając pięścią w stół. – Jesteś brutalna, Dez.

Usta Kale'a wygięły się tak, jakby chciał znów zawarczeć.

– Między Dez a Alexem nie ma już nic.

Może rzeczywiście powinnam była zostać w łóżku. Nasza czwórka zamknięta w tym samym pomieszczeniu przez sześć godzin, pięć dni w tygodniu?

To będzie klęska o iście epickich rozmiarach.

8

Kiedy minęła godzina, która w klasie byłaby piątą lekcją, nie potrafiłam się na niczym skupić. Myślałam tylko o Kale'u. I Jade. I Alexie. Nasze tygodnie razem to będzie prawdziwa opera mydlana. A może i krwawa jatka.

– Zróbcie sobie pół godziny przerwy. Rozprostujcie kości, napijcie się czegoś. – Ginger pokazała na mnie palcem. – Ale nie wychodźcie z hotelu.

– Szlag to trafi.

Było jasne, że utkwiłam tu na dobre. Odwróciłam się do Kale'a i powiedziałam:

– Idę do kuchni po kawę. Może spotkamy się później w świetlicy?

Zawahał się, ale skinął głową i odwrócił się do Jade, która desperacko próbowała przyciągnąć jego uwagę, paplając coś o tym, co najbardziej go interesowało. O tym, jak przejąć kontrolę nad swoim darem. Już nie mogła się doczekać, kiedy zaczną i widziała, że on od razu zrozumie, o co chodzi. Ple, ple, ple.

Oparłam się o framugę i patrzyłam na nich przez chwilę. Kontrola. Będę musiała zacząć kontrolować swojego chłopaka. Kiedy to się stało? Że jestem jedną z *tych* dziewczyn? Z jednej strony, zważywszy na sytuację, mogłabym się spierać, że to ze względów bezpieczeństwa. Coś mi nie pasowało w Jade, a nie chodziło tylko o to, że jest napalona na mojego chłopaka. Kiedy nie wpatrywała się maślanym wzrokiem w Kale'a, jej oczy strzelały po kątach tak, jakby chciała sobie wszystko zapamiętać, wbić w pamięć rozkład hotelu.

Z drugiej strony to była obsesja. Spowodowana przede wszystkim Jade i tym, jak się ślini. Poważnie. Ta dziewczyna potrzebowała śliniaka i wiaderka.

Zazdrość. Nigdy nie byłam o nikogo zazdrosna. U Roudeya była z Alexem jedna dziewczyna, ale byłam bardziej urażona, niż zazdrosna. Zazdrość wynika z braku pewności siebie, a pewności siebie nigdy mi nie brakowało.

Wyszłam, zanim powiedziałam coś głupiego. Kiedy przechodziłam przez hol, obok recepcji Rosie stała przy kontuarze, ramiona miała założone na piersiach. Skinęła lekko głową w moją stronę i pokazała na kuchnię. Co, myślą, że wywalę drzwi ramieniem i wyrwę się stąd? Muszą pilnować wyjść? Jezu! Ktoś tu ma problem z zaufaniem.

Z drugiej strony i ja miałam swoją reputację.

Nie zważając na nią, ruszyłam w kierunku kuchni. Rosie pachniała czymś z najgłębszych otchłani działu perfum z taniego supermarketu. Może nie była kochającą wszystkich ludzi na świecie, przyjaźnie nastawioną dziewczyną, ale była uzależniona od kawy. I to od dobrej kawy. Chowała zapasy w starym słoiku Folgersa pod zlewem. Kiedy weszłam do kuchni, nie mogłam się powstrzymać od uśmiechu. Dziewczyna jeżyła się, warczała na mnie, a jednak porcja jej sekretnej kawusi czekała ślicznie zaparzona w imbryczku, mój kubek XtreamScream 2010 stał obok, jak zaproszenie.

Nalałam sobie kawy, wciągnęłam w nozdrza jej uspokajający aromat i sięgnęłam do kieszeni po komórkę.

– Kochaniutka, usłyszałam, co się święci, zanim wyszłam dzisiaj rano do szkoły. Rosie mi powiedziała. Aż kapało jadem. – Kiernan paplała do telefonu jak opętana, nie mogłam się nawet odezwać. – Cały czas mówiła o tym, że Kale w końcu poznał jakąś fajną dziewczynę.

Oparłam się o blat i przechyliłam cukiernicę nad kubkiem, próbując nie prychnąć. Rosie wiedziała, że Kiernan mi wszystko wygada.

– Wiem coś o tym. To porażka. Panienka ekspert, którą wprowadziła Ginger. Mało się nie rzuciła na Kale'a.

– Poważnie?

– Mówię ci.

– To pewnie jakaś głupia cizia.

– Nie, całkiem niezła laska.

– Musiało zaboleć.

– Tak.

– To co, śliniła się na jego widok? – Kiernan szepnęła do telefonu.

– Aż kapało – odparłam – jak z cieknącego kranu.

– Niedobrze! I co zrobisz?

Patrzyłam na drzwi, nie mogąc się doczekać, kiedy pójdę do świetlicy, ale musiałam odparować. Jeżeli nie uwolnię tego napięcia, Jade może nie przetrwać do końca dnia.

– A co ja mogę zrobić? Ona ma pomagać Kale'owi.

– No pewnie. A ja jestem królową Hiszpanii.

– Ufam mu.

– Tu się z tobą zgadzam, maleńka. Ten chłopak jest przekonany, że wymyśliłaś powietrze.

98

Wiedziałam, co Kale do mnie czuje, ale usłyszeć to od kogoś innego – to było pocieszające.

– Będę musiała to jakoś przetrwać.

– Ale wiesz, że trzymam za ciebie kciuki, maleństwo. Tak?

– Wiem. – Uniosłam kubek do ust i wzięłam mały łyk. Niedosłodzona. Dodałam łyżeczkę i westchnęłam patrząc, jak strumień białych kryształków znika w czarnym płynie.

– Jest jeszcze gorzej. Tu jest Alex.

– Tu, to znaczy w hotelu?

Zadowolona ze smaku kawy, ruszyłam w kierunku holu i recepcji. – Tak, tutaj. Wymyślił sobie jakiś głupi pretekst, żeby skończyć liceum i Ginger pozwala mu siedzieć z nami na lekcjach.

– No, no! – szepnęła. – Nawet po tym wszystkim, co się zdarzyło w czasie tej imprezy w czerwcu? A jak Kale to znosi?

Przeszłam obok kontuaru Rosie i rzuciłam się na kanapę stojącą przy drzwiach.

– To się dobrze nie skończy.

– Cholera! – syknęła Kiernan. Usłyszałam jakieś pobrzękiwanie i szelest papieru.

– Gdzie jesteś?

– Wiedziałam, że to ty dzwonisz. Schowałam się w jedynej czynnej łazience na kampusie – jęknęła.

Zachichotałam.

– Obiecywałaś sobie coś więcej po uniwersytecie?

– Ten kampus jest beznadziejny. Moi starzy nauczyciele byli znacznie przystojniejsi. Jeszcze nie widziałam żadnego, którego chciałabym błagać o zaliczenie. – Znów szelest papieru. – Muszę lecieć, Dez, bo spóźnię się na zajęcia.

– Dobra, idź. Nie przejmuj się.

– Ostrożnie z Alexem, OK? Nie ufam mu.

– To już jesteś druga.

Dopiłam kawę i powiedziałam:

– Wracasz do domu po zajęciach? Będę cię tu potrzebowała przez chwilę.

Usłyszałam głos. Pewnie wyszła na korytarz.

– Niestety. Zapisałam się na projekt. Spotykamy się po trzeciej.

– Projekt? – zaśmiałam się. – Pewnie jakiś facet.

Prychnęła.

– Już ci mówiłam. Nie ma z czego wybierać. Muszę kuć żelazo, póki gorące. Spotkamy się wieczorem. Obiecuję.

Cisza w telefonie.

Westchnęłam. Stawiałam pusty kubek na stole obok kanapy, kiedy coś przemknęło przez drzwi wejściowe. Przez chwilę w całym holu pociemniało.

– Widziałaś?

Rosie mruknęła coś od swojego stolika, ale nie słyszałam, co. Nie odrywała oczu od ekranu telewizora.

Wstałam i przeszłam do szklanych drzwi. Nic oprócz słońca i olbrzymiego pustego parkingu. Jeżeli już na tym etapie zaczynam sobie różne rzeczy wyobrażać, jak to będzie po całym tygodniu? Zamknięcie w czterech ścianach – to do mnie nie pasowało.

Próbowałam o tym nie myśleć. Ruszyłam do świetlicy.

Alex był rozparty na szezlongu i żuł jak krowa – w jednej ręce miał olbrzymiego, tłustego hamburgera, a w drugiej – pilota od telewizora. Przerzucał kanały, a ja zastanawiałam się, czy nie chwycić za jego szklankę z lemoniadą i nie wylać mu jej na głowę. Doprowadzało mnie do szału, kiedy tak się zachowywał, a on dobrze o tym wiedział.

Jade i Kale siedzieli przy stoliku karcianym po drugiej stronie pokoju. Ona wsłuchiwała się jak zauroczona we wszystko co mówił, raz po raz rzucała włosami i trzepotała rzęsami. Kilka razy pochyliła się i zaśmiała głośno. No, ja bardzo proszę. To ja wymyśliłam te ruchy. Jakaś wieśniara, tania wywłoka nie zdetronizuje mnie kołysaniem biustem w profilowanym staniku. Weszłam do środka, ramiona miałam wyprostowane, głowę trzymałam wysoko. Ja tu byłam królową, nie ona. Nie pozwolę jej ot, tak sobie wejść i nie oddam pola bez walki.

– Coś mnie ominęło?

– Chwilę cię nie było. – Kale wstał, ale nie zbliżył się do mnie. To się robiło śmieszne.

Naciągnęłam rękaw na palce i sięgnęłam ku jego dłoni, ale Jade odepchnęła moją rękę.

– Nie zbliżaj się za bardzo – powiedziała do Kale'a. – Teraz działasz na nią toksycznie. Nie ryzykuj.

Toksycznie? Co za niewyobrażalna głupota! Czy ta idiotka nie zdaje sobie sprawy, że Kale bierze wszystko dosłownie?

– Niezależnie od tego, jaki wpływ na ludzi ma jego skóra, Jade, Kale nie jest toksyczny. Dla nikogo. Czy to jasne? – Lód w moim głosie mógłby zamrozić otchłanie piekieł.

To jednak jej chyba nie zraziło. Wzruszyła tylko ramionami i uśmiechnęła się do mnie słodko.

– Ale ze mnie niedobra dziewczynka. Przecież wiesz, co mam na myśli.

– Patrzcie tylko – powiedział Alex, nastawiając głośniej telewizor – co ona gada.

Zapadłam się w miękkie poduszki kanapy, Kale usiadł przy mnie. Wciąż z rękawem naciągniętym na palce wzięłam go za rękę. Najpierw się opierał, ale po chwili się rozluźnił, kiedy nic się nie działo. Reporterka na ekranie stała przed małym domkiem w stylu wiktoriańskim. Napis na ekranie głosił: „Morristown". To miasteczko niedaleko Parkview.

– „Relacjonuję na żywo z ulicy Stanton Street w Morristown, w hrabstwie Nowy Jork, za godzinę zacznie się tu czuwanie przy zwłokach Elaine Phillips."

Usta kobiety się poruszały, ale jej słowa gdzieś się gubiły. Usłyszałam tylko nazwisko tej dziewczyny. Elaine Phillips. Nazwisko, które podał mi Brandt.

Jade głośno westchnęła.

– O, Boże. Słyszałam o tym, jakiś miesiąc temu. To było w ogólnokrajowej telewizji. W lipcu jej rodzice znaleźli ją w łóżku, dostała kulę między oczy. W samym środku jej przyjęcia urodzinowego.

W czerwcu w Sumrun, Tata powiedział nam, że pierwsze dzieci z drugiego pokolenia Supremacji w lipcu będą miały osiemnaście lat. Czy Elaine była pierwsza? I czy to właśnie próbował powiedzieć mi Brandt? Że się już zaczęło? Nie wiedziałam, gdzie teraz jest, bo ogłosiliśmy względną ciszę radiową, ale na pewno usłyszał o śmierci dziewczyny i połączył ją jakoś z Denazen. To jedyne wyjaśnienie, dlaczego dał mi jej nazwisko.

– Ile miała lat?

Jade zmarszczyła nos i prychnęła.

– To chyba nie ma znaczenia, ale właśnie skończyła osiemnaście.

Bingo! To musiała być jedna z dziewczyn Supremacji.

Alex wcisnął sobie resztkę hamburgera do ust.

– Co za strata. Ta dziewczyna była niezła.

Jade zrobiła wielkie oczy.

– Znałeś ją?

– Osobiście, nie. – Zwrócił się do mnie. – Była nad rzeką kilka lat temu. Pamiętasz ją? To ta dziewczyna z tatuażami. Miała taki jeden, który okręcał się wokół jej pasa i nachodził na cycki.

Miał rację. Rzeczywiście ją pamiętałam. Wszystkim podczas imprezy pokazywała ten głupi tatuaż, rozchylając bluzkę.

– Miała też tatuaż z kodem kreskowym. Pamiętasz? – powiedział z uśmiechem. Zakołysał głową, a później spojrzał na Kale'a. – Żartowaliśmy, że jest czyjąś *własnością*.

– Alex – ostrzegłam go. Było jasne, dokąd to prowadzi. Nie zwrócił na mnie w ogóle uwagi. Skinął głową w kierunku Kale'a i spytał go:

– A ty? Masz kod kreskowy Denazen?

Pięści Kale'a nie dało się dostrzec, była jak gęstniejące powietrze, gdy wystrzeliła ponad kanapą. Tym razem nie liczył na palcach. Trafił Alexa dokładnie w punkt. Ten zakołysał się w tył i jak na kreskówce, zleciał z szezlonga, pofrunął metr w powietrzu i wylądował na podłodze.

Kale już wstawał z kanapy, miał przerażony wyraz twarzy. Alex stał z drugiej strony szezlonga, pocierając twarz. Był lekko blady. Po chwili zdałam sobie sprawę, co się dzieje. Nie wiedział, co zrobi Jade. Był świadom tylko tej zmiany, że ja już nie byłam uodporniona. Słyszał przecież, że dotknięcie Kale'a oznaczało natychmiastową śmierć.

Sądząc z jego wyrazu twarzy, Kale nie zastanawiał się nad tym, czy Jade jest w pobliżu. Stracił panowanie nad sobą Powoli jednak coś do niego docierało. Popatrzył najpierw na Alexa, później na swoje dłonie. Rękawy jego nowej bluzy z kapturem były podciągnięte wysoko, widzieliśmy długie, blade palce. Jade była blisko. A on dotknął Alexa. Alex wciąż żył.

Zobaczyłam, że zrozumiał to na sekundę przed Alexem. Coś zaiskrzyło w oczach Kale'a i krzywy uśmieszek – wprawdzie krzywy, ale i tak urokliwy – przemknął mu przez usta. Głos miał niski i niebezpieczny. Pod wpływem tego głosu czułam dreszcze na plecach i skracał mi się oddech. Część mojego umysłu wrzeszczała, żebym coś zrobiła, ale część była jak zahipnotyzowana i nie mogłam odwrócić wzroku.

– Coś ci jestem winien.

Jeżeli mrugnęłabym oczami, nie zauważyłabym, co się dzieje. Kale podparł się prawą dłonią o oparcie kanapy i wyskoczył jednym płynnym ruchem. Wylądował tuż przed Alexem, który zrobił krok wstecz, wciąż nieco zdezorientowany, a ja i Jade wstałyśmy i patrzyłyśmy.

– Jak, do cholery...

– To ja. Moje zdolności neutralizują jego dar – powiedziała Jade, poruszając się powoli wokół stołu, ale nie była dość szybka. Znów wystrzeliła pięść Kale'a, tym razem trafiając Alexa w brzuch. Cofnął się niepewnie, potknął, zakaszlał i przez chwilę wyglądało tak, jakby miał upaść.

To było udawane. Sekundę później rzucił się do przodu. Kale odwrócił się i pobiegł w przeciwnym kierunku. Alex ociągał się przez sekundę, ale pogonił za nim, w oczach miał determinację. Chciał go powalić. Kale wyskoczył na ścianę przy drzwiach. Prawą stopą odbił się niecały metr od podłogi, zrobił zadziwiające salto w tył i wylądował tuż za Alexem.

Trudno mi było powiedzieć, dlaczego Alex wyglądał na zdziwionego. Wiedział o Denazen i o tym, w co zamienili Kale'a. Ta cała historia była bezsensowna nawet, jeśli chciałby użyć swoich zdolności. Alex jednak się nie poddawał. Zaczęły fruwać przedmioty. Poduszki z kanapy, lampa, telefon bezprzewodowy ze stolika. Wszystkie nad naszymi głowami, goniły za Kale'em po pokoju. Robił uniki z łatwością jakiejś dziwacznej, żywej wersji postaci z Matrixa. Niektóre przedmioty omijały go szerokim łukiem, a przed niektórymi robił uniki na milimetry.

– Musisz się bardziej postarać. Już zaczynam się nudzić – zaśmiał się Kale. Bawił się, ale kto mógłby mu mieć to za złe. Sprać Alexa po pysku – i to ostro – to się Kale'owi należało. Nawet, jeżeli nie za wydarzenia w Sumrun, to naturalnym biegiem rzeczy nowy chłopak powinien pokazać byłemu, gdzie jego miejsce. Zwłaszcza, gdy ten był palantem, który nie potrafił się odczepić.

Okręcając się, żeby nie zderzyć się z porcelanową lampą, Kale zatańczył kilka kroczków i lampa za jego plecami przywaliła w ścianę. Skoczył w przód, chwycił Alexa za włosy i walnął jego głową o ścianę, właśnie w chwili, w której w drzwiach pokazała się Rosie.

– Co się tu, do cholery, wyrabia? – pisnęła, kiedy Alex opadał na podłogę, jak szmaciana lalka. Zignorował ją podobnie jak Kale, i Rosie zniknęła. Pewnie poleciała naskarżyć Ginger.

Z ust Alexa wyrwał się złowieszczy pomruk, kiedy skoczył na równe nogi, przegrupowując pozycje.

– Ja dopiero zaczynam, *Dziewięćdziesiąt Osiem*. Wystawił ręce do przodu i kanapa ruszyła. Durny wyraz satysfakcji na twarzy Alexa szybko znikł. Nie odwracając się, Kale wyskoczył w górę i po wykonaniu zadziwiająco idealnego salta wylądował bezpiecznie po drugiej stronie. Alex nie miał tyle szczęścia. Kale nie stał mu na drodze, więc kanapa przyrżnęła w ścianę razem z nim. Jade przyglądała się temu wszystkiemu z wyjątkowo głupawym uśmiechem na twarzy.

– Kale jest niesamowity, lepszy niż w faceci w klatce! – pisnęła, kiedy Alex wstał na równe nogi i rzucił się z powrotem w wir walki. Raz na jakiś czas próbowała wejść między nich, ale za każdym razem, kiedy przelatywali tuż obok niej odskakiwała popiskując i chowała się za kanapę.

Co za kretynka!

Alex zasługiwał na to, żeby Kale mu dokopał, ale czas było skończyć to przedstawienie, zanim ktoś zacznie krwawić – tym kimś oczywiście byłby Alex. Udało mu się parę razy trafić, wykorzystując swój dar, ale Kale przez większą część walki był górą. Trzeba było jednak powiedzieć „dosyć". To cud, że nie zbiegli się wszyscy mieszkańcy hotelu, taki tu był rumor i hałas. Dlaczego ta Rosie nie wracała?

– Przestańcie! – wrzasnęłam.

Oczywiście mój rozkazujący ton i autorytet natychmiast przykuły ich uwagę. Zamarli w miejscu, zaczęli mruczeć jakieś przeprosiny, a później powlekli się do kąta z podwiniętymi ogonami.

Chciałabym.

– Nie jesteś dobrym człowiekiem – warknął Kale, uchylając się przed śmigającymi w powietrzu talerzami. Jeden z nich uderzył w ścianę tuż za nim, fragmenty porcelany eksplodowały we wszystkich kierunkach.

– A ty jesteś? Przynajmniej ja nikogo nie ukarałem. – Alex zaśmiał się i zadał cios pięścią. Trafił w powietrze obok barku Kale'a. Wyprostował się i skulił ramiona. – Powiedz mi, Rozpruwaczu. Liczyłeś? Może gdzieś sobie zapisywałeś wyniki. Możesz mi powiedzieć prawdę. Podobało ci się to?

Jeżeli Kale jeszcze przed chwilą nad sobą panował, to teraz opanowanie wyparowało.

Alex był tego świadom. Uśmiechnął się i skinął głową w moim kierunku.

– Już jej nie dajesz rady, co? Nie martw się, brachu. Chętnie cię zastąpię.

Kale rzucił się naprzód i powalił Alexa na ziemię. Wpadli na ścianę, zwalili telewizor ze stolika, pękł z hukiem. Eksplodowały kawałki szkła i strzępy plastiku odbijały się od podłogi, wydając dziwne, brzęczące dźwięki.

Kale skoczył na równe nogi, sięgnął po Alexa i postawił go.

– Nie jesteś lepszy ode mnie. I trzymaj się z daleka od Dez.

Alex go odepchnął.

– Bo co?

Kale chwycił go za koszulę.

– Bo cię znajdę. I przyjdę sam.

I wtedy się naprawdę zaczęło.

Do pokoju weszła Ginger, kuśtykając i wrzeszcząc ile sił w płucach. Kale, który na sekundę przestał uważać, odwrócił się w jej kierunku. Alex nigdy nie wahał się przed zadawaniem ciosów poniżej pasa i wykorzystał sytuację. Pochylił głowę i przywalił z byka Kale'owi w czoło. Usłyszałam pęknięcie, jak gdybym to ja oberwała. Obaj cofnęli się niepewnie kilka kroków, ale ustali na nogach.

Odsunęłam gwałtownym ruchem Jade i wpadłam między nich, zanim zrobiło się gorzej. Kale wyskoczył, żeby rzucić się na Alexa, ale ja byłam między nimi. Miał tylko tyle czasu, żeby zwiniętą pięścią trafić Alexa w żebra.

Patrzyli na mnie obaj, jakbym zwariowała.

– Czy ty oszalałaś? – rzucił Alex, odsuwając mnie zdecydowanym ruchem.

Wcale mocno mnie nie popchnął, zaledwie dotknął mojego ramienia, ale to wystarczyło. Kale odsunął mnie na bok łokciem i znów się na niego rzucił. Tym razem jednak Jade podjęła działanie. Chwyciła Kale'a za bluzę i szarpnęła go w tył. To jednak go nie powstrzymało. Jednym płynnym zwrotem, ugięty w kolanach, wywinął się z bluzy, która została w jej rękach.

Już się przymierzał do następnego ciosu, ale powietrze rozdarł wrzask. Wszyscy zamarli. Był w nim strach, wydawało mi się, że krzyk dochodzi z holu.

A co gorsza, znałam ten głos.

– Mama!

Kale krzyknął na mnie, żebym zaczekała, ale nie słuchałam. Jak mogłam słuchać? Mama jest w opałach. Puściłam się pędem przez drzwi i skręciłam za róg korytarza. Wydawał się dłuższy niż zazwyczaj – za każdym krokiem zamiast poruszać się do przodu, cofałam się. Mimo tego w rekordowym czasie dotarłam do środka poczekalni i znalazłam tam Rosie z wyrazem twarzy pełnym niedowierzania.

– Co się stało? – rzuciłam, przeszukując wzrokiem pomieszczenie. Byłyśmy tam tylko we dwie.

Pokręciła głową i wskazała na drzwi.

– Ja... Ja nie wiem, co...

Czas stanął w miejscu. Tuż za szklanymi drzwiami z piskiem opon zatrzymywał się granatowy bus. Otworzyły się boczne drzwi i trzech mężczyzn w niebieskich uniformach Denazen wciągało mamę do środka.

Znów usłyszałam za sobą okrzyk Kale'a, ale się nie zatrzymałam. Pędem przebiegłam przez drzwi, potem na ukos przez podwórze i skokiem nad krzakami stanowiącymi granicę terenu hotelu. Nie. Nie. Nie! – Mamo!

Serce zaczęło mi walić jak młotem, mózg wysyłał sygnały do nóg, żeby biec jeszcze szybciej. Jeszcze dalej. Metr lub dwa przede mną mężczyznom w końcu udało

109

się wmanewrować mamę do pojazdu, który nagle ruszył. W tamtej chwili nie myślałam rozsądnie, przez głowę nie przebiegła mi ani jedna spójna myśl. Działałam instynktownie. Z krótką modlitwą na ustach zanurkowałam w kierunku wciąż otwartych drzwi busa. Zanurkowałam w kierunku mamy. Chociaż raz w ciągu tych paru ostatnich dni coś się udało – tak jakby. Prędkość miałam idealną i doskonałe współrzędne celu. Przepłynęłam przez otwarte drzwi i wpadłam prosto w mamę. Prawdę mówiąc, przeleciałam *przez* mamę. Dlaczego? Bo w rzeczywistości mamy tam nie było. Zdałam sobie sprawę z błędu sekundę za późno. Silne ramiona objęły mnie w pasie i szarpnęły, wciągając do środka, kiedy próbowałam wyśliznąć się przez jeszcze niedomknięte wyjście.

Opierałam się, trzymając się kurczowo krawędzi drzwi, kiedy jeden z mężczyzn próbował je domknąć. Walczyłam jak szalona, udało mi się wysunąć nogę nad brzeg płyty podwozia, blokując szynę, po której przesuwały się drzwi. Poczułam kotłowaninę w głowie. Jeśli je zamkną, będzie po wszystkim. Do widzenia słoneczko, do widzenia cały świecie. Do widzenia wolności.

Wciąż zaciskałam dłoń na metalowej szynie, drugą macałam po podłodze, starając się dosięgnąć koca, który leżał centymetry ode mnie. Kiedy dotknęłam palcami szorstkiego materiału, zamknęłam oczy i wstrzymałam oddech.

Usłyszałam serię przekleństw, poczułam powiew chłodnego wrześniowego wiatru, do środka wpadł snop światła. Otworzyłam oczy w sam raz, żeby zobaczyć, jak drzwi, które zmieniły się w koc, odrywają się od samochodu i łopocząc na wietrze opadają z boku busa. Jeden z mężczyzn opierał się o nie chwilę wcześniej, próbując zastawić mi drogę. Niczego już nie było, więc stracił równowagę, przewrócił się do tyłu i wypadł na jezdnię. Dobrze mu tak. Jednego mniej.

– Zwiąż jej ręce! Nie potrafi robić tych sztuczek z zamienianiem, jeżeli czegoś nie dotyka! – wrzasnął ten, który mnie przytrzymywał.

Wiłam się i wyślizgiwałam, ale trzymał mnie za mocno.

– Jakby ci się to podobało, gdybyś miał spędzić... – Uderzyłam głową do tyłu tak, jak kiedyś Kale. Trafiłam tylko w powietrze. – ...resztę życia jako siedemnastoletnia dziewczyna?

To go przekonało, żeby mnie puścić. Jedyny problem polegał na tym, że popchnął mnie na drugą stronę busa, jak najdalej od drzwi.

Usłyszałam znajomy chichot z fotela kierowcy.

– Ostrożnie, Wayne. Ta mała potrafi kopnąć, co? Able.

Otworzyłam usta, żeby powiedzieć, że on coś wie o moim kopnięciu, ale nad głowami usłyszeliśmy ogłuszający huk. Bus wpadł w poślizg, a Able zaklął.

– Co jest, do cholery...

Odpowiedź dał mu Kale, który kołyszącym się ruchem wpadł przez pusty już otwór po drzwiach i wylądował między dwoma pozostałymi facetami w uniformach. Usta miał zaciśnięte, z gardła wydobywał mu się niski pomruk. Rzucił się na pierwszego z nich bez słowa, prawą dłoń zacisnął wokół odsłoniętego nadgarstka mężczyzny. W oczach faceta przez chwilę było widać przerażenie, a później już nic.

Ostatni, który został, wszedł między Kale'a a mnie, kiedy Able szarpnął kierownicą w prawo. Rozległ się pisk opon, usłyszeliśmy klaksony samochodów, Kale stracił równowagę, pośliznął się na bok – był teraz niebezpiecznie blisko krawędzi. Aubrey już wygramolił się z fotela i odepchnął faceta w uniformie, zanim zdążyłam się odezwać. Uniósł mnie w górę, kiedy Kale się prostował.

– Uważaj, Dziewięćdziesiąt Osiem – warknął Aubrey. – Głupio by było, gdybyś się na mnie rzucił, a ona przypadkowo wypadłaby z pędzącego auta.

Widziałam niepokój i frustrację w jego wzroku. Aubrey miał rację. Oboje balansowaliśmy teraz zbyt blisko krawędzi. Jeżeli Kale rzuciłby się na nas, a Aubrey próbowałby zrobić unik, mogłoby być nieciekawie. W wieku siedemnastu lat nie miałam zamiaru zostać ofiarą wypadku drogowego.

Siedzący za kierownicą Able rzucił z przekąsem:

– Muszę przyznać, mała, że się myliłem. Powiedziałem im, że nie dasz się nabrać na tę sztuczkę. I co? Nie miałem racji. Straciłem przez ciebie dwadzieścia dolców.

– Carley – syknął Kale. Z jego postawy wynikało, że jest gotowy do ataku, minę miał ponurą. – Wykorzystaliście Carley, żeby nam się wydawało, że widzimy Sue.

– Carley? – spytałam, próbując się wyrwać ze stalowego uścisku Aubreya.

Uśmiechnął się i zacisnął dłoń na moim ramieniu. Jeżeli nie popuści, pewnie krew przestanie mi krążyć w żyłach.

– To jedna z Rezydentek. Potrafi emanować iluzję prosto do ludzkiego mózgu. – Tupnął nogą. – Bum! Po prostu. Człowiek jest gotów przysiąc na grób własnej matki, że to prawda. Była na podwórzu z drugiej strony budynku.

Kale zbliżał się centymetr po centymetrze w miarę, jak bus przyspieszał. Dojeżdżaliśmy do skrzyżowania w środku miasta. Tam nigdy światła nie chciały się zmienić, czekało się całą wieczność. Może, jeżeli dalibyśmy radę się wpasować, można by było z tego skorzystać.

Oczywiście, kiedy się zatrzymaliśmy, światła musiały się zmienić, bo pojazd szarpnął, ruszając do przodu, skręcił lekko w lewo, kiedy kierowaliśmy się w Daughten Avenue. Szybko przyspieszał – Able najwidoczniej nie przejmował się wykroczeniami drogowymi. Aubrey i facet w uniformie Denazen wpatrywali się w Kale'a, a ja patrzyłam, jak Parkview znika mi z oczu, jak rozmyta plama.

– Odsuń się od Dez – warknął Kale.

– A może sam po nią przyjdziesz?

Szybko zbliżaliśmy się do granic miasta, kiedy z przedniego siedzenia dobiegło nas głośne przekleństwo, usłyszeliśmy zgrzyt zakleszczającej się skrzyni biegów i protestujących metalowych części. Wszystko się zatrzęsło, pochyliło na bok i nagle przestała obowiązywać grawitacja. Ktoś mnie wywrócił, później pchnął w lewo, poczułam mocny ból u podstawy karku. Przez chwilę wszystko się rozmyło. Puste dźwięki, jakiś wrzask i coś jeszcze. Szuranie, jak gdyby skręcający się metal, a kiedy to się uspokoiło, okazało się, że miałam rację. Bus zakończył podróż na boku. Ciała leżały w kabinie jak rozrzucone śmieci.

Najpierw uświadomiłam sobie dojmujący ból w prawym kolanie. Kiedyś uszkodziłam je podczas surfowania na zderzaku, a teraz każdy uraz był sto razy gorszy. Następnie poczułam jakiś zapach.

Dym.

Próbowałam usiąść, ale udało mi się tylko trochę oderwać plecy od podłogi.

– Co to, do cholery? – Taśma, którą agent Denazen związał mi nadgarstki, wczepiła się w coś ostrego i nie mogłam wstać. Pociągnęłam mocno parę razy, ale na nic się to nie zdało. Byłam zakleszczona.

Spojrzałam w prawo i zobaczyłam agenta, zwisającego w otworze, w którym kiedyś były drzwi. Domyślałam się, że rzuciło go na boczną ścianę auta przy uderzeniu, a później wpadł na prowadnicę drzwi, kiedy bus przewrócił się na bok. Z kącika jego ust wyciekała strużka czegoś czerwonego, a mną aż wstrząsnęło. Jeżeli bus przewróciłby się na drugą stronę, pewnie wszyscy byśmy zginęli.

Kale leżał obok mnie, poczułam silniejsze bicie serca, kiedy zdałam sobie sprawę, jak jest blisko. Wystarczyłoby kilka centymetrów, a uderzyłby mnie dłonią w policzek. Leżał nieruchomo, oczy miał zamknięte, ale unosząca się i opadająca pierś dawała mi pewność, że jest w lepszym stanie niż agent – jak na razie. Dym wypływający gdzieś z tyłu busa urósł w niewielki płomień i przyglądałam się, jak coraz bardziej się do nas zbliża.

– Kale – zakaszlałam. Kwaśny dym był coraz gęstszy, zaczęło mnie palić w oczach, czułam dławienie w gardle. – Kale, musisz się ruszyć!

Jeden z Bliźniaków jęknął na przednim siedzeniu samochodu. Wyciągnęłam szyję i zobaczyłam Able'a, wciąż na fotelu kierowcy, znieruchomiałego przy oknie. Na podłodze między nami Aubrey zbierał się, żeby wstać.

Znów patrzyłam na Kale'a. Maleńki płomyk robił się coraz większy, był coraz bliżej, a Kale wciąż się nie ruszał.

Coś ostrego przecięło mi skórę na wierzchu dłoni, kiedy prostowałam się, żeby się obrócić na bok. Wzięłam głęboki oddech, przygryzłam język, żeby nie krzyknąć i kopnęłam prawą nogą, celując w ramię Kale'a. Udało mi się go przesunąć tak, żeby nie leżał na ścieżce płomienia i był bliżej wyjścia.

– Able? – mruknął Aubrey z przedniego siedzenia, próbując sięgnąć po brata. Stracił równowagę, pociągając za sobą znieruchomiałą postać Able'a.

Szarpałam za taśmę, ale bez rezultatu. Kale był już poza zasięgiem czających się płomieni, ale ja byłam następna. Poczułam, że panika chwyta mnie za gardło. Na mojej liście sposobów wyzionięcia ducha spłonięcie żywcem było ostatnie, zaraz obok zmiażdżenia.

– Kale! – Żadnej odpowiedzi. Odwróciłam się w kierunku przodu samochodu.

– Aubrey, wstawaj! Nie mogę się ruszyć.

Nie zwracał na mnie uwagi, wciąż bez skutku próbując obudzić Able'a.

Kale poruszył się.

– Dez...

– Kale! Utknęłam. Pospiesz się!

Z trudem wstał i potykając się, przeszedł przez kabinę, zaraz musiał przyklęknąć, żeby utrzymać równowagę.

– Pochyl się do przodu. Muszę to zobaczyć.

Pochyliłam się tak daleko, jak potrafiłam, żeby zrobić mu miejsce na manewry. Po chwili zaklął cicho. Próbował jednocześnie się spieszyć i mnie nie dotykać. To na nic. Metr od nas Able się poruszył. Zdesperowany Aubrey szarpał się z drzwiami od strony kierownicy, próbował je otworzyć

115

i wyciągnąć Able'a, ale bez jego pomocy nie bardzo mu się to udawało. Szybciej... – rzuciłam niecierpliwie.

Czułam, że Kale próbuje oderwać brzeg taśmy. Za każdym razem, kiedy jego palce zbliżały się do mojej skóry, nie potrafiłam się powstrzymać przed wzdrygnięciem się. Niestety to tylko pogarszało sprawę. Za każdym razem, kiedy zamierałam, Kale zastygał przerażony. Bał się bezpośredniego kontaktu.

Krzyknął przerażony, kiedy płomień zbliżył się niebezpiecznie.

– Taśma, którą cię związali zahaczyła się o kawałek wygiętego metalu. Nie mogę się do niej dostać, nie dotykając cię! Bez obecności Jade nie mogliśmy ryzykować. Na dźwigu ból był intensywny, ale co będzie, jeśli jestem teraz dokładnie taka, jak wszyscy inni? Jeśli mnie dotknie, umrę. Zamienię się w kupkę pyłu. Z drugiej strony, w tym tempie, jeżeli mnie nie dotknie, spłonę i też będę kupką pyłu. Tak źle i tak niedobrze.

Przełknęłam ślinę, poczułam, że coś mnie ściska w gardle. Kiedy podniosłam głowę, zobaczyłam męską postać oświetloną słońcem. Oświetlało go tak, że miałam wrażenie aureoli dookoła jego głowy. Anioł, który przyszedł mnie zbawić.

Alex nie odzywał się, kiedy odsuwał na bok zwłoki agenta, jak gdyby ich tam w ogóle nie było i wskoczył do środka busa. Wyglądał okropnie. Na prawym policzku miał świeże rozcięcie, nad czołem z blond włosów kapała mu krew i lała się ciurkiem obok kącika lewego oka, które było tak opuchnięte, że prawie nic nie widział. Wiedziałam, że solidnie oberwał w czasie walki z Kale'em, ale to na pewno nie są jej ślady.

Przez chwilę jego widok był tak zadziwiający, że zapomniałam o Bliźniakach, pożarze i o tym, że jesteśmy w przewróconym busie na samym środku drogi.

– Co ci się stało?

– Spadaj! – rzucił do Kale'a. W parę sekund zdarł taśmę z moich nadgarstków, zaledwie chwilę, zanim płomienie dotarły do miejsca, w którym tkwiłam. – Nic ci nie jest? Pozwoliłam mu się wyciągnąć, skrzywiłam się tylko trochę, kiedy obciążyłam prawą nogę. Rzuciłam okiem na wnętrze samochodu i zobaczyłam, że Aubreya i Able'a nie było.

– Jakoś przeżyję. A tobie co się stało?

Alex skinął głową, pokazując na przednie siedzenie busa, kiedy ciągnął mnie w kierunku drzwi. Uśmieszek przemknął mu przez usta.

– Facet nie powinien siadać za kierownicę.

10

Stojąca u szczytu pokoju Ginger patrzyła na nas z niechęcią. Pchnęła pudełko z chusteczkami higienicznymi przez stół i powiedziała – Przestań krwawić na moją podłogę. Bliźniacy nas nie śledzili – gdzieś zniknęli, wydawało mi się, że to dziwne. Nasza trójka prawdopodobnie nie potrafiłaby stawić im czoła na środku drogi.

Ślady walki z Kale'em – pokrwawiony nos i rozcięta warga, cień obrzęku, który rysował się po prawej stronie brody – wszystko to sprawiało, że Alex wyglądał, jakby zakończył dziesięciorundową bitwę z rozszalałym słoniem. Podkoszulek miał rozdarty przy szyi, lewe oko napuchnięte i prawie całkiem zamknięte. Ale co innego – nieładnie wyglądające rozcięcie skóry i wciąż krwawiąca rana na głowie – wciąż sprawiały, że akurat teraz nie miałam ochoty go udusić za burdę, którą wszczął z moim chłopakiem.

Kiedy wygramoliliśmy się z busa, o mało nie zwymiotowałam. Samochód Alexa stał bokiem na środku drogi, był całkowicie rozbity od strony pasażera. Wszędzie odłamki szkła, przednia opona przedziurawiona. Wyprzedził busa i stanął w poprzek drogi, żeby Bliźniacy nie mogli uciec. Był to gest heroiczny – epicko głupi – ale jeśli ja nie wybiegłabym, jak idiotka, pewnie by tego nie zrobił.

Kale w porównaniu z Alexem wyglądał tak, jak gdyby prawie w ogóle się nie spocił. Miał napuchniętą, ale nie rozciętą dolną wargę, nieznaczny obrzęk na podbródku w miejscu, którym rąbnął w ścianę busa, kiedy zderzyliśmy się z samochodem Alexa. Siedząc na krześle po drugiej stronie stołu przyglądał się Alexowi. W jego wzroku była mieszanina zadowolenia i irytacji.

– Czy ktoś mi powie, kto z was zaczął tę burdę? – Ginger spojrzała na mnie z niechęcią. – Chodzi o to, co tu się stało, zanim wybiegłaś z hotelu, jak ostatnia kretynka?

– Kretynka? – odparowałam, mimo tego, że miała w stu procentach rację. – Myślałam, że porywają moją mamę! Spytaj Rosie. Widziała to samo, co ja. – Pokazałam gestem na Kale'a, Alexa i Jade, siedzących przy stole. – Wszyscy słyszeli, jak mama krzyczy.

– Chwileczkę – powiedziała Jade, wymachując dłońmi przed twarzą. – Nie wciągaj mnie w to. Ja nic nie widziałam i nic nie słyszałam.

– Naprawdę uważasz, że tak łatwo byłoby wejść do hotelu? Nie sądzisz, że pilnuję budynku i sprawdzam, czy jest zamknięty? Łatwiej byłoby się dostać do skarbca. – Ginger zmrużyła oczy i obrzuciła mnie jednym ze swoich słynnych spojrzeń. To akurat nazwaliśmy spojrzeniem śmierci przy brydżu. – Sue nie ma nawet w hotelu. Wyszła wcześnie rano.

– Jak w skarbcu? Nonsens. – nie ustępowałam i miałam na końcu języka, że człowiek nie myśli, kiedy próbuje ratować kogoś bliskiego. Po prostu działa. A wyciąganie argumentu, że poświęciła swoją rodzinę, bo uważała, że tak będzie rozsądniej, było nie na miejscu. Poza tym miała rację.

Postąpiłam impulsywnie, ale jeśli miałabym się znaleźć jeszcze raz w takiej sytuacji, postąpiłabym dokładnie tak samo.

I znów musiałabym tego żałować. Ginger cmoknęła językiem i przywaliła laską w podłogę.

– Tylko dlatego, że czegoś nie widzisz, wcale nie znaczy, że tego tam nie ma. Ten hotel jest najbezpieczniejszym miejscem na ziemi dla wszystkich Szóstek. Nikt tu nie wejdzie, chyba że wpuścimy go celowo. – Odchrząknęła. – Pytam po raz ostatni. Jak się zaczęła ta cała burda?

Nikt się nie odezwał.

– No? – Ginger napierała. – Nie każcie mi się zamachnąć laską.

Kale westchnął ciężko. Nie bronił się, ani nie usprawiedliwiał. Mówił konkretnie.

– Nie lubię go.

Ginger spojrzała raz na Alexa i raz na Kale'a.

– A ja nie lubię kapusty. Czy w związku z tym powinnam atakować półki z warzywami w zieleniaku?

Nie potrafiłam się powstrzymać od chichotu. Wyobraziłam sobie Ginger, która rzuca się na hordę główek kapusty, a z samolotu na spadochronach wyskakują oddziały marchewek, idące na odsiecz armii warzyw.

Kale zmrużył oczy.

– On mnie wkurza. – Wstał i zaczął pociągać za brzeg koszuli. – I dźgnął mnie.

Alex wzniósł oczy ku niebu. Sięgnął po kolejną chusteczkę higieniczną i osuszył czoło z krwi.

– A ty jeszcze żyjesz. Czas się z tym pogodzić.

Kale wyciągnął rękę do Ginger.

– Dobrze. Daj mi coś ostrego. Jeżeli ja go dźgnę, wyrównamy rachunki.

Zamknęła oczy i wzięła głęboki oddech.

– Nie mam zamiaru się już z tym więcej męczyć. Zostajecie po szkole. Cała czwórka.

– Cała czwórka? – zaprotestowała Jade. – Ja nic nie zrobiłam. Nawet nie wyszłam z budynku!

– Zostajemy po szkole? To przecież nawet nie jest prawdziwa szkoła! – krzyknęłam.

Ginger zignorowała Jade i spojrzała na mnie z wyrzutem.

– Zaręczam ci, że jest prawdziwa – powiedziała. – I kara też jest prawdziwa. A co do ciebie... – Odwróciła się teraz do Alexa. – Pozwoliłam ci tu zostać, bo prosiłeś o przysługę. Jak dotąd, tylko tego żałuję. Proponuję, żebyś na resztę dnia opuścił mój hotel. I to grzecznie, żebym nie musiała pokrwawić sobie laski, okładając cię po głowie.

Alex się nie spierał. Wstał, wrzucił pokrwawioną chusteczkę higieniczną do stojącego obok Kale'a kosza na śmieci i wypadł bez słowa przez drzwi.

Jade prychnęła.

– Dobrze ci poszło, Dez. Nie potrafisz ani dnia usiedzieć na tyłku, żeby nie wszczynać jakiejś afery?

Ruszyło mnie. Czy ona sobie żartuje?

– Jesteś tu ile? Dobę? A już mam ochotę cię udusić.

– Jesteś rozczarowana, że świat nie kręci się wokół ciebie? Jestem tu i nigdzie się nie ruszam. Przyzwyczaj się do tego.

Zrobiłam krok w jej kierunku.

– Założymy się?

– Dość tego! – ryknęła Ginger. – Mam was wszystkich przykuć? Każdego do osobnego kaloryfera?

Po kilku chwilach ciszy zapytałam:

– Były jakieś obrażenia?

– Niestety nie – mruknął Kale. Założył ramiona na piersi i spojrzał na drzwi z wyrzutem. – Następnym razem będę musiał się bardziej postarać.

§

Siedziałam w ciemności, kiedy do pokoju weszła mama.

– Ginger opowiedziała mi, co zaszło – powiedziała, siadając na krawędzi mojego łóżka. – Co ty sobie myślałaś, dziewczyno?

– Proszę cię, tylko bez kazań. Ja...

– Nie będzie kazań – powiedziała cichym głosem. Zaczęła zapalać wszystkie światła, a ja wzdrygnęłam się na całą tę jaskrawość. – Tylko kilka prostych instrukcji, których masz się trzymać, niezależnie od tego, co by się działo.

Mrugałam oczami, przyzwyczajając wzrok do światła. Jej ton był trochę przerażający, a wyraz jej twarzy? Jeżeli Tato by kiedykolwiek spojrzał na mnie z taką miną, dwa razy bym się zastanowiła, czy wychodzić przed szereg.

– Słuchaj uważnie, bo nie będę tego nigdy więcej powtarzać. Masz się trzymać z daleka od wszystkiego, co się wiąże z Denazen. A to oznacza przestrzeganie godzin wyjścia, które wyznaczyła dla hotelu Ginger, trzymanie się z daleka od wszystkich nieznanych Szóstek, a przede wszystkim żadnych głupich numerów z ratowaniem kogokolwiek.

Zabrakło mi języka w gębie. To prawda, że przebywamy ze sobą od niedawna, ale od tej strony jej jeszcze nie znałam. Mówiła konkretnie, a w tle czaiło się coś jeszcze. Coś niebezpiecznego.

– Myślałam, że to naprawdę ty. Nie mogłam tam stać i patrzeć.

– Właśnie, że mogłaś. I następnym razem będziesz stać i patrzeć. I nieważne, czy to ja, czy nawet Kale.

Wstrzymałam oddech. Za łatwo byłoby w takiej sytuacji powiedzieć coś nie tak. Z jednej strony, mama była naiwna. Z drugiej – a kochałam ją niezależnie od tego, co powie i jak się zachowa – wciąż zastanawiałam się, kiedy jej puszczą nerwy. Życie poza żelaznym uściskiem Denazenu było dla niej trudniejsze niż dla Kale'a. Łatwo się stresowała, wpadała w przeciwstawne nastroje, zamartwiała się rzeczami na pozór nic nie znaczącymi. Raz była ciepłą mamuśką – w zeszłym tygodniu próbowała mnie namówić, żebyśmy razem piekły ciasteczka – to znów chodziła po pokoju hotelowym, jak lampart na prochach. A te jej koszmary senne? Wystarczy powiedzieć, że już trzy razy musiałyśmy wymieniać nocny stolik stojący między naszymi łóżkami na nowy.

– Dlaczego siedzisz tu po ciemku?

– Wydawało mi się, że to będzie bardziej produktywne niż uczenie złotych rybek pływania.

Pochyliła głowę na bok, nie rozumiejąc.

– Kazano mi nie przeszkadzać Kale'owi i Jade. – Robiła się ósma wieczór, a ja nie rozmawiałam z Kale'em od momentu, kiedy zostawiłam go razem z Jade w sali konferencyjnej. Podczas kolacji Rosie wyszła, żeby zanieść im jedzenie, a potem wróciła mówiąc, że są zbyt zajęci i nie mogą sobie zrobić przerwy.

– Aha – mama zawahała się, kręcąc w palcach brzeg narzuty na łóżko. – Chcesz porozmawiać?

– Prawdę mówiąc, nie mam wiele do powiedzenia.

Wyraz ulgi na jej twarzy rozśmieszył mnie. Mama nie była jedną z tych osób, które czekały na to, że ktoś podzieli się z nią emocjami.

– Uważam, że powinnam powiedzieć coś innego.

– Coś?

– O biciu się?

– Obiektywnie rzecz biorąc, wcale się nie biłam. Zrobiła zaciętą minę. W mgnieniu oka znów stała się niebezpieczną mamą.

– Przestań się zgrywać, Dez. Próbuję mówić poważnie. Wyprostowałam się i skrzywiłam. Wyraz twarzy trochę jej złagodniał, ale wciąż mówiła twardo.

– Przestań. Ja na pewno nigdy nie zdobędę medalu matki roku, a ty mi życia nie ułatwiasz.

– Przepraszam za dzisiaj. To było głupie, ale zobaczyłam cię i... – Trudno mi było ubrać uczucia w słowa. Byłyśmy nie więcej niż nieznajomymi, ale kochałam ją całym sercem. Bywały momenty, kiedy łapałam jej spojrzenie. Widziałam, jak na mnie patrzy z lękiem i niepokojem i zastanawiałam się, czy ona ma podobne odczucia. – Poza tym denerwuję się tą całą historią z Jade i...

– Jaką historią z Jade?

– Wiesz, chodzi o to, że w ogóle jest. Mało co by się na niego nie rzuciła i...

– A ty jesteś zazdrosna?

– Chyba tak. Czuję się zdegradowana, bo jeszcze niedawno byłam kimś niezwykłym i szczególnym, jedyną osobą na świecie, której mógł dotykać, a teraz jestem taka, jak wszyscy.

124

Wstała.

– Wciąż jesteś kimś bardzo szczególnym. Ten chłopak szaleje na twoim punkcie. Jeżeli będzie chciał uczyć się to kontrolować, to przede wszystkim po to, żeby być z tobą. Zobaczysz, wszystko się dobrze skończy.

Zsunęłam się z łóżka i założyłam tenisówki. Taka sytuacja aż się prosi o sesję rozżalania nad sobą. Nie na gadkę od serca.

– Muszę się napić kawy. Chcesz?

Zrobiła minę – Żadnych gorących napojów. Jeszcze jedno przyzwyczajenie.

– Nie, dziękuję.

– Twoja strata. Za chwilę wracam.

Pojechałam windą na drugie piętro. Kale odmawiał wchodzenia do wind, ale kiedy byłam sama, mogłam swobodnie z nich korzystać. Moje stopy to doceniały.

Wypiłam filiżankę i zrobiłam sobie drugą na drogę, po czym ruszyłam z powrotem do pokoju. W ostatniej chwili postanowiłam pójść dookoła. Myśl, że będę musiała tam siedzieć z mamą, nie była zachęcająca. Zmienna życiowa sytuacja, w której najpierw w ogóle nie miałam matki, a teraz mam jej aż za dużo, trochę mnie przytłaczała.

Nie widziałam się z Kiernan przy kolacji, a kiedy wysłałam esemesa, żeby jej przypomnieć o naszym spotkaniu i pogadać, nie odpowiedziała. Wieczorami przed pójściem spać przeważnie chodziła do sali gimnastycznej. Miałam nadzieję, że ją tam dzisiaj znajdę. Towarzystwo odpowiednie wiekiem, mogłam się jej wyżalić nad kubełkiem lodów czekoladowych z miętą. To był dobry plan. Ale zamiast Kiernan znalazłam tam Kale'a.

I Jade.

Byłam wciąż w korytarzu. Stanęłam sobie z boku, żeby nie mogli mnie zobaczyć. Kale siedział na krawędzi bieżni, a Jade stała przed nim trzymając w ręku roślinę.

– Chodzi tu tak naprawdę o skupienie się i kontrolę. Oczyść umysł i pomyśl o roślinie. Nie forsuj tej myśli. Wyobraź sobie coś zielonego i ładnego.

Kale zmarszczył nos i odsunął się.

– Nie jest ładna. Wygląda, jak chwast. I okropnie śmierdzi.

Zachichotała.

– Ale z ciebie dzieciak. Po prostu weź ją do ręki.

Chwilę się wahał i w końcu sięgnął po doniczkę. Nie umknęło mojej uwagi, że pochyliła się bardzo blisko i *przypadkowo* dotknęła dłonią jego ręki.

Jego uwadze to też nie umknęło.

– Wciąż nie mogę się do tego przyzwyczaić – powiedział, patrząc na swoją dłoń szeroko otwartymi ze zdziwienia oczami. Przypomniałam sobie, że podobnie spoglądał na mnie w piwnicy u Curda tej nocy, kiedy się poznaliśmy. Zawirowało we mnie milion emocji, każda z nich pragnęła uwagi.

– Dotykanie ludzi, o to ci chodzi?

– To niesamowite.

Jade się uśmiechnęła. Promienny uśmiech, który pewnie zwróciłby uwagę każdego mężczyzny w promieniu dziesięciu kilometrów.

– Spróbuj jeszcze raz, Opuszczam aurę. Skup się i dotknij ją.

– Opuszczasz aurę?

– Nie mówiłam ci? Potrafię nad tym zapanować.

126

Uśmiechnęła się i w geście zabawy uderzyła go lekko pięścią w ramię.

Kale przypatrywał się jej, przez chwilę głęboko się nad czymś zastanawiając. Kiedy się znów odezwał, jego głos był niemal tak ponury, jak wyraz twarzy.

– Potrafisz to kontrolować. Opuściłaś aurę? Tamtej nocy, której byłem z Dez?

– Nie! – powiedziała szybko. – Nie, Kale. Tego bym nie zrobiła. – Wyraz twarzy Kale'a nieco złagodniał i Jade brnęła dalej. – Wiem, że Dez i ja się nie dogadujemy, ale nigdy bym jej nie pozwoliła skrzywdzić. Bo wiem, że to by cię zabolało.

– No, dobrze – powiedział powoli, a ja nie mogłam opanować chęci przywalenia mu otwartą dłonią. Naprawdę? Tak łatwo jej uwierzył? Z drugiej strony nie wiedziałam, dlaczego to mnie dziwi. Największą przeszkodą w rozwoju Kale'a było zrozumienie, kiedy i dlaczego ludzie kłamią.

Skinęła głową w kierunku roślinki, którą wciąż trzymał w dłoniach.

– To co, spróbujemy?

Kale wyciągnął palec i dotknął brzegu rośliny, mając niepewną minę. Przez chwilę nic się nie działo i ja poczułam wzbierającą falę nadziei. Szybko jednak opadła, a liście skurczyły się i zmieniły w pył. Parę sekund później została tylko mała plastikowa doniczka, wypełniona suchą, szarzcjącą ziemią.

Jade odebrała mu doniczkę z rąk i podała następną z żywą rośliną.

– To pierwszy wieczór. Nie zniechęcaj się. Spróbuj jeszcze raz. – Kucnęła tak, że utrzymywała wzrok na poziomie jego oczu i położyła mu rękę na kolanie. – Naprawdę oczyść umysł. Wyobraź sobie zieleń. Myśl o życiu Tu chodzi o kontrolę umysłu nad materią.

Westchnął, dotknął drugiej rośliny z tym samym skutkiem. Strzepnął pył z dżinsów i upuścił doniczkę. Podskoczyła raz, potem potoczyła się po podłodze, rozsypując ziemię.

– Dlaczego Ginger wybrała ciebie, żebyś mi pomogła? Twojego daru nie trzeba kontrolować.

Westchnęła i usiadła na ławeczce przy sztangach tuż obok niego.

– Mojego nie, ale moja młodsza siostra Gabriela jest podobna do ciebie.

Widziałam stamtąd jego minę. Był zaszokowany i nieco zasmucony.

– Taka, jak ja?

– Tak jakby – poprawiła go. – Dar Gabi nie jest tak śmiercionośny, jak twój, ale*stanowi problem, kiedy mnie przy niej nie ma. Zawsze, kiedy się denerwuje, albo czegoś boi, albo wkurza, podpala wszystko, co jest wokół niej. Im była starsza, tym robiło się gorzej. – Podniosła resztki rośliny, którą Kale zrzucił na podłogę i ustawiła doniczkę prosto. – Moja mama próbowała wszystkiego, czego się dało, ale nikt nie potrafił pomóc. Gabi stała się więźniem, mogła wychodzić z domu tylko wtedy, kiedy ja byłam z nią.

– To smutne – współczucie w jego głosie sprawiło, że coś ścisnęło mi klatkę piersiową, jak imadło. Założyłabym się, że myślał teraz o Denazen.

Wzruszyła ramionami, sięgnęła po grudkę ziemi z jednej z doniczek z nieżywymi roślinami i roztarła ją między palcami.

– Zaczęło się od tego, że próbowałam jej pomagać – to znaczy chciałam – ale nie miałam pojęcia, że potrafię. Po jakimś czasie zaczęłyśmy eksperymentować. Opuszczałam aurę i pozwalałam jej się dotykać. Jej dar, a Ginger jest przekonana, że twój również, napędzają emocje. Naucz się nad nimi panować, a zaczniesz wszystko kontrolować.

– Ile czasu to zajęło?

– Z Gabi? – zawahała się przez chwilę. Wygięła usta w podkówkę, ale byłam przekonana, że to tylko teatr. Mina, która ma pokryć głupawy uśmieszek. – Osiem miesięcy.

– To bardzo długo – powiedział Kale robiąc wielkie oczy. Wyglądało na to, że Jade wcale się nie przejmuje.

– Nie. Ale nie martw się. Będę z tobą na każdym kroku. W końcu nad wszystkim zapanujesz.

– No, cześć! – powiedziałam. Trzymając w dłoni wciąż ciepłą kawę, weszłam do sali gimnastycznej. Przyglądając się im z mroku holu, czułam się dziwnie. Poza tym nie chciałam już słyszeć nic więcej o smutnej, żałosnej rodzinie Jade. Nie chciałam jej współczuć.

– Dez – twarz Kale'a natychmiast się rozjaśniła. Wstał i przeszedł przez salę gimnastyczną trzema płynnymi krokami, zatrzymując się o jakieś trzydzieści centymetrów ode mnie.

– Musiałam się napić kawy. – Potrząsnęłam kubkiem. – Pomyślałam, że zobaczę, jak wam idzie.

Nie spuszczając ze mnie oczu, wskazał gestem na drzwi.

– Wyjdź proszę, Jade. Chciałbym zostać sam z Dez.

Twarz Jade spurpurowiała. Biedactwo, nie wiedziała, co powiedzieć. Usiłuje z całego serca znaleźć z nim wspólny temat, wzniecić jakąś iskierkę, a on jej daje kopa. Kale nie próbował być szorstki, nie wiedział po prostu, jak w sposób uprzejmy formułować prośby. W tym przypadku dałam mu za to dziesięć punktów.

Otarła z twarzy irytację i przechodząc obok obdarzyła mnie przesłodzonym uśmiechem.

– Tylko nie za blisko. Idę na górę.

– Naprawdę jej nie lubię. – Zamknęłam drzwi jednym ruchem i poszłam pod ścianę. Kale zrobił to samo, tylko stanął dwa metry ode mnie. Wiedziałam, że martwi się o to, żeby mnie nie skrzywdzić, czułam jednak ból odrzucenia.

– Powiedz mi dlaczego.

Patrzyłam na niego zdumiona.

– Mówisz poważnie? Ona tylko czeka, żeby się na ciebie rzucić.

Zrobił wielkie oczy. Pochylił się w zadumie.

– I to cię martwi?

– Tak. Ona potrafi...

Zachichotał i zbliżył się do mnie.

– To śmieszne. Ona nie jest przeszkolona.

Przeszkolona? Cholera jasna. Niekiedy miałam ochotę walić głową w mur, rozmawiając z Kale'em.

– Nie o to mi chodziło. – Pokręciłam głową. – Dobrze. Zostawmy ten temat. Jak się czujesz?

– Wracasz do mojej walki z Alexem?

Skinęłam głową. – I wygląda na to, że ostro walnąłeś głową w tym busie.

– Nic mi nie jest. – Zastanawiał się nad czymś przez chwilę. Napiął mięśnie ramienia i powiedział – Przypaliliby mnie za to w Denazen.

Zrobiło mi się słabo.

– Przypalili? Za co?

– Jeszcze przed tym busem. Za walkę z Alexem. Jako karę. Ci, którzy się źle zachowywali, musieli przypalać sobie skórę gorącym żelazem.

Zrobiło mi się niedobrze, ale nie chciałam, żeby zobaczył, jak bardzo mnie to dotyka. Nie opowiadał o Denazen przede wszystkim dlatego, że nie chciał mnie denerwować. Ja ze swojej strony byłam zdeterminowana, żeby mu udowodnić, że potrafię nad tym zapanować.

– Nie pozwalają nikomu tracić panowania nad sobą. – Zaśmiał się krótko. – Nigdy się tak przedtem nie czułem. Przeszkolono mnie, żebym wiedział, co się dookoła mnie dzieje. Muszę być ostrożny. Ale czułem tylko gniew na Alexa. Gniew, który przyćmił wszystko inne.

Oparłam się o ścianę.

– Niekiedy po prostu tracimy panowanie. Tak to jest.

– Nie, na początku czułem się dobrze, ale na końcu to było...

– Wyczerpujące?

Uśmiechnął się do mnie smutno.

– Tak.

– Brzmi znajomo.

Minęła dłuższa chwila ciszy, zanim się odezwał.

– To długo nie potrwa. Nie pozwolę na to.

– Co tak za długo nie potrwa?

– Te nauki Jade. Na pewno nie osiem miesięcy, jak z jej siostrą.

Wiedział, że tam stałam.

Oczywiście, że wiedział. Nic nie umykało uwadze Kale'a.

– Dlaczego nic nie powiedziałeś?

Zdezorientowany przechylił głowę.

– Wiedziałeś, że stałam w korytarzu.

– Nie chciałaś wchodzić. Miałaś swoje powody.

– Ja też wiem, że to tak długo nie potrwa – odpowiedziałam, mając nadzieję, że z tych słów przebija przekonanie.

– Palisz się do panowania nad sobą.

Zobaczyłam nerwowy tik jego dłoni.

– Mam silną motywację. Chcę cię pocałować.

– Wiem, co czujesz.

– Ale na razie powinienem naprawdę unikać bycia blisko ciebie. – Był rozdarty, mówiąc – Nie podoba mi się to, że jestem tak blisko ciebie, wiedząc, że mogę ci zrobić krzywdę. Ale myśl, że muszę być daleko, jest... bolesna.

Odepchnęłam się plecami od ściany i odwróciłam. Podeszłam bliżej na czworakach, aż znalazłam się blisko i usiadłam tuż przed nim.

– Zamknij oczy.

Usłuchał bez pytania. Przekonałam się osobiście, do czego jest zdolna skóra Kale'a. Od pierwszej chwili tam, w domu Curda, kiedy dotknął pracownika Denazen, żebyśmy mogli uciec, do teraz, kiedy widziałam, co zrobił z rośliną. Wiedziałam, że jest śmiercionośna. Ale mnie to nie obchodziło.

– Nie otwieraj oczu. – Naciągnęłam rękaw na opuszki palców i potarłam dłonią policzek Kale'a.

Zamarł cały.

– Dez, proszę cię, nie...

– Ciii. – Czułam śmieszne łaskotanie w żołądku. Stało w potwornym przeciwieństwie do imadła, które ściskało mnie za gardło. – Tylko udawaj. Wyobraź sobie, że to moje palce na twojej skórze. Tylko przez chwilę.

Lekko wypuścił powietrze przez przymknięte usta. Moja wciąż przykryta materiałem dłoń przesunęła się po jego policzku i po szyi. Ciągle nie otwierając oczu, Kale sięgnął ręką w dół i pociągnął za skraj koszuli. Jednym płynnym ruchem zdjął ją przez głowę i trzymał w palcach prawej dłoni. Drugą rękę wcisnął w materiał dżinsów.

Wiedziałam, że już przedawkowałam aurę Jade i teraz skóra Kale'a sprawia ból, jest wręcz śmiercionośna nawet dla mnie, kiedy Jade nie ma w pobliżu. Jednak po tym, co usłyszałam o kontrolowaniu jej umiejętności i pomimo tego, że zaprzeczała, byłam pewna, że zrobiła to celowo. Zgodnie z tym, co mówiła Ginger, zasadniczo w ciągu paru dni nastąpiłby reset, ale na razie nie miałam wyjścia, musiałam jej wierzyć na słowo. Ale nie być sam na sam z nim tak długo? Nie potrafiłam. Nie zdobyłabym się na to.

Wodziłam ręką po boku jego karku, przesuwałam ją lekko po płaszczyznach jego klatki piersiowej, śledziłam palcem blizny jedne po drugich. Jego reakcja kazała mi nie przestawać, choć wiedziałam, że powinnam. Słyszałam, że chce coś powiedzieć zduszonym głosem, desperacko ciągnął za nogawkę dżinsów.

– Dez...

– Ciii – znów szepnęłam, pochylając się bliżej niż powinnam. To nie było bezpieczne. Tak jednak wyglądały moje relacje z Kale'em. Bardzo łatwo traciłam nad sobą panowanie. Świat przestawał istnieć i zapominałam o wszystkim. Bo on był dla mnie wszystkim. Moim początkiem i końcem.

Coraz niżej i niżej schodziłam do pasa dżinsów. Czułam adrenalinę w żyłach. Kiedy podwinęłam rękaw tak, żeby móc rozpiąć guzik, wiedziałam, że posunęłam się za daleko.

11

Kale zesztywniał. Otworzył oczy i zacisnął dłoń na moim ramieniu, chronionym rękawem.

– Musisz przestać.

Miał rację. Ja jednak nie potrafiłam. Uzależniona od adrenaliny, byłam na największym haju. Kale plus niebezpieczeństwo. Ta wybuchowa kombinacja wyłączyła bezpieczniki mojego układu rozsądku – nie to, żebym miała go sporo, jak twierdzą niektórzy – i wszystkie racjonalne myśli w jednej chwili wyparowały. Bardzo ostrożnie sięgnęłam do zamka błyskawicznego i delikatnie pociągnęłam o ułamek centymetra. Drzwi nie były zamknięte na klucz. Przychodziło mi do głowy co najmniej dziesięć imion ludzi, którzy chodzili poćwiczyć przed snem. W każdej chwili ktoś mógł wejść i nas znaleźć. Całowałam się i migdaliłam publicznie na kilku imprezach, ale to było coś zupełnie innego. Serce waliło mi, jak młotem, czułam krew i adrenalinę w żyłach na niespotykanym poziomie.

– Wszystko w porządku, ja...

W mgnieniu oka byłam na plecach, a Kale tuż nade mną. Czułam ciepło bijące z jego skóry tak niebezpiecznie blisko mojej.

Wpatrywały się we mnie przenikliwie niebieskie oczy, a końcówki jego ciemnych włosów łaskotały mnie po policzkach.

– To jest niebezpieczne – warknął z głębi gardła. – Krok dalej, to byłoby szaleństwo.

– Wiem.

Ku mojemu zdziwieniu czułam coś bliskiego strachu – nie odsunął się.

– Ale...

– Wiem – westchnęłam. – To dziwne uczucie. – Odsunął się trochę. Widziałam teraz całą jego twarz, nie tylko hipnotyzujące niebieskie oczy. Był zdezorientowany.

– Dziwne?

– Niekiedy nie mogę oddychać, gdy jestem blisko ciebie. A kiedy wiem, że nie mogę cię dotknąć, nie mam czym oddychać. To boli i tylko o tym myślę. Ale to... – Znów się nade mną pochylił, a na jego ustach zagościł przewrotny uśmieszek. Tym razem Kale był jeszcze bliżej. Czułam zapach szamponu, a w jego oddechu nutę czekolady.

– To każe mi zapomnieć. Kręci mi się w głowie. Jak po piwie.

Niektóre dziewczyny mogłyby się czuć urażone tym porównaniem, ale nie ja. Kale kojarzył piwo z utratą kontroli. Byłam w pewnym sensie dumna, że potrafiłam go do tego doprowadzić.

– Wiem, jak się czujesz.

– Więc tak to właśnie jest? Być ćpunem?

Staram się nie śmiać, kiedy Kale mówił od rzeczy, ale czasami było to niemożliwe.

– Ćpunem adrenaliny – poprawiłam go przewrotnie. – Tak. Tak się właśnie człowiek czuje, kiedy jest zakochany.

Zrobił się poważniejszy.

– Ale to niebezpieczne, że tracę kontrolę przy tobie właśnie teraz. Ryzyko jest zbyt duże. To bolesne.

Przełknęłam ślinę, bo czułam, że coś mi staje w gardle. Miłość bywa bolesna.

Zmarszczył nos i uniósł lekko brwi.

– Dla mnie to jest bez sensu.

– To ma sens – zapewniłam go. – Od pierwszego dnia wszystkie karty były przeciwko nam, ale udało się. Zawsze się nam będzie udawać. Chcesz wiedzieć, skąd wiem?

– Skąd?

Zanim poznałam Kale'a, nie miałam pojęcia, że można tak do końca i bezgranicznie się w kimś zakochać. Nie wiedzieć, gdzie ja się kończę, a on zaczyna. To było coś, co rosło z każdym mijającym dniem. Wiedziałam w głębi duszy, że wciąż będzie rosnąć. I zawsze będą nam rzucać kłody pod nogi. Denazen, przeszłość Kale'a, Jade... To jednak niczego nie zmieni. Tego byłam bardziej pewna niż czegokolwiek na świecie.

– Bo to, co nam się wydarza, jest epickie. To jest coś takiego, o czym piszą w książkach i kręcą filmy. Epopeje są trudne, Kale. Oznaczają krew, pot i łzy, ale są tego warte.

Przez chwilę milczał.

– A jednak wciąż się martwisz, że zakocham się w Jade, bo mogę jej dotykać.

W rozmowie z kim innym to byłoby podchwytliwe pytanie. Gdybym powiedziała prawdę, wyszłabym na desperatkę, na żałosną dziewczynę. Z Kale'em było jednak inaczej. Nie funkcjonował na tej samej częstotliwości, co wszyscy inni. Z jednej strony był niebezpieczniejszy niż ktokolwiek, kogo spotkałam w życiu. Potrafiłby wśliznąć się do pokoju, zabić cię szpatułką i zniknąć z miasta, zanim ktokolwiek by się o tym dowiedział. Z drugiej strony był najbardziej czystą, nieskalaną duszą, jaką kiedykolwiek spotkałam. Mieszanina tak dziwna i wyjątkowa – Kale. Nie zamieniłabym go na nic w świecie.

Był jedyną osobą, przy której stawałam się wolna i swobodna. Przy Kale'u nie było szans na to, że coś, co powiem zostanie zinterpretowane jako żałosne, albo proszące o litość. Nigdy nie wywróci oczami ani nie machnie na mnie ręką. To jedna z tych rzeczy, które najbardziej w nim kochałam. Nigdy nie musiałam niczego ukrywać. Tylko, że ukrywałam. W tym momencie moje lewe ramię postanowiło dostać nerwowego przykurczu, cała ręka mnie zabolała. Cholera. Próbowałam nie zwracać na to uwagi, mając nadzieję, że zniknie.

Kogo ja nabierałam? Musiałam mu powiedzieć. I tak się domyśli, że coś jest źle. Kale wiedział lepiej niż ktokolwiek inny. Znałam siebie lepiej niż sądziłam, bo kiedy otworzyłam usta, żeby to zlekceważyć, usłyszałam słowa, które same wydobywały mi się z gardła. Nie to, co chciałam.

– W głębi serca wiem, że do tego nigdy nie dojdzie, ale to zawsze będzie mój najgłębszy lęk.

Zawahał się przez moment, jego intensywnie błękitne oczy niemal wierciły dziury w moich. To było to. Kazał mi odkryć karty i zmusił mnie, żebym powiedziała, co się naprawdę dzieje. Prawdę mówiąc poczułam ulgę. Po chwili jednak westchnął.

– To głupia obawa. Musisz to zrozumieć.

Kosmyk jego włosów wpadł mi do oczu. Trochę rozczarowana, dmuchnęłam na niego i zmarszczyłam brwi.

– I to mówi facet, który nie może dotknąć własnej dziewczyny.

– To sytuacja tymczasowa.

Odwróciłam się i skinęłam głową na rząd martwych roślin, stojących po drugiej stronie sali gimnastycznej. Zwyciężona armia królestwa szklarni. Gdzieś w głowie pojawił mi się obraz Kale'a i mnie samej, starych i posiwiałych, siedzących na bujanej ławce na jakimś ganku, za nami Jade, związana i zakneblowana.

– Wiem... – Nie potrafię się jednak nie zastanawiać, jaką cenę trzeba będzie za to zapłacić i ile nieszczęść zdarzy się, zanim rozplączemy ten węzeł gordyjski...

§

Następne trzy dni minęły bez większych problemów. Kale, Jade i ja wciąż chodziliśmy do *szkoły* – a zostawanie po lekcjach stało się synonimem niewolnictwa. Ginger pewnie oszczędzała na wszystkich pracach porządkowych w całym hotelu, bo ciągnęły się za nami, jak smród za wojskiem. Robiliśmy wszystko, od mycia okien do czyszczenia na błysk piecyka kuchennego.

Alex wrócił i siedział z tyłu. Wychodził z hotelu na przerwę obiadową i wobec mnie wymownie milczał. Być może zdawał sobie sprawę, że groźba Kale'a jest poważna, a może dostał nauczkę i wiedział, że nie zadziera się z byłym zawodowym zabójcą. Tak czy owak, panował pokój, którego bardzo potrzebowaliśmy.

Którego ja potrzebowałam.

Plama na moim barku nie zniknęła. Prawdę mówiąc, urosła. Swędziało jak cholera, czasami pobolewało i to o bardzo dziwnych porach. Codziennie rano budziłam się prawie ze łzami w oczach, pulsujący ból i napady gorąca wymagały uwagi, ale postanowiłam łykać pigułki i zapomnieć o tym. Im dłużej odsuwałam moment, kiedy to wszystkim powiem, tym bardziej wydawało mi się to głupie, aż w końcu myśl, że się ujawnię, zaczęła mnie przerażać niemal tak bardzo, jak Denazen. Obedrą mnie ze skóry za to, że czekałam tak długo, a gdzieś w głębi duszy wciąż miałam nadzieję, wprawdzie nikłą, że to samo przejdzie. To było głupie, ale choć zdawałam sobie z tego sprawę, nie potrafiłam przestać. Próbowałam. Te słowa nigdy nie chciały mi przejść przez gardło.

Jade i Kale zbliżyli się do siebie. Tak mi się przynajmniej wydawało. Zawsze, kiedy na nich patrzyłam coś sobie szeptali. Dwa razy weszłam do pokoju, a oni zamilkli. Kiernan zarzekała się, że to moja wybujała wyobraźnia. Mówiła, że Kale spędza tyle czasu z Jade, bo chce się wszystkiego nauczyć i wrócić do mnie. A jednak w głębi serca czułam, że może być inaczej. Słyszałam jakieś ciemne podszepty.

Ginger dała im godzinę na ćwiczenia codziennie, tuż przed przerwą. Znikali w świetlicy i ćwiczyli medytację i pracę z roślinami. Posyłała wtedy Alexa i mnie do kuchni, żebyśmy robili obiad. To jej pokręcone pojęcie o oszczędności.

Na trzeci dzień Alex w końcu przerwał milczenie.

– To co jest z tą rudą?

Posmarowałam kromkę chleba większą porcją musztardy i położyłam na stole kuchennym.

– Co znaczy: „Co jest”?

139

Podał mi ser. Robiliśmy codziennie to samo. Później sma-rowałam drugą kromkę chleba cienko majonezem i kładłam na nią trzy plastry sera. Kale bardzo lubił ser.

– Wydaje mi się, że ona i Kuba Rozpruwacz się zaprzy-jaźniają.

Uszczypnęłam się w nos. Wiedział, że to przezwisko mnie wkurza, więc nie mógł się opanować.

– Przestań go tak nazywać.

Kromka chleba na stół, później kilka plastrów piersi z in-dyka, później dokładnie trzy kawałki pepperoni i pół łyżecz-ki musztardy. Przyzwyczajenia kulinarne Alexa wzbudzały we mnie mdłości.

– To co, rzucił cię i jest teraz z nią?

Wiedziałam, że jeżeli dam się wciągnąć w tę grę, będzie tylko gorzej, ale nie mogłam się powstrzymać.

– Wciąż jesteśmy razem – powiedziałam, zgrzytając zę-bami.

Zamachał plasterkiem pepperoni w moim kierunku i udał zdumienie.

– To co, to jest taki *otwarty* związek? Nigdy nie lubiłaś się dzielić, Dez. Jestem zdziwiony.

– Są tylko znajomymi. – Tym razem to słowo zabrzmiało za głośno. Jeżeli mocniej ścisnę tubkę z majonezem, eks-ploduje. – Ona mu pomaga uczyć się panowania nad sobą.

Popatrzył na mnie i uniósł brwi. Maleńka, srebrna szpilka nad jego prawym okiem zatańczyła.

– Panowania nad sobą? Tak to dzisiaj dzieciaki nazywają?

– Jesteś dupkiem – powiedziałam, rzucając w niego bo-chenkiem chleba. Kazać mi pracować w hotelu, to było okrucieństwo. Ale kazać mi pracować z Alexem, to po prostu nieludzkie. Wiedziałam, że ta terapia ciszy długo nie potrwa.

Zrobiło się zamieszanie przy drzwiach i sekundę później Kale wszedł do kuchni razem z Jade.

– A ty jesteś ślepą idiotką – mruknął Alex, sięgając po swoją kanapkę. – Ja stąd znikam.

Tak się spieszył, że wychodząc o mało nie wywrócił Ginger.

– Uważaj – rzuciła. – I bądź dzisiaj punktualnie. Przynieś wszystko to, co napisałam ci na liście.

– Jak tam ćwiczenia? – No właśnie, potrafiłam jeszcze mówić cywilizowanym tonem. W moim pytaniu nie było nawet cienia sarkazmu.

– To nieważne – powiedziała Ginger, wręczając mi pakunek. – Musisz z tym polecieć na pocztę. I to teraz. Chciałabym, żeby to poszło priorytetem.

– Ja? – Odebrałam od niej niewielki pakunek i solidnie potrząsnęłam. Miałam wrażenie, że jest pusty. – Pozwalasz mi wyjść?

– Nie mam wyboru. To trzeba wysłać natychmiast. Kale musi ćwiczyć, a Alexa już wysłałam z czymś ważnym.

– A Rosie? – wiedziałam, że powinnam trzymać gębę na kłódkę. To brzmiało ironicznie. Kilka dni temu zrobiłabym wszystko, żeby wyjść z hotelu, ale teraz miałam pewne obawy. Rosie pilnowała wszystkich wyjść, a teraz Ginger otwiera drzwi i wypycha mnie na ulicę?

– Rosie też wysłałam z czymś do miasta. Wróci dopiero późnym popołudniem.

– I nie boisz się, że nie wrócę, albo wrócę wieczorem? – spytałam. – Albo, że Denazen zwinie mnie, kiedy tylko wyjdę za próg?

141

Ginger spojrzała na mnie, a później na Jade i uśmiechnęła się.

– Coś mi mówi, że wrócisz tak szybko, jak będziesz mogła. A co do Denazen – zapewniam cię, że nic złego ci się nie stanie.

Nic złego? To było tak, jak gdyby Ginger powiedziała nam wprost, że coś widziała. To pewnie miało mnie uspokoić, ale, niestety, nie uspokoiło.

Ginger pokazała gestem na talerz pełen kanapek, które zrobiliśmy z Alexem i powiedziała do Kale'a.

– Ty i Jade jeszcze trochę poćwiczcie. Będziesz tego potrzebował. – Odwróciła się do mnie i powiedziała – Wypad.

Narzekałam i nurzałam się w pretensjach całą drogę do samochodu, co właściwie było śmieszne. Teraz, kiedy miałam coś w rodzaju wolności, chodziłam wkurzona. Poza tym strasznie bolał mnie bark.

W ciągu ostatnich dwudziestu czterech godzin połknęłam więcej tabletek przeciwbólowych niż w całym zeszłym roku, ale to nie pomagało. Coś mi mówiło, że powinnam obejrzeć bolące miejsce, ale nie potrafiłam się do tego zmusić. Zazwyczaj niczego nie unikałam – atakowałam wszystko, jak byk – to było moje motto. Jednak przyznanie, że mam problem, oznaczało, że muszę sobie z nim jakoś poradzić. Nie tylko nie byłam na to gotowa, ale nie miałam pojęcia, jak.

Cichutki, podobny do zduszonego szeptu głos gdzieś w mojej głowie powiedział: „Pogadaj z Kale'em". Utrzymywanie tego przed nim w tajemnicy było głupie, a poza tym samolubne. On nigdy by czegoś takiego przede mną nie ukrył. I to z mojej strony nieuczciwe, że go nie wtajemniczam. Postanowiłam, że jak tylko wrócę do hotelu, odciągnę go na bok i pogadam z nim od serca.

Poczta była po drugiej stronie miasta, więc Ginger dała mi kluczyki do swojej toyoty. Auto przypominające zardzewiałe wiadro, pomalowane na niebiesko, wydzielające niezidentyfikowany, dziwny odór, w sposób zakrawający na cud, odpaliło. Kiernan odezwała się przez telefon, zanim jeszcze wyjechałam z parkingu.

– Daję słowo. Ona próbuje ich ze sobą zeswatać.

– Więc wysyła cię na pocztę? Żebyś wysłała jakiś pakiecik? Co to jest – lek dla biednego, umierającego dziecka w Kanadzie?

– Dlaczego, do cholery, musiałam jechać właśnie teraz? I z jakiego powodu tak chętnie wypuściła mnie z budynku? Kilka dni temu praktycznie zabarykadowała wszystkie drzwi.

– Może próbuje uniknąć konfliktu z Alexem?

– To nie to. On nawet na przerwę obiadową wychodzi. Szwenda się Bóg wie gdzie.

– Więc dlaczego on nie mógł wysłać tej głupiej paczki?

– Powiedziała, że już dała mu coś do roboty.

– Jakiej roboty?

– To dobre pytanie. I pewnie nigdy nie otrzymam na nie prostej odpowiedzi. – Westchnęła. – Powinnam już się rozłączyć. Zaraz obiad. Na poczcie pewnie będzie cholerna kolejka. Przyjdziesz do mnie po szkole?

– Masz to jak w banku, maleńka.

– I tym razem mów, co myślisz – dodałam, zanim się rozłączyłam.

Były potworne korki. W końcu prawie po dwudziestu minutach dotarłam do poczty. Kiedy wysiadłam z samochodu, okazało się, że kolejka wychodzi aż na ulicę.

– To jakieś żarty – trzasnęłam drzwiami od strony kierowcy i ruszyłam przez parking z pakiecikiem w ręce.

Kolejka była długa, ale posuwała się szybko i już za chwilę byłam za pierwszymi drzwiami. Kobieta przede mną przytrzymała drugie drzwi i weszła do środka. Pozwoliłam, żeby się zamknęły i poczekałam, aż odejdzie parę kroków dalej. Smród jej perfum przyprawiał mnie o ból głowy. Nie potrzebowałam tego, wystarczyło, że bolał mnie bark.

Przez szybę widziałam odbicie parkingu. Z ulicy wjechał czarny sedan i stanął na wolnym miejscu obok starego grata Ginger, skąd ktoś przed chwilą odjechał. Kierowca wysiadł z auta i ruszył przez parking swobodnym krokiem. Trudno było rozpoznać rysy twarzy, widziałam tylko kontury jego sylwetki w lustrzanym odbiciu drzwi, ale nienagannie wyprasowanego garnituru i okularów przeciwsłonecznych nie dało się z niczym innym pomylić. Drzwi zaskrzypiały, kiedy mężczyzna wszedł do środka.

– Cześć, Deznee.

Chciałam za wszelką cenę zachować spokój mimo tego, że serce zaczęło mi bić, jakby chciało się wyrwać z piersi.

– Tato – rzuciłam od niechcenia. – Chciałabym powiedzieć, że miło cię spotkać, ale...

– Pozwól, że ja się ucieszę za siebie i za ciebie. Dobrze wyglądasz. Widzę, że życie pod jednym dachem z mamą ci służy.

– Wątpię, że przyjechałeś prawić mi komplementy. Pochlebstwo jest bardzo nie w twoim stylu. – Rozejrzałam się i zobaczyłam dynamiczny duet wysiadający z tylnych siedzeń auta. Jeden ustawił się obok drzwi pasażera, podczas gdy drugi rozsiadł się wygodnie na schodkach tuż obok.

– Chciałbym porozmawiać z tobą o Denazen – powiedział Tata patrząc wprost przed siebie. – Chyba ty i ja zaczęliśmy ze złej nogi.

Jedynym wyjaśnieniem tego, co właśnie usłyszałam były halucynacje. To, albo może miałam mnóstwo wosku w uchu.

– Ze złej nogi? Ty jesteś bestią, zwyczajnym zwierzęciem.

Tata zdjął okulary słoneczne i wsunął je do wewnętrznej kieszeni marynarki.

– Dziewięćdziesiąt Osiem jest w znacznie większym stopniu zwierzęciem, niż ja. Chyba nie do końca rozumiesz, co robimy w Denazen.

Czy on mówi poważnie? Będzie próbował mi wmawiać, że „pomagamy całej ludzkości"? Mnie?

– Kale, dupku. On ma na imię Kale – odszczeknęłam.

Wciąż stałam po drugiej stronie podwójnie przeszklonych drzwi, żeby nikt w środku nie usłyszał naszej rozmowy, ale ktoś stanął w kolejce za Tatą. Kobieta prychnęła poirytowana moim doborem słów i zakryła uszy swojemu synkowi.

No, świetnie. Teraz na dokładkę deprawuję małe dzieci. Przepchnęłam się obok kobiety i jej syna, uśmiechając się przepraszająco i ruszyłam pospiesznym krokiem w dół po schodach.

– I naprawdę rozumiem, czym jest Denazen.

Kiedy przechodziłam, Bliźniak siedzący na stopniach wstał i ruszył. Szedł obok Taty, który trzymał się za moimi plecami. Tuż przed nami ten, który siedział przy samochodzie, puścił oko i otworzył tylne drzwi od strony pasażera.

Cholera, tylko nie to. Zmieniłam kierunek, wciąż trzymając głupią paczkę Ginger w dłoniach i skręciłam w prawo. Niestety ten ruch skierował mnie ku zarośniętej krzakami, ciemniejszej stronie budynku, której nie było widać z parkingu. Tata uśmiechnął się do mnie słodko. Kiedyś myślałam, że ten uśmiech jest przeznaczony tylko dla klientów i sędziów, żeby ich uspokoić.

– Może myślisz, że go wzięłaś pod but, ale nie zapominaj, że Dziewięćdziesiąt Osiem to zabójca. Musi być pod kontrolą. Naprawdę nie masz pojęcia, do czego jest zdolny.

– Chyba go mylisz z samym sobą. – Próbując działać dyskretnie, rozejrzałam się dookoła za czymś, co mogłoby posłużyć za broń, gdybym jej potrzebowała. Pakunek Ginger był lekki jak piórko i nie nadawał się do celów obronnych.

– My nie jesteśmy wrogami, Deznee. Masz szansę uczestniczyć w czymś monumentalnym. Czymś, co ma znaczenie. Jeśli wrócisz tam ze mną, wszystko ci pokażę.

Obaj Bliźniacy stali za Tatą założywszy ręce na piersi. Mieli dziwne uśmieszki na twarzach. Wtedy doszło do mnie to, że broń nie będzie potrzebna, i że Ginger wiedziała, że będę bezpieczna na poczcie. Nie przyjechali mnie stąd wyrwać. A jeśli by chcieli, mogliby spokojnie poczekać przy moim samochodzie i zwyczajnie zastawić pułapkę. Tu chodziło o coś innego.

Z tą myślą wcale nie poczułam się lepiej.

– Nie jestem jedną z tych bezmózgich idiotek, które biegają po budynku, jak tresowane myszy. – Przypomniałam sobie rozmowę z Flipem, facetem, którego spotkałam w kafejce pierwszego dnia w Denazen. – Już znam prawdę. Nie zrobisz mi wody z mózgu, nie będę myślała inaczej.

Tato zrobił krok w moim kierunku z chłodnym wyrazem twarzy i powiedział

– Przemyśl swoją decyzję. Trzej członkowie grupy Supremacji już zostali unieszkodliwieni. Może słyszałaś o nich w wiadomościach. Laine Phillips?

– Chcesz mi powiedzieć, że dziewczyna z Morristown była Szóstką? – Już się tego domyśliłam dzięki Brandtowi i temu, co oglądaliśmy w wiadomościach, ale chciałam, żeby to głośno powiedział.

On się tylko uśmiechnął. Staliśmy z boku budynku pod przerośniętym drzewem. Było mrocznie, a światło padające na twarz Taty, zmieniało mu rysy w taki sposób, że wyglądał nieludzko. I ten wygląd bardzo pasował do jego osobowości.

– A pamiętasz Fina?

Zrobiło mi się słabo.

– Fin umarł? – Już było wystarczająco przykro słuchać o tych pozostałych, ale przecież znałam Fina – chodziliśmy razem do przedszkola, a potem do szkoły – cała historia zrobiła się bardziej realna. Bliższa skórze.

– Jeszcze nie – powiedział Tata. – Pozostali zaczęli wykazywać oznaki po czterech lub pięciu miesiącach. Najpierw ich dar stawał się mocniejszy. Przez kilka miesięcy, zanim stwierdzono, że są zupełnie irracjonalni wszyscy wykazywali oznaki postępu. Później, kiedy zbliżały się ich osiemnaste urodziny, robili się niestabilni. Było dużo przemocy. Widzieli i słyszeli rzeczy wokół siebie, których tam nie było. Dostawali paranoi, mieli omamy. Fin ma urodziny za tydzień, a objawy u niego zaczęły się cztery dni temu. Znacznie później niż u reszty – tydzień to najbliższa data, jaką stwierdziliśmy, więc nie jesteśmy pewni, co się stanie. Wciąż mamy nadzieję, ale czas pokaże. Nie dawała mi spokoju pewna myśl. Przypomniałam sobie zmianę koloru paznokci przed domem Vince'a Winsteade'a na początku lata. Zmieniłam go bez bólu. Od tamtego czasu nic takiego się nie powtórzyło i nie uważałam tego za wielki przełom, ale zrobiło mi się wtedy dziwnie.

– Ktoś przeżył?

Czas uciekał z każdą sekundą. Już byłam prawie pewna, że mi nie odpowie, kiedy rzucił.

– W zasadzie tak. Jedna. Bardzo wyjątkowa dziewczyna, która ma dar, jaki tobie by się na pewno spodobał. Zwłaszcza w twojej obecnej sytuacji.

– Ale zaraz, chwila... Jaka jest moja sytuacja?

Naraz na twarzach obu Bliźniaków pojawiły się złośliwe uśmieszki. Wciąż stali na straży.

Tata uśmiechnął się szerzej i mlasnął językiem z udawanym współczuciem.

– Tak. To smutne. Słyszałem o twoim problemie z Dziewięćdziesiąt Osiem.

– Ale jak ty... Ale wiesz co? Nic mnie to nie obchodzi. Powiedz mi o tej dziewczynie. Dlaczego jest inna? Ile czasu minęło od czasu jej osiemnastych urodzin?

Nie mogłam uwierzyć, że próbuję rozmawiać rozsądnie, uprzejmie z tym samym mężczyzną, który nafaszerował moją mamę narkotykami, a później zamknął ją na kłódkę na siedemnaście lat. Powinnam próbować go udusić. Zamiast tego graliśmy w dwadzieścia pytań.

– Dostała szczepionkę. Coś, co opracowano w nadziei, że będzie lekarstwem.

Niemal upuściłam paczkę Ginger i rzuciłam się, żeby potrząsnąć nim za klapy zbyt drogiego garnituru.

– I zadziałała? Dlaczego nie dałeś tej szczepionki całej reszcie?

– Jej składnikiem jest bardzo rzadka substancja, którą dopiero niedawno odkryliśmy. Nie ma jej wiele, nie mamy sposobu, żeby akurat w tym momencie uzyskać jej większą ilość. Nie widziałem powodu, żeby ją marnować. – Wystukiwał palcami równomierny rytm na korze drzwi. – Powiedz mi, Deznee, co byś była w stanie poświęcić za wyleczenie?

Tu cię mamy.

– Skończyłeś? Bo wiem na pewno, że nie spodziewałeś się, że na to pójdę.

Próbowałam przemknąć się obok niego, ale zaszedł mi drogę.

– Prawdę mówiąc, wprost przeciwnie. – Wyciągnął do mnie rękę.

Przyznaję, że spanikowałam. Diabeł z Denazen, tak go kiedyś z Kale'em nazwaliśmy. I to była prawda. Ten człowiek nie miał duszy i nie zawahałby się ani sekundy przed wepchnięciem własnej matki pod pędzący pociąg, jeżeli zbliżyłoby go to do wyznaczonego celu. Chwycił mnie mocno za przedramię, ścisnął mocno, jak w imadle. Skinął głową przez ramię w kierunku chłopców i powiedział – Poznałaś już Bliźniaków, prawda?

Poczułam gęsią skórkę, ale postanowiłam udawać chojraka. W głowie słyszałam słowa Brandta: „Bądź uważna". Rozejrzałam się dookoła i obrzuciłam Bliźniaków swoim najgorszym spojrzeniem.

– Wysocy, irytujący chłopcy w stylu gotyckim, o tragicznych manierach?

Jeden z nich – chyba to był Able – machnął na mnie ręką, a drugi posłał mi w powietrzu przesadnie czuły pocałunek.

– Żałosna zamiana w miejsce Dziewięćdziesiąt Osiem, przyznaję, ale tak czy owak się przydają. Powiedz mi, Deznee, jak zdrowie?

Temperatura spadła. Cholera. Spadła na łeb, na szyję. Nagle poczułam się, jak szynka z kością, zwisająca z haka u rzeźnika. Zdałam sobie sprawę z pulsującego bólu w lewym barku i z tego, że czuję igiełki na skórze, mięśnie dłoni i palców drgały i kurczyły się bezwiednie.

Nie mów o tym – słyszałam błagalny głos z głębi mózgu. *Nie mów mi.* Jeżeli nie będę wiedziała, będę mogła udawać, że to się nie stało.

Uśmiechnął się. Wyraz twarzy mnie zdradził.

– Audrey i Able to interesujące okazy. Nie tak interesujące, jak Dziewięćdziesiąt Osiem, ale jednak się przydają. Jeden dotyk może cię zatruć. Trucizna powoli, ale boleśnie wnika w układ krwionośny i zamienia cię od środka w płyn. Już to widziałem. Wygląda okropnie.

– Brzmi czarująco. – Jeden punkt dla mnie. Udało mi się to powiedzieć bez drżenia głosu, ale musiałam zacisnąć palce na pakunku. Drżenie dłoni pewnie by mnie wydało.

– Tak po prostu jeden z nich jest zdolny cię zatruć, a drugi potrafi cię wyleczyć. Wystarczy jedno dotknięcie.

– A dlaczego mi o tym opowiadasz?

Zanim mogłam go powstrzymać, szarpnął moją koszulę przy szyi i odkrył bark.

– Bo zegar już oficjalnie tyka. Przemyśl to.

Puścił mnie i zrobił krok w tył, poprawiając marynarkę. Ten z Bliźniaków, który posłał mi pocałunek, teraz pomachał ręką.

– Jedno leczenie, kiedy wrócisz ze mną do Denazen, a drugie, kiedy będziemy mieli pod kluczem Dziewięćdziesiąt Osiem.

Po chwili już ich nie było.

12

Kiedy zmusiłam się do zrobienia pierwszego kroku, wysłałam paczkę Ginger, wsiadłam do samochodu i przez chwilę jeździłam w kółko, jak pijane dziecko we mgle.

Musiałam wrócić do hotelu, ale myśl o tym, że będę musiała wszystkim popatrzeć w oczy – przede wszystkim Kale'owi – kiedy już znałam prawdę, była jak ciężki kamień u szyi, ciągnęła mnie pod wodę. Niedługo będę półtora metra pod ziemią, jeżeli to, co mówił Tata, jest prawdą. Musiałam chwilę pomyśleć. Postanowić, co robić.

Podjechałam pod kawiarnię, którą od hotelu dzieliła jedna przecznica i stanęłam w kolejce do łazienki. Wzięłam głęboki oddech, ustawiłam się pod odpowiednim kątem przed lustrem i odsunęłam koszulkę.

Jedną z rzeczy, która mnie wyróżniała, był żelazny żołądek. Nawet w szkole, kiedy pokazywali nam filmy o pijanych kierowcach, o pokiereszowanych blachach samochodów i odgłowionych zwłokach, o krwi i wnętrznościach, ja nie reagowałam. Sekcja zwłok prosiaka? Żaden problem. Przeżywałam jeszcze gorsze rzeczy. Teraz jednak, kiedy widziałam agresywnie czerwoną plamę i nowe dodatki – splątane, czarne linie, które odchodziły od niej we wszystkich kierunkach – miałam wrażenie, że zwrócę obiad. I wczorajszą kolację.

Może nawet wszystko, co zjadłam przez ostatni tydzień.

Podrażniona czerwona skóra, która jeszcze parę dni temu wyglądała jak siniak, była teraz w stanie zapalnym i miała kolor głębokiej purpury. Środek był ciemniejszy – nie całkiem czarny, ale prawie – a maleńkie, cieniutkie pnącza, które z niego wyrastały, pulsowały, jakby żyły własnym życiem. Musiałam dwa razy zamrugać powiekami, bo byłam pewna, że kurczyły się i wiły głęboko pod skórą. Nagle trudno mi było złapać oddech. Poprawiłam koszulę. *Nie patrz.* Co z oczu, to z serca. Jeszcze jeden głęboki oddech i odwróciłam się w kierunku drzwi. Musiałam wrócić do hotelu, zanim zaczną się zastanawiać, gdzie jestem. Najważniejsze to nie robić z tego afery. Ukrywać. Spoko.

Zrobiłam obojętną minę, wyszłam przez drzwi obok baru. Nie zamówiłam kawy. Ręce trzymałam w kieszeniach, kiedy szłam do samochodu; ukrywałam wszelkie dowody tego, że histeryzuję. A jak wszyscy dostaną z tego powodu spazmów, to na pewno nie poprawi mojej sytuacji. Już i tak wpadali w histerię na myśl o Supremacji. Jak jeszcze coś się dołoży do tego stosu, to rozsypie się, jak bierki. Wcześniej mówiłam sobie, że jestem gotowa opowiedzieć o wszystkim Kale'owi. Teraz plan się zmienił.

Przekręć kluczyk w stacyjce. Włącz silnik. Oprzyj stopę o pedał gazu. Wyprowadź samochód na drogę. Spokojnie i bez nerwów.

Zastanów się. Pomyśl. Potrzebowałam trochę czasu. Na pewno uda mi się to wszystko jakoś rozwiązać. Przecież miałam zawsze pełno pomysłów. To nie jest wyrok śmierci.

Tata łże. Zawsze był kłamcą – to robił najlepiej. Scena na poczcie to taktyka zastraszania. Próba zapędzenia mnie prosto w jego łapy. Ale niedoczekanie! Zaparkuj samochód z tyłu. Wysiądź. Trzymaj ręce w kieszeniach. Najpierw lewa noga, za nią prawa. Później znowu lewa i prawa. Przez drzwi do holu. Zachowuj się normalnie. Weszłam do pokoju konferencyjnego. Cała trójka miała głowy w książkach, nigdzie nie było widać Ginger.

Jade spojrzała na mnie, uśmiechając się. Czy to moja wyobraźnia, czy krzesło miała jeszcze bliżej Kale'a niż wtedy, kiedy wychodziłam?

– Nie spodziewaliśmy się ciebie tak szybko.

Kiedy usłyszałam te słowa, poczułam się, jakby wszechświat przywalił mi w głowę kosmiczną pałą do baseballu. Zamarłam i na chwilę zapomniałam o bolącym barku. Boże jedyny. Wiedziałam, że z nią coś jest nie w porządku. Tato wiedział skądś o Kale'u i o mnie i wcale nie zjawił się na poczcie przypadkiem. Ktoś mu musiał powiedzieć, gdzie będę.

To Jade mu o tym powiedziała.

Czasu miałaby mało, ale to dało się zrobić. Musiałaby tylko wymknąć się na chwilę, szybko zadzwonić i po wszystkim. Nagle na poczcie zjawia się Tata.

Pochyliłam się na nad stołem.

– A może spodziewałaś się, że w ogóle nie wrócę?

Próbowała od niechcenia wzruszyć ramionami, ale jej się nie udało. Nasze oczy się spotkały, a ona uśmiechnęła się od ucha do ucha.

– Dokąd pojechałaś z tą paczką, Deznee? Do Chinatown?

– Ginger weszła, kuśtykając, rzuciła z hukiem książkę na

stół i przesunęła ją po blacie w moją stronę, aż znalazła się tuż przede mną.

– Przerwa obiadowa – powiedziałam, nie spuszczając oka z Jade. Nie obędzie się bez odrobiny finezji. Mogłam już teraz odkryć karty, ale nie miałam dowodów. I prawdopodobnie uznano by to za wybuch zazdrości. Nie. Potrzebne mi były fakty mówiące same za siebie. Coś, co dowodziłoby mojej tezy, musiałoby być czymś znacznie więcej niż przypadkiem trójkąta zawiedzionej miłości. Poza tym, gdybym teraz coś powiedziała, zdradziłabym się z bólem barku. To niedobry plan. Cofnęłam się o krok i odwróciłam do Ginger.

– Kolejka była aż za drzwi.

Siadłam na krześle naprzeciw Jade i otworzyłam książkę. To wszystko miało sens. Tata wiedział, że musi mieć tu kogoś, kto będzie mu donosił. Chciał położyć na mnie łapę, chciał dostać Kale'a z powrotem. Chciał również, żeby Ginger i reszta z nas zapadła się pod ziemię i żebyśmy mu nie przeszkadzali. Teraz nie potrafiłam jeszcze wymyślić jak, ale musiałam znaleźć sposób na to, by rzucić Jade na pożarcie Ginger.

– Koniec pogaduchy – stwierdziła Ginger. – Przeczytajcie rozdziały 2, 3 i 4 i napiszcie mi streszczenie na cztery strony.

– Zatrzymała się na chwilę przy drzwiach, jakby czekała, aż zaoponuję. Kiedy nikt nie zaprotestował, znikła za rogiem.

Opuściłam głowę i dotknęłam czołem chłodnej powierzchni stołu. Nie zwracałam uwagi na otwartą książkę. Tata kłamał. Tego byłam pewna, ale nieustępliwy głos w mojej głowie wciąż szeptał, żebym zastanowiła się nad wszystkimi rozwiązaniami, na wszelki wypadek. Niestety rozwiązania były bardzo ograniczone. Prawdę mówiąc, wymyśliłam tylko trzy. Przyjęcie oferty Taty – to było wykluczone. Nawet, gdyby przypadkiem mówił prawdę, nie miałabym ochoty przyjąć jego propozycji. Nie wiedziałam nawet o połowie rzeczy, którą Denazen zrobił Kale'owi przez te wszystkie lata, ale to, co mi opowiedział, w połączeniu ze wszystkim, co widziałam osobiście, wystarczyłoby, żebym się zastanowiła, czy nie lepiej sobie wykopać grób, zamiast oddawać się w ich ręce.

Mogłam powiedzieć Kale'owi, tak, jak początkowo planowałam. To doprowadziłoby do tego, że mama, Ginger i cała reszta mieszkających w podziemiu się dowie, a poziom stresu w hotelu sięgnie zenitu. Poza tym co Kale by zrobił, gdybym mu powiedziała, że Tata jest w stanie wszystko naprawić? Założę się, dałabym sobie rękę uciąć, że wkroczyłby do Denazen i zaproponował handel wymienny. Oddałby się w ich ręce za lek. Tata kazał mi samej najpierw wrócić, ale coś mi mówiło, że nie odmówiłby, gdyby Kale podsunął mu taką myśl. Prawdę mówiąc, znając Tatę, pewnie na to liczył.

I ostatnia możliwość – ta wyglądała najlepiej – to zostawić rzeczy swojemu biegowi. Już wiedziałam, do jakich łgarstw Tata jest zdolny, żeby dostać to, czego chce – w końcu wystarczy popatrzeć na całe moje życie. Sfabrykowane informacje po to, żeby dorwać kogoś w swoje łapy. Nie wolno mi spuszczać tego z oczu. Jeżeli przypadkiem zrobi się znacznie gorzej, będę musiała się zastanowić, czy komuś nie powiedzieć. A jak na razie krok po kroku, godzina po godzinie.

W głowie słyszałam głuche dudnienie, a pulsowanie w barku zmieniło się w umiarkowany, dźgający ból. Zamknęłam oczy i zrobiłam, co w mojej mocy, żeby się od tego odciąć. Kiedy je otworzyłam po wieczności, żeby znów spojrzeć na moją komórkę, okazało się, że minęło tylko pięć minut. Wszyscy pozostali byli zajęci zabijaniem czasu na swój własny sposób – nikt nie czytał książki, którą zostawiła nam Ginger. Jade wyciągnęła z torebki buteleczkę jaskraworóżowego lakieru do paznokci i poprawiała sobie tipsy. Alex gapił się tępo w sufit i bawił się luźną podeszwą prawego buta.

Kiedy odwróciłam się w kierunku Kale'a, ten patrzył prosto na mnie.

– Coś jest nie tak – powiedział.

Wstrzymałam oddech i uniosłam głowę.

– Wczoraj w nocy nie mogłam spać. Po prostu jestem zmęczona. A poza tym, czytanie o Rewolucji Francuskiej? – Postukałam palcem w książkę leżącą przede mną. – Można zasnąć i już nigdy się nie obudzić.

Po chwili odezwał się znowu:

– W porządku... – Przez jego twarz przemknął uśmiech. – Pójdziesz ze mną na imprezę taneczną na otwarcie nowego domu?

– Zapraszasz mnie na randkę? – Nie byłam pewna, co znaczy impreza na otwarcie nowego domu, ale dostał ode mnie dodatkowe punkty, bo zaprosił mnie w obecności Jade i Alexa.

– A jak to wszystko ma w ogóle funkcjonować? – rzucił Alex. Zamachnął się i długopis poleciał na drugą stronę sali. Odbił się od ściany i spadł na podłogę. – Jeden ruch i on cię zamieni w gorący opar. Nawet ciebie to nie jest w stanie podjarać.

Jade próbowała ukryć uśmiech, ale jej się nie udało.

– Muszę się z godzić z Metalową Twarzą. Nie możecie po prostu ze sobą tańczyć.

– To nie ma znaczenia. – Odwróciłam się do Kale'a. – Oficjalnie to nawet nie jest szkoła. Nie będzie tańców na otwarcie nowego domu. – Później rzuciłam przez ramię do Jade. – Naprawdę? Potrafisz być jeszcze bardziej złośliwa?

– To nie moja wina, że nie dajesz sobie rady z realiami – powiedziała, wstając. – Zrozum to. On jest dla ciebie toksyczny. I przejdź nad tym do porządku.

– Tak. Widzisz, już drugi raz to powiedziałaś – rzuciłam, również wstając. – Jeszcze raz i masz przechlapane.

– I co zrobisz? Skopiujesz moją sukienkę? – prychnęła. – Proszę bardzo. Na mnie i tak będzie lepiej wyglądać.

– Posłuchaj, panienko. Mam nadzieję, że nie chcesz przez to powiedzieć, że potrzebny mi jakiś dar, żeby ci skopać tyłek. Wolę to zrobić w staromodny sposób.

Podparła się pod boki.

– Jestem niezwyciężona – powiedziała z przekąsem. – No proszę, pokaż, co potrafisz.

– Zastanawiam się, czy byłabyś niezwyciężona, gdybym ci wsadziła w tyłek M-80?

Alex, siedzący po drugiej stronie stołu, zakaszlał, żeby pokryć śmiech.

– Proszę cię, Dez – powiedział Kale. – Potrzebuję jej pomocy. Żeby wszystko posklejać.

Spojrzałam na niego. Znów mi zaparło dech. Był tym samym Kale'em, co zawsze. Skupiony i cholernie przystojny. Ale było coś jeszcze. Coś, co widziałam u niego tylko raz.

Strach.

– Niech będzie – rzuciłam, siadając z powrotem na krzesło. – Ale jej nie ufam.

Jade obdarzyła mnie swoim najsłodszym uśmiechem.

– Nie musisz. Wystarczy, że Kale mi ufa.

§

Kiedy Ginger puściła nas po lekcjach – a tego dnia dość wcześnie, bo mało co nie doszło do kolejnego pojedynku na śmierć i życie między Alexem i Kale'em, spowodowanego patrzeniem na mnie – odciągnęłam ją na bok i spytałam o Jade.

– Musisz przez jakiś czas ją znosić. Jej zadaniem jest pomóc Kale'owi.

– Wszyscy tak mówią – prychnęłam. – Ale ja nie widzę żadnego postępu.

Opadła bez sił na krzesło. Poszłam za nią do świetlicy. Ktoś tu posprzątał i wstawił nowy telewizor. Każdego dnia po południu Ginger lubiła oglądać powtórki dziwacznego serialu pod nazwą „Jake i Grubas" albo coś w tym stylu. Nie była zadowolona, że przeze mnie nie może spokojnie obejrzeć telewizji. Jeszcze moment i zacznie machać laską.

– Minęło dopiero kilka dni. – Spojrzała na mnie niechętnie. – Wiem, że to dla ciebie obca koncepcja, ale trochę cierpliwości.

– Dobrze. Powiedz mi tylko, jak ją znalazłaś?

– Znalazłam?

– Tak. Czy na przykład znasz jej rodzinę? Jej rodziców? Czy zgłosiła się na ogłoszenie? Jak ją znalazłaś?

– Polecono mi ją.

Zamrugałam oczami.

– Polecono? Kto ci ją polecił?

– Ktoś, komu ufam. Ktoś, komu ty ufasz. – Pochyliła się na bok, próbując zobaczyć, co jest w telewizji.

– No dobrze. – Założyłam ramiona na piersi i przesunęłam się parę centymetrów w lewo. – Kto?

Zmrużyła oczy.

– Dlaczego w ogóle o tym rozmawiamy? Poważnie, chciałabym wiedzieć, dlaczego pytasz. Wiesz, o co mi chodzi.

– Dlaczego nie przestaniesz owijać w bawełnę i nie powiesz mi wprost? Nie lubię zostawiać jej samej z Kale'em. Nie ufam jej.

Zrezygnowała z telewizji i westchnęła.

– Wiem, że uważasz mnie za okrutną. Ale to nie takie proste. Tak, wiem o różnych rzeczach. Znam odpowiedź na twoje pytanie. Ale tak, jak ci mówiłam wcześniej, od Mirandy dowiedziałam się o Kale'em...

– Znów to? Proszę cię bardzo! Uczysz się na jej błędach? Ta dziewczyna jest sto lat za Murzynami. Jej jedynym błędem było to, że zaufała niewłaściwemu facetowi. Uwierz mi, to całkiem normalne. – Wskazałam na drzwi. – Zdarza się nawet dziewczynom. Doskonały przykład – Jade. Zaufać jej, to zły pomysł. Czuję to, Ginger. Ona nie przyszła tu nam pomagać.

Ginger pokręciła głową.

– Rozumiem, dlaczego w twoich oczach tak to wygląda, ale to nie tak. Jeżeli ktoś wejdzie na czyjąś ścieżkę, wzbudza niepotrzebne fale, które się wszędzie rozchodzą. A ja nie chcę być za to odpowiedzialna. Przypomnij sobie, co się stało, kiedy tak właśnie postąpiła Miranda.

Zgodnie z tym, co mówiła Ginger, Miranda Kale, osoba z grona jej przodków – po niej właśnie Kale odziedziczył imię – była pierwszą wizjonerką. Zaburzyła ścieżkę życiową swojego męża i zapobiegła jego śmierci, co rozpoczęło łańcuch zdarzeń, które doprowadziły do stworzenia Denazen. Podobno. Ginger na bazie tej wiedzy zbudowała zestaw reguł nie do obejścia. Żyła zgodnie z nimi, niezależnie od tego, co by się działo. To właśnie te reguły pozwoliły jej odsunąć się na bok, pozwolić na śmierć własnej córki i dać uwięzić własnego wnuka, który przez pierwszą część swojego życia był traktowany jak zwierzę.

Kiedyś zapytałam Kale'a, czy żywi do niej urazę. Popatrzył na mnie, jakbym oszalała i powiedział, że Ginger robi to, w co wierzy. To prawda, rzeczywiście bezgranicznie w to wierzyła.

Ale to niczego nie wyjaśniało.

– A skąd wiesz, co ma się wydarzyć? Może właśnie miała ocalić mu życie. Może Denazen miało istnieć. A ty codziennie wchodzisz na ścieżki innych ludzi!

Mówiłam coraz głośniej, ale miałam wrażenie, że Ginger tego nie zauważa.

– Wcale nie – odparła spokojnym głosem. – Wszystko dzieje się dokładnie tak, jak powinno.

– Nie zgadzam się – upierałam się. – Przez sam fakt, że trzymasz Szóstki pod swoim dachem, rozkazujesz nam, żebyśmy robili to, czy tamto, zaburzasz nasze ścieżki życiowe.

– Każdemu, kto wchodzi tu, do Sanktuarium było to pisane. Jest to przystanek na jego lub jej własnej ścieżce rozwoju, a stworzenie Sanktuarium było przystankiem na mojej własnej ścieżce. Zostawanie po lekcjach i zadania, które masz do wykonania w związku z tym – to wszystko część twojej własnej życiowej ścieżki.

Opadła mi dłoń na ramieniu, a ja musiałam się ugryźć w język, żeby nie zawołać, że to wszystko bez sensu. Nigdy w życiu nie uwierzę, że czyszczenie kratek wentylacyjnych po lekcjach prostuje moje życiowe ścieżki.

– Kiedy na ciebie patrzę, widzę kluczowe wydarzenia twojego życia – od narodzin do śmierci. Wiem, że ty i pozostali z trudem to pojmujecie, ale jeżeli nie miałabyś się tu znaleźć, odmówiłabym ci gościny. Ja się nie wtrącam. Po prostu pracuję zgodnie z planami, które są mi dane. Zgodnie z rzeczami, które widzę.

Strąciłam jej rękę i odsunęłam się o krok. Miała rację. Ja tego nie rozumiałam. Dla mnie to brzmiało, jak wymyślna wymówka.

– Wybacz mi, Deznee. – Wstała i położyła pomarszczoną dłoń na moim ramieniu. – Wtrącanie się w czyjąś ścieżkę życiową to nie żadna alternatywa. Kluczowe wydarzenia kształtują nas tak, że stajemy się ludźmi, którymi mieliśmy być, bo tak chciało przeznaczenie. Zmiana tych wydarzeń zmienia i osobę.

Bez słowa odwróciła się i wyszła z sali – nie chciała już oglądać tego głupiego programu telewizyjnego.

Reszta popołudnia ciągnęła się boleśnie. Kale'a i Jade zapędzono do innego kąta hotelu, a mnie poinstruowano – dwa razy – żebym ich zostawiła w spokoju. Oczywiście wiedząc, że tam są i że nie wolno mi nawet zajrzeć przez dziurkę od klucza, dostawałam lekkiego świra. Coś było nie tak z tą dziewczyną. Czułam to każdym centymetrem mojego ciała. Wyobrażałam sobie setki scenariuszy – od tego, że go usypia i ciągnie nieprzytomnego do czekającej gdzieś półciężarówki Denazen, aż do scenariusza, w którym zrywa z niego ubranie zębami.

Kiedy zrobiła się dziesiąta, byłam zmęczona, ale zbyt nakręcona, żeby spać. Nie chciało mi się łazić po salach i nie chciałam pić kawy. Przekręciłam się na bok i wyciągnęłam rękę, żeby zobaczyć efekty pospiesznego malowania paznokci sprzed kilku dni. Pomalowałam je na miedziano-złoty kolor, wyglądały idiotycznie na tle mojej bladej skóry. Teraz nadszedł dobry moment, żeby się pozbyć tego koloru.

Jeszcze nie tak dawno myśl, że spędzam piątkowy wieczór sama, malując paznokcie, byłaby nie do wiary. Zawsze była jakaś impreza, jakieś wyjście. A teraz co? Siedzę, jak mysz pod miotłą. Jest spora szansa na to, że się tu uduszę, zanim na scenę wkroczą szaleńcy z Supremacji.

Usiadłam i otworzyłam szufladę stolika nocnego. Była tam zazwyczaj szczotka do włosów, kilka gumek, które ukryłam przed mamą i zmywacz do paznokci – tego ostatniego jednak nie mogłam nigdzie znaleźć.

– Cholera. – Teraz, kiedy się przyjrzałam swoim dłoniom, naprawdę chciałam zmyć ten głupi kolor. Jeżeli będę musiała, to go zedrę. Będą się łuszczyć płatek po płatku.

I wtedy wpadłam na pewien pomysł.

W kącie pokoju leżała niewielka kupka ubrań mamy. Jeśli ktoś myśli, że muzyka country and western jest beznadziejna, niech spróbuje pomieszkać w jednym pokoju z dorosłą bałaganiarą. Ja przynajmniej, kiedy zostawiałam rozrzucone ciuchy, posiadałam wymówkę. W końcu miałam tylko siedemnaście lat.

Na samej górze stosu ubrań leżała jedna z koszulek mamy. W kolorze mchu. Zamknęłam oczy i wyobraziłam sobie tę podkoszulkę, a później skupiłam się na paznokciach. Minęło kilka chwil i otworzyłam oczy. Ohydny, miedziany kolor został teraz zastąpiony – i to idealnie – kolorem zielonego mchu. Obserwowałam lekkie mrowienie u podstawy szyi i zakręciło mi się trochę w głowie, ale oprócz tego nie było żadnego bólu.

Poczułam suchość w ustach. Może w innych okolicznościach uznałabym to za rewelację. Nie tylko udało mi się zamienić jedną rzecz w drugą przez samo patrzenie na nie, ale świadomie zmieniłam część siebie. I to bez bólu! Możliwości się w zasadzie nie kończyły. Ale teraz, kiedy Supremacja wisiała mi nad głową? Mój stan uniesienia długo nie trwał. Kiedy kilka minut później usłyszałam dudnienie w uszach, byłam pewna, że to moje serce. Zawał serca. Wymieniłam oślepiające migreny na problemy z mięśniem sercowym. Zamienił stryjek siekierkę na kijek.

Dopiero po sekundzie zdałam sobie sprawę, że ten dźwięk dobiega od drzwi. Bum. Bum. Bum. Bum. Przeszłam na palcach przez pokój i wyjrzałam przez dziurkę. Po drugiej stronie ujrzałam Kiernan.

– Co jest? – spytałam, otwierając szeroko drzwi.

Kiernan przemknęła koło mnie i rzuciła się na łóżko mamy.

– Co robisz? – rozejrzała się. – Mama jeszcze nie wróciła?

– Cały dzień jej nie widziałam.

Położyła się z nogami na łóżku i odwróciła głowę w prawo.

– No, to co...?

164

– No, to co co?

– Nie odpowiedziałaś. Co tu robisz całkiem sama?

– Odrabiam zadanie domowe.

Kiernan rozłożyła ręce i zmarszczyła brwi.

– A gdzie masz książki?

– Odłożyłam je, kiedy usłyszałam pukanie do drzwi.

Wciąż unosząc brwi, zapytała:

– To co, Pining 101? – Zanim zdołałam coś powiedzieć, już zeskoczyła z łóżka i znalazła się przy mnie z moimi adidasami w ręku. – Masz. Zakładaj i chodź. Pospiesz się. Posłuchałam, podskakując raz na jednej nodze, raz na drugiej, i próbując nie stracić równowagi.

– Dlaczego?

– Bo jesteś za młoda, żeby siedzieć sama w pokoju i rozczulać się nad jakimś facetem.

– Wcale się nie...

– No, dobra. Potrzebujesz, żeby cię ktoś stąd wyrwał. A ja znam kogoś odpowiedniego.

– Ale nie będziemy miały przez to kłopotów, prawda?

Wzięła mnie pod pachę i uśmiechnęła się szelmowsko.

– Jeżeli będziemy miały farta.

13

Kiernan była dziewczyną, która rozumie, co się dzieje w moim sercu. Jej pomysłem na wyrwanie mnie z marazmu okazała się impreza w mieście. Po tym, jak udało jej się skutecznie przeprowadzić mnie przez drzwi, odwracając uwagę Rosie tak, że nie mogła tego zignorować – mówiąc jej, że ktoś jej zepsuł telewizor – ułatwiła mi wyślizgnięcie się na ulicę.

Ostatni dom na Shannon Lane stał opuszczony przez ponad cztery miesiące. Przejęty przez bank i zapomniany, okazał się idealnym miejscem na zorganizowanie imprezy pod hasłem powrotu do szkoły. Farma mleczna z jednej strony i skraj parku Memorial z drugiej znaczyły, że nikt nie wezwie glin. Przynajmniej przez jakiś czas.

Kiedy tam przyszłyśmy, zdziwiłam się, widząc Luke'a, jednego z chłopaków, którzy mieszkali w Sanktuarium, siedzącego na górnym stopniu schodów. Papieros zwisał mu z kącika ust, w ręce miał butelkę piwa. Zjawił się w hotelu latem po tym, jak grupa agentów Denazen zrobiła nalot na jego mieszkanie. Był miłym, cichym facetem i potrafił się porozumiewać ze zwierzętami. Prawdę mówiąc to się przydawało. Piwnice Sanktuarium były teraz wolne od gryzoni, bo Luke skierował myszy gdzie indziej. Na przykład do kafejki sprzedającej hamburgery przecznicę dalej.

– Hej – powiedziałam, wspinając się na stare, wiktoriańskie schody. Drewniane stopnie skrzypiały pod nogami. Dużym krokiem przekroczyłam podejrzanie wyglądającą kałużę z kawałkami czegoś białego tuż przy pierwszym stopniu.

Skinął głową w moim kierunku i pociągnął łyk piwa z butelki.

– Podobno masz nie wychodzić z hotelu po zmroku.

Rozejrzałam się dookoła. Nie rozpoznawałam nikogo z obecnych i spytałam:

– Czy to...

– Impreza Szóstek? Nie. Ginger aż tylu nas nie ma. To wszystko Nixy.

– Przychodzisz tu, zamiast na normalną imprezę? – Swoje powody rozumiałam, ja miałam areszt domowy. Ale Luke? Uwielbiał korzystać ze swojej umiejętności. Słyszałam, że kilka tygodni temu zwołał zwierzynę z miejscowego lasu i zorganizował prowizoryczne zoo, żeby rozbawić kilka Szóstek.

Wzruszył ramionami.

– Niekiedy ciekawie jest zobaczyć, jak się bawi ta druga połowa.

Popatrzył na mnie, a później na Kiernan i mrugnął okiem.

– A więc, gdzie jest twój kompan – nie, żebym się skarżył na obecne towarzystwo...?

Otworzyłam usta, żeby odpowiedzieć, ale nie miałam szansy.

– A, tam jest. – Luke aż gwizdnął. – A kim jest ta laska?

Kiedy się odwróciłam, żeby zobaczyć, o czym mówi, mało nie zwymiotowałam. Ścieżką tanecznym krokiem, ręka w rękę szli Kale i Jade.

– Dez – powiedziała z sacharynowym uśmiechem na twarzy. – A co ty tutaj robisz?

Kiernan, która obiecała sobie, że będzie mi chronić tyły, dźgnęła mnie pod żebro i odsunęła.

– A co ona tu robi? – odwróciła się do Kale'a i dźgnęła go mocno w klatkę piersiową. – Szliście za nami?

Kale zmarszczył brwi, zdezorientowany tonem Kiernan. Już otwierał usta, żeby coś powiedzieć, ale Jade była pierwsza.

– Za wami? Nie wiedziałam, że tu jesteś. I z kim jesteś. Miała rację. Jade nie poznała jeszcze Kiernan. Teraz jednak moment na przedstawienie nie był idealny. Jeżeli by to ode mnie zależało, Jade nie zostałaby długo w mieście. Przepchnęłam się obok Kiernan i stanęłam niebezpiecznie blisko Kale'a. Słowa wyrwały mi się z ust, zanim powiedziałam sobie, że mam się zamknąć. Wiedziałam, że nie zabrzmiały dobrze. Wręcz żałośnie. Nie wiem, dlaczego, ale nie mogłam się powstrzymać.

– Jeśli nie szedłeś tu za mną, dlaczego się tu w ogóle znalazłeś?

Kale znów otworzył usta, ale Jade uprzejmie go uprzedziła. Biedny facet nie mógł wtrącić ani jednego zdania.

– Zadzwonił twój kolega Curd i powiedział nam o imprezie. Pomyślałam sobie, że skoro mam tu pomieszkać jakiś czas, powinnam poznać parę osób.

– Curd zadzwonił do hotelu? – Nie rozmawiałam z Curdem od czasów Sumrun. Kiedy wszystko się zawaliło, pomyślałam, że najlepiej będzie odsunąć się od wszystkich, których znałam, aż zrobi się bezpieczniej. Curd był ranny, kiedy przyprowadziłam Kale'a do jego domu. To nie była jakaś straszna rana, ale jednak. – On nie wie, gdzie się zatrzymałam.

– Tak, jeszcze nie wie. – Sięgnęła do kieszeni i wyjęła telefon komórkowy. – Zostawiłaś to w sali konferencyjnej. Dotknęłam dłonią kieszeni na piersi. Kiedy okazało się, że jest pusta, wyrwałam komórkę z jej ręki.

– Odebrałaś rozmowę do mnie?

Posłała mi niewinny uśmieszek.

– Tylko próbowałam pomóc. Naprawdę. Kiedy powiedziałam Kale'owi o przyjęciu, był na tyle uprzejmy, że postanowił mi towarzyszyć.

– Towarzyszyć ci? – spojrzałam zdumiona na Kale'a. Serce zaczęło mi bić, a ból w barku się nasilił. Powiedziałam sobie, że zanim rzeczy pójdą ku lepszemu, muszą iść ku gorszemu. Wzmożony ból oznaczał tylko, że ramię się goi. Wzięłam głęboki oddech i powiedziałam – Wymknąłeś się z hotelu, żeby przyprowadzić tę lalunię na przyjęcie?

– Czy to coś złego? – był szczerze zdezorientowany. – Ale czemu ty się wymknąłaś? Jade chciała tylko zobaczyć imprezę.

– Tak, Dez – powiedziała Jade śpiewnym głosem. – To ty się wymknęłaś z hotelu. Dlaczego ty mogłaś, a Kale nie? Przecież nie masz prawa go kontrolować. Jest wolnym człowiekiem.

Otworzyłam usta, a później je zamknęłam. Cokolwiek bym powiedziała, dałabym tylko Jade więcej amunicji. Odwróciłam się na pięcie, na sztywnych nogach weszłam po schodach, minęłam Luke'a i Kiernan, i weszłam w głąb domu.

Ktoś trochę poszalał ze świecącymi zabawkami. W środku było bardzo ciemno, dostrzegało się tylko poruszające się i wpadające na siebie postacie, których zarysy było widać dzięki świecącej biżuterii i farbie. Tuż obok wejścia stała niewielka latarenka, a obok niej duże, tekturowe pudło. Na dole zostało jeszcze kilka świecących bransoletek, więc sięgnęłam po nie i weszłam do pokoju.

Na środku ludzie podskakiwali i pobłyskiwali w takt dudniącej muzyki. Ból głowy trochę się wzmógł, ale postanowiłam nie zwracać na to uwagi. To przyjemnie odwracało myśli od gniewu, od którego cała się gotowałam. Z tyłu za parkietem do tańca cały hol był upakowany ciałami owiniętymi w neonówki. Mrużąc oczy w ciemności, zobaczyłam parę całującą się w odległym narożniku holu. Chociaż wokół nich szalała impreza, oni byli skupieni wyłącznie na sobie.

Owładnięta zazdrością odwróciłam się i poszłam w przeciwnym kierunku. Po drugiej stronie pokoju stało duże białe naczynie do schładzania alkoholu, a w rogu stół pełen różowych drinków. Punkt dla mnie.

Wychyliłam pierwszego jednym haustem, później na drugą nogę i ruszyłam na parkiet, trzymając dwa kolejne w obu dłoniach, stanęłam w pewnej odległości od tańczących, żeby poczekać na Kale'a. To niemożliwe, żeby po prostu wyszedł.

Ale właśnie wyszedł.

Dziesięć minut i dwa drinki później ktoś poklepał mnie w ramię. Odwróciłam się, myśląc, że to Kale, ale okazało się, że stoi za mną Curd. W ręku miał jasnoróżowego drinka uniesionego w geście powitania.

– Dez, maleńka! Cieszę się, że dostałaś moją wiadomość. Gdzie cię nosiło? – Objął mnie ramionami. Krople jego drinka kapnęły mi na plecy. Pewnie by mnie to wkurzyło, gdybym nie była tak zadowolona, że go widzę.

– Całe lato spędziłam u ciotki. – Dla wszystkich, którzy uczestniczyli w moim dawnym życiu, mama zmarła przy moim porodzie. Jeżeli bym powiedziała, że całe lato spędziłam z nią, wywołałabym co najmniej zdziwienie. Umówiliśmy się, że jeśli ktoś zapyta, przynajmniej na razie, mama była ciotką Sue.

Przechodziła obok nas jakaś para, każde z nich miało w ręku drinka. Curd odwrócił się i wyrwał drinka z ręki chłopaka.

– Nie patrz tak na mnie. Idziecie na górę. Nie będziesz już go potrzebował. – Odwrócił się do mnie i powiedział – Jakaś laska puściła plotkę, że uczysz się w domu, a nie w szkole. Powiedz, że to nieprawda.

– Niestety tak.

– Cholera, do bani. Wciąż jesteś z tym facetem? Z tym dziwadłem?

Zawahałam się przez sekundę, a później wychyliłam szklankę i podałam mu pustą.

– Curd! Ja tu nic nie mam.

Mrugnął okiem i wyciągnął rękę.

– Zaraz coś na to zaradzimy.

Kiedy Kiernan w końcu mnie znalazła, Curd i ja siedzieliśmy u stóp schodów, słuchając duetu „Pine Man" – lokalnych drwali.

– Szukałam cię – powiedziała, wciskając się między Curda i mnie.

171

– Jesteśmy tu cały czas. – Szturchnęłam Curda w ramię. – Kiernan, to jest Curd. Curd i ja znamy się od wieków.

– Cześć, maleńka – powiedział Curd. Był narąbany. Siedząc na schodach, zdołał zebrać całkiem sporą kolekcję plastikowych kubków. Próbował założyć sobie kubek na głowę jak kapelusz, ale zawsze spadał. – Masz fantastyczny kolor włosów. Ale by było śmiesznie, jeżeli kolor dywanu pasowałby do zasłon? Moglibyśmy pójść na górę i byś mi pokazała.

Kiernan wstała i uniosła oczy ku niebu. Była przyzwyczajona do radzenia sobie z napalonymi facetami. Morgan, Szóstka, chłopak, który krótko przebywał w hotelu latem po tym, kiedy ona już się zjawiła, upierał się, że jest drugą połówką jabłka. To znaczy był, zanim poznał Lisę, Szóstkę, która potrafiła naśladować głosy innych ludzi.

– Albo ja mogłabym wziąć Dez i wyjść. – Chwyciła mnie za ręce i mocno pociągnęła. Na początku niepewnie, ale udało mi się jakoś wstać na równe nogi, chociaż trochę mi się kręciło w głowie.

Poruszył brwiami i jeszcze raz spróbował założyć sobie kubek na głowie.

– Pokażemy jej?

Kiernan mrugnęła okiem i mocno objęła mnie ramieniem za plecy.

– Oczywiście.

– Chyba się zakochałem! – oznajmił głośno Curd, waląc pięścią w klatkę piersiową tuż nad sercem.

Chwyciła mnie za ramiona i popchnęła po schodach, a później obrzuciła Curda ostatnim niechętnym spojrzeniem.

– Jezu, Dez. Ile ty wypiłaś?

Szłam trochę chwiejnie, nie udało mi się znaleźć stopą górnego stopnia i o mało nie wywaliłam się na plecy. Kiernan złapała mnie na czas.

– Nie tak dużo, ale dzisiaj wieczorem nic nie jadłam.

Otworzyła pchnięciem ramienia pierwsze drzwi, do których doszłyśmy i wepchnęła mnie do środka. Było jeszcze wcześnie, nikt tego pokoju nie zajął. Za kilka godzin wszyscy będą tu się ciupciać jak króliki, mimo smrodu stęchlizny i gęstych pajęczyn zbierających się po kątach.

– Ale dlaczego?

Z dołu dobiegły stłumione uderzenia w rytm nowej piosenki, ktoś na dole wrzasnął.

– Zapomniałam?

– Zapomniałaś? Dziewczyno, ty masz jakąś obsesję.

– To co mam zrobić? – oparłam się o drzwi i zsunęłam na zakurzoną drewnianą podłogę. W pokoju zostało jeszcze kilka mebli – połamana toaletka, stary materac. Było ciemno, ale wyglądał na poplamiony, z boku wystawały sprężyny.

– Z czym? – spytała Kiernan. – Z Jade? Czy z Kale'em?

Dmuchnęłam na włosy opadające mi na czoło. Włosy, które wyrosły tego lata, były w irytującym stanie między długimi i krótkimi. Zbyt długie, żeby je tak zostawić i zbyt krótkie, żeby coś z nimi zrobić.

– Widziałaś ich? Czy już wpycha mu język do gardła? Czy spróbowała go oddać do Denazen?

Kiernan westchnęła.

– Oczywiście, że nie. Zabawia się w motylka. Fruwa z kwiatka na kwiatek, a najgorsze jest to, że ciągnie za sobą Kale'a jak kawał mięsa.

173

– Ale to jest mój kawał mięsa! – zawyłam, kiedy coś głośno trzasnęło na dole.

Kiernan uniosła brwi w górę.

– Wiesz, co mam na myśli.

– Uspokój się, Dez. On absolutnie w to nie wchodzi. Jeżeli miałabyś się poczuć lepiej, to powiem ci, że ruszył za tobą, kiedy wyskoczyłaś, jak opętana, ale ona mu nie pozwoliła.

– Nie pozwoliła mu?

– Sprzedała mu coś w stylu, że to właściwa procedura, która pozwoli dziewczynie wyładować się emocjonalnie, a on to kupił.

Właściwa procedura? No, tak. Ona rzeczywiście jest bardzo dobra. Wykorzystuje niewiedzę Kale'a przeciwko niemu i przeciwko mnie!

– Nienawidzę jej. – Walenie w głowie potężniało, a chwilę później wzmógł się pulsujący ból w barku. Podjęłam decyzję. – I muszę ci się do czegoś przyznać.

– Ale przyrzeknij mi, że to coś soczystego i nie chodzi o tę żywą fabrykę kapeluszy z kubków, którą spotkałam na dole.

Rozprostowałam palce lewej dłoni. Poczułam ostre igiełki bólu.

– Curd? Nie, nie o niego chodzi. To ma związek z moim tatą i Denazen.

Zobaczyłam kątem oka, że bacznie mi się przygląda. Tak. Zwróciłam jej uwagę. Dostrzegłam w jej wzroku rozczarowanie i strach. – Naprawdę. Kiedy szło o Denazen, Kiernan wykazywała oznaki lekkiej traumy.

Już otwierałam usta, żeby kontynuować, kiedy coś walnęło o drzwi. Kiernan i ja wyskoczyłyśmy z pół metra w powietrze, a sekundę później jakiś facet z blond kozią bródką

174

i nażelowanymi w szpic czarnymi włosami wsunął głowę przez drzwi.

– Krówki! – wrzasnął z całych sił, a później trzasnął drzwiami tuż przed swoją twarzą i ruszył biegiem przez korytarz. Musiał otworzyć kolejne drzwi, bo znów usłyszałam ten jego wrzask.

Westchnęłam ciężko.

– Widziałam się z nim dzisiaj. Z moim ojcem.

Zrobiła wielkie oczy.

– Poważnie? Gdzie? Kiedy? I nikomu nie mówiłaś?

Pokręciłam głową. Zaczęło mi się już przejaśniać i przez sekundę zastanawiałam się, czy nie sięgnąć po jeszcze jednego różowego drinka. Im jaśniej myślałam, tym bardziej bolał mnie bark.

– Pokazał się na poczcie. I nie. Nikomu nie mówiłam. Nie mogłam, bałam się, bo...

Ufałam Kiernan i zaczęłam tę rozmowę z myślą o tym, że opowiem jej o moim barku, ale zaczęłam mieć wątpliwości. Nie chciałam, żeby to rozpowiedziała niewłaściwym ludziom – to znaczy komukolwiek – w dobrej wierze, bo będzie chciała mi pomóc. W końcu stchórzyłam i postanowiłam jej opowiedzieć o czymś mniej niszczącym. O Supremacji.

– Dzieciaki z Supremacji... No wiesz, niedobrze z nimi.

– Nie mogłam tego wypowiedzieć. Nie mogłam jej powiedzieć, że padały jak muchy. Albo dokładniej – padają, bo zabija się je jak muchy. – Tata mówił, że znalazł lekarstwo i da mi je... Jeżeli się poddam i wrócę do nich.

– Żartujesz chyba? – powiedziała, kiedy ktoś na dole wrzasnął opętańczo. Chwilę później usłyszałyśmy chór szaleńczego śmiechu. W następnej sekundzie dziewczyna – jej głos skądś znałam – wrzasnęła na nich, żeby podkręcić muzykę.

Zaczęła się nowa piosenka, a ja poczułam gorycz. To była jedna z moich ulubionych piosenek, zawsze chętnie do niej tańczyłam. Zamiast tego byłam tu, w ciemności. Ukrywałam się. Doskonały przykład tego, jak moje życie zmieniło się w ciągu ostatnich paru miesięcy.

– Chciałabym.

Namyślała się nad czymś przez minutę, a później pokręciła głową. Z jej warkocza wyplątały się kosmyki purpurowych włosów.

– To niemożliwe.

– Co takiego?

– On z tobą pogrywa.

Może jeszcze nie całkiem straciłam rozum.

– Co to znaczy, że ze mną pogrywa?

– A skąd wiesz, że jest jakiś lek? Skąd wiesz, że umierają? I Dez, jeżeli dałby ci to lekarstwo, żyłabyś, prawda? Dlaczego miałby cię puścić wolno? Czy celem Supremacji nie było stworzenie jakichś superżołnierzy, czy czegoś w tym stylu?

Miała rację. Nawet kilkoro z nich.

– Nie wiem, czy naprawdę istnieje jakiś lek, ale sądzę, że umierają. W telewizji pokazywali tę dziewczynę. Laine Phillips.

– Ta dziewczyna w Morristown, którą znaleźli martwą w sypialni, tak?

– Jestem prawie pewna, że była z Supremacji. Tata powiedział, że ją „przenieśli na emeryturę".

– „Powiedział"? Zrzucę to na karb alkoholu, bo taka tępa chyba nie jesteś.

Jak gdyby na sygnał ktoś na dole wrzasnął:

– Więcej piwa!

– Co takiego?

Uderzyła mnie lekko pięścią w bark – na szczęście w prawy.

– Tylko pomyśl. Oczywiście, że to powiedział. Zaczęłaś się nad wszystkim zastanawiać, prawda? Zmartwiłaś się, prawda? Jego misja się powiodła. Bierze na siebie dzieło jakiegoś zbrodniarza, żeby cię nastraszyć i żebyś potem robiła to, czego chce. Klasyczny ruch faceta o złym sercu.

Otworzyłam usta, a później je zamknęłam. Ani przez sekundę nie wierzyłam, że to taktyka zastraszania. Nazwisko tej dziewczyny dostałam najpierw od Brandta, a intuicja podpowiadała mi, że on ma rację.

– Może – powiedziałam, nie chcąc informować jej o reszcie tej historii. O Brandtcie się po prostu nie rozmawiało. Tak było dla niego bezpieczniej. Dla świata był martwy i pochowany pod ziemią, a gdyby miał coś na ten temat do powiedzenia, wolałby, żeby tak zostało.

– A ta hippiska? Sprawdzałaś ją?

– Kto taki?

– Ta dziewczyna. Daun. Ta, która uratowała Kale'a. Może ona mogłaby ci pomóc.

Jasna cholera. Daun. Nie zastanawiałam się, czy do niej pójść. Pewnie nie będzie nic potrafiła wskórać w sprawie Supremacji, ale na pewno coś poradzi na truciznę Able'a! Choć wciąż nie wierzyłam, że jest śmiertelna, była bardzo bolesna.

– Jesteś geniuszem – powiedziałam i objęłam ją mocno ramionami.

– I mam fantastyczne włosy.

Skinęłam głową, patrząc na jej długi, purpurowy warkocz.

– Kale'owi ten kolor by się bardzo podobał. Ja myślałam o pasemkach.

Kiernan nic nie powiedziała. Zamiast tego odepchnęła się ode mnie i zrobiła wielkie oczy.

– Co jest? – spojrzałam za siebie w obawie, że już nie jesteśmy same. W holu odezwały się czyjeś kroki, słyszałam stłumiony, dziewczęcy chichot, ale w pokoju byłyśmy same. – Co jest?

Podskakiwała w górę i w dół, jak dwuletnia dziewczynka, która dostała pudełko cukrowych ciasteczek.

– Jezu, Jezu! Ale fajne! Czemu mi nic o tym nie mówiłaś? Czemu nie powiedziałaś, że to potrafisz?

– Co potrafię?

Chwyciła mnie za ramiona i przekręciła tak, że stanęłam przed zakurzonym lustrem wiszącym na ścianie.

– Że to potrafisz! – Ktoś zastukał do drzwi. – Zajęte! – wrzasnęła Kiernan, nie spuszczając ze mnie oczu.

Przez kurz w przyćmionym świetle zobaczyłam swoje odbicie. Coś było nie tak. Podeszłam bliżej i zorientowałam się, że moje włosy, wcześniej w mało interesującym, brązowokrowim wcieleniu, były teraz całe w pasemka świetlistej purpury.

– Hm...

– To niesamowite. Pomyśl tylko, ile kasy zaoszczędzisz na farbie do włosów!

Kiernan wciąż się podniecała, a ja poczułam w żołądku bryłę lodu. Przypomniałam sobie słowa Taty. „Najpierw ich dar stawał się mocniejszy. Przez kilka miesięcy, zanim stwierdzono, że są zupełnie irracjonalni, wszyscy wykazywali oznaki postępu. Później, kiedy zbliżały się ich osiemnaste urodziny, robili się niestabilni." Przypomniałam sobie lakier do włosów, który zmienił kolor na zielonkawy. Udało mi się go zmienić bez dotykania, ale wtedy *próbowałam*. Tym razem to się stało całkowicie bezwiednie, ani nie ruszyłam głową, ani ni napięłam mięśni – było to dokładnie, jak u Vince Winsteda. Przestraszyłam się nie na żarty.

– Pomyśl tylko o możliwościach zmiany garderoby – mówiła dalej Kiernan. – Już nigdy nie będziesz musiała wydawać kasy na ciuchy. Wchodzisz do sklepu, sprawdzasz, co mają i BUM. Natychmiastowa zmiana garderoby. Ojej! A katalogi! Możesz sobie kupić wszystkie magazyny mody i będziesz pierwszą damą Parkview – Pociągnęła za skraj swojej koszuli. – A spróbuj z tym.

– Spróbować...

Podniosła oczy do góry i westchnęła przesadnie głośno.

– Z moją koszulką. Spróbuj zamienić twoją koszulkę w moją.

Przypomniałam sobie przez chwilę Denazen. To narzędzie, które Rick kazał mi zamienić. Mięsiste, pokryte potem palce na mojej skórze i jego głodne oczy, które zjadały mnie żywcem.

Kilka głębokich oddechów. Wdech i wydech. I było po wszystkim.

Zamknęłam oczy i skupiłam się.

Nie musiałam ich otwierać, żeby widzieć, że to zadziałało. I to nie dlatego, że coś poczułam, ani nie to, że mój obecnie goły brzuch owiała chłodna bryza. To Kiernan. Kiernan była znacznie bardziej podjarana niż ja.

– O, Jezu, Maryjko!

– Chyba masz rację – powiedziałam, próbując nie dać po sobie poznać, że jest mi niedobrze.

– To może mieć epicki wpływ na moją garderobę.

Nagle usłyszałyśmy głośny huk. Kilka sekund później ktoś wrzasnął. Wrzask był dramatyczny i przeciągły, ale kiedy rozbrzmiały syreny policyjne, wiedziałam już, skąd się wziął.

– Cholera! – Wstałam. Już nie czułam zawrotów głowy, spowodowanych różowym płynem i podbiegłam do okna. Przed dom podjeżdżały cztery wozy patrolowe policji. – Nie jest dobrze.

Kiernan otworzyła drzwi na oścież i zamarła, później wepchnęła mnie do środka, kiedy próbowałam wyjrzeć na korytarz.

– Nie jest dobrze! Gliny już są w środku. – Zatrzasnęła drzwi dramatycznym gestem. – Musimy spadać.

Zrobiła taki ruch, jakby chciała mnie chwycić za ramię, ale cofnęłam się o krok.

– Na pewno nie. Gdzieś tu jest Kale! Nie wyjdę bez niego.

Warknęła i pokazała gestem okno po drugiej stronie pokoju. – Wyjdź tamtędy. Zobaczę, czy mi się uda znaleźć Kale'a

I zanim zdołałam zaprotestować, Kiernan zniknęła. Sekundę później drzwi znów się otworzyły i zamknęły. Była niemal tak impulsywna, jak ja. Powinnyśmy były skorzystać z jej umiejętności i wyślizgnąć się policji, wychodząc frontowymi drzwiami, ale to by oznaczało, że musimy się zatrzymać i na chwilę zastanowić. Byłyśmy ulepione z tej samej gliny. Najpierw działaj, a później myśl. Udało mi się zeskoczyć na markizę tuż pod oknem. Na trawniku przed domem zobaczyłam tłumek gości wychodzących na zewnątrz, a wyjące syreny zagłuszały ich paniczne okrzyki. Gliniarze skuli kilkoro przy samochodach. Próbowali wyłapywać uciekinierów, którzy wymykali się z imprezy. Kiedy zrobiło się trochę bezpieczniej, opuściłam się na ziemię. Nie doceniłam jednak wysokości. Nogi się pode mną ugięły, kiedy wylądowałam na mokrej od rosy trawie. Wywróciłam się prosto na bark i zobaczyłam gwiazdy w oczach. Nie czas jednak o tym myśleć. Otrząsnęłam się z bólu, zaklęłam i już miałam wstać i lecieć w kierunku lasu, kiedy zobaczyłam parę znoszonych czarnych buciorów.

– Chyba jeszcze nie wychodzisz, prawda? Impreza się dopiero rozkręca.

14

– Co za niespodzianka. – Wstałam i otrzepałam dżinsy. Gliniarze byli zajęci przed frontem domu i nie zwracali na nas uwagi. – Akurat wyszedłeś sobie na spacerek?

Able uśmiechnął się szeroko.

– Tak trudno ci uwierzyć, że przyszedłem się z tobą zobaczyć?

To rzeczywiście było niewiarygodne. Powinnam była wiedzieć, że te bzdury, które Tata opowiadał o tym, że mam jakiś wybór to stek kłamstw.

Able zrobił krok w moim kierunku.

– A dlatego, że ja tu jestem i ty tu jesteś, może byśmy gdzieś poszli? To znaczy razem, co ty na to?

Sięgnął w moim kierunku w tym samym momencie, kiedy Curd wypadł z domu, wyłonił się zza rogu, a za nim bardzo nieubrana Vicky Donor. Wszystko na niej podskakiwało, jak galaretka, piersi niemal wypadły jej ze stanika w czarno-białe paski, wywracała jak pionki wszystkich, którzy mieli nieszczęście stanąć jej na drodze. Rozumiałam, dlaczego się tak spieszy. Po ostatniej imprezie ojciec zagroził, że odda ją do zakonu, jeśli jeszcze raz ją złapią.

Able był skupiony na mnie, więc nie widział nikogo, kto wybiega zza rogu. Zrobiłam mały krok w bok, żeby uniknąć kolizji. Vicky, zdeterminowana, żeby nie dać się złapać glinom, przywaliła w niego od tyłu. Niespodziewany atak wytrącił Able'a z równowagi tak, że aż zatoczył się na bok. Przeprosiła go w biegu, a Able zaklął, ale ja nie czekałam, jak to się skończy. Pobiegłam sprintem, okrążając róg domu, aż na sam front. Na trawnik nie mogłam uciekać, bo tam wciąż stały wozy patrolowe. Podwórko z tyłu było terenem zakazanym. Nie mogłam uciekać do lasu, bo Able stał mi na drodze. Jedyny wybór, jaki miałam to dom.

Kilku imprezowiczów wciąż jeszcze próbowało się wymknąć z sieci. Wychodzili, jeden za drugim, niektórzy przez drzwi frontowe, niektórzy próbowali się wymknąć na tyły domu. Na szczęście gliniarze byli tak zajęci obławą, że nie widzieli, jak wchodzę z powrotem do środka. Wyciągnęłam komórkę i skierowałam świecący ekran w kierunku ziemi tak, żebym widziała, dokąd idę. Muzyka ze sprzętu stereo wciąż wyła na pełny regulator, rozpoznawałam pierwsze takty tej piosenki.

Beczkę w narożniku ktoś wywrócił, małe krople złotego płynu formowały coraz większą kałużę. Składany stół, na którym przedtem stały drinki też był na podłodze, w kierunku środka pokoju rozlewała się kałuża w kolorze różowym. Wszędzie leżały bransoletki i świecąca biżuteria, pokój wyglądał jak mały neonowy cmentarz.

Zawahałam się na schodach, nasłuchując. Wszędzie panowała cisza. Miałam wrażenie, że wszyscy już wyszli. Świecąc sobie komórką na korytarzu, doszłam jakoś do kuchni. Z zewnątrz wciąż dochodziły odgłosy. Przyciszone słowa i zatrzaskujące się drzwi do samochodów.

Policja w Parkview wypełniała swoją misję. Kilka tygodni temu w miejscowej gazecie ukazał się artykuł na temat imprez młodzieżowych z komentarzem, że policja Parkview nie robi wystarczająco dużo – to znaczy nic – żeby temu zjawisku zapobiec. Teraz gliny chciały udowodnić całemu światu, że jest inaczej. Słyszałam, że ścigają ludzi przez lasy aż do następnego miasta. Nie miałam zamiaru badać tej teorii. Odsunęłam stare firanki na bok, żeby sprawdzić, co się dzieje na podwórku za domem. Jeżeli na tym froncie byłoby spokojnie, mogłabym uciec na tyły, znaleźć Kale'a i Kiernan. Niestety było inaczej. Za cienkim materiałem firanki i za szkłem po drugiej stronie ukazał się Able szczerząc się, jak kot, który właśnie zżarł całe stado ptaszków. Mało co się nie przewróciłam cofając się, zdziwiona.

Zaczęłam nerwowo zamykać zamek, ale on był szybszy. Zaatakował drzwi ramieniem i wszedł do środka.

– Myślałaś, że mnie zgubisz, co?

Najpierw chciałam uciekać, ale to się na nic nie zdało. Potknęłam się o składane metalowe krzesło i upadłam na podłogę. Przywaliłam tak mocno, że straciłam oddech. Uderzyłam łokciem lewej ręki o parkiet. W szyi i ramieniu poczułam przeszywający ból.

Able już mnie miał, a nie mogłam uciekać. Czas na plan B. Niepewnie wstałam z podłogi, wzięłam do ręki składane krzesło i cofnęłam się o parę kroków. Nie miałam zamiaru niczego mu ułatwiać.

Zaśmiał się.

– Chcesz mnie uderzyć składanym krzesełkiem? – Zatrzymał się w miejscu i rozprostował szeroko ramiona. – No, to wal. Dam ci fory. Jedno uderzenie masz za darmo.

184

Nie musiał mi dwa razy powtarzać. Zacisnęłam palce na nodze krzesła i zamachnęłam się w kierunku jego skroni tak mocno, jak potrafiłam. W ostatniej sekundzie w wyobraźni skrzyżowałam palce i wyobraziłam sobie jedno z tych ciężkich, metalowych krzeseł w poczekalni w Sanktuarium. Czereśniowe drewno, jedwabne poduszki w głębokiej czerwieni i ornamentowane oparcie. Bezguście, ale bardzo ciężkie. Nagła zmiana ciężaru niemal wytrąciła mnie z równowagi, ale przedtem krzesło przywaliło w głowę Able'a z zadowalającym trzaskiem. Razem z ciężkim meblem zwalił się na ziemię, a ja ruszyłam pędem w kierunku drzwi.

Dotarłam do schodów i już miałam się wymknąć tylnymi drzwiami, ale z jadalni wyszedł Aubrey i stanął mi na drodze. Pozostawała jedyna droga ucieczki. Do góry. Zmieniłam kierunek, przebiegłam ślizgając się po podłodze, na której były rozlane drinki, wbiegałam po dwa schody naraz. Kiedy byłam już na górze, usłyszałam wrzask Able'a. Poczucie humoru długo mu nie wróci.

Prawdę mówiąc, powrót do domu nie był z mojej strony popisem intelektu. Sama się zapędziłam w kozi róg.

– Hej! – usłyszałam teatralny szept, dochodzący z jednego z pokojów.

Znałam ten głos. Był jak darcie paznokciami o tablicę.

Jade stała przy rozsuwanych szklanych drzwiach prowadzących na niewielki balkon na pierwszym piętrze. Wewnątrz było tylko na tyle światła księżyca, przedzierającego się przez brudne szkło, żeby zobaczyć jej poirytowany wyraz twarzy.

– A co ty tu jeszcze robisz?

– Rozejrzałam się szybko po korytarzu. Wciąż nikogo. Pewnie się przegrupowują, albo coś, w przeciwnym razie już by tu byli. – Ale, co ważniejsze, gdzie do cholery jest Kale?

– Rozdzielił nas tłum.

Nie mogłam wyjść ze zdziwienia. – Rozdzielił was tłum? Czy ty oszalałaś? Czy wiesz, ile szkód może przypadkiem narobić w tym chaosie, jeżeli cię przy nim nie będzie?

Wzniosła oczy ku niebu.

– Wyluzuj. Kiedy usłyszeliśmy syreny, powiedziałam mu, że jeżeli się rozdzielimy, wrócimy oboje na własną rękę do hotelu.

– I on się na to zgodził? – Ulżyło mi, ale byłam trochę poirytowana, że sobie poszedł, nie sprawdzając, czy jestem bezpieczna.

Jade czytała z mojej twarzy, jak z otwartej książki, jej usta wygięły się w okrutny uśmieszek.

– Oczywiście, trzeba tylko wiedzieć, jak go poprosić. – Zbliżyła się do mnie. – A ty nie byłaś w innej koszuli? I co się stało z twoimi włosami?

– Mniejsza o to. Dlaczego się tu ukrywasz? Gliny mogą w każdej chwili wejść i cię zgarnąć.

Gestem głowy wskazała szklane drzwi.

– Byłam w łazience, kiedy weszli. Wbiegłam tutaj, żeby się schować i chciałam zejść na dół, ale utknęłam.

Odepchnęłam ją i sięgnęłam do klamki. Nacisnęłam. Rzeczywiście, utknęła.

– Tu, na górze, dobra? – Z dołu usłyszałyśmy głos Able'a.

– Musi być w którymś z pokojów. Daleko nie uciekła.

Podeszłam na paluszkach do drzwi i wyjrzałam na zewnątrz. Aubrey i Able posuwali się wzdłuż korytarza, zaglądając po drodze do wszystkich pokojów. Między nimi a nami były jeszcze dwa. Nie miałam specjalnego wyboru.

– Bardzo bym chciała zostać, ale niestety nie mogę. Przykro mi.

Jade zmarszczyła nos i założyła ramiona na piersi.

– Przykro ci? Ale dla...

Ruszyłam na nią biegiem z taką prędkością, jaką potrafiłam uzyskać na tym krótkim dystansie. Chwyciłam ją za ramiona i popchnęłam nas obie w kierunku rozsuwanych, szklanych drzwi. Rozbiły się na tysiące maleńkich błyszczących kawałków, niektóre dotykały mojej szyi i policzków, ale przed większością się osłoniłam dzięki mojej ludzkiej tarczy.

Czy mogłyśmy znaleźć inną drogę odwrotu? Być może. Przynajmniej mogłabym próbować kopnąć w szklane drzwi i wyłamać zamek, zamiast rzucać w ich kierunku Jade jak piłką, ale nie odczuwałabym aż takiej satysfakcji. Nie byłoby aż tak fajnie.

Według mojego planu miałyśmy wylądować na małym patio, a potem zejść na trawę, ale nie doceniłam rozmiarów balkonu. Był znacznie mniejszy, niż na to wyglądał ze środka.

I znacznie mniej stabilny.

Przywaliłyśmy z całej siły w poręcz, a później ją złamałyśmy. Jade wrzasnęła, kiedy przelatywałyśmy nad krawędzią i runęłyśmy na ziemię. Długo nie spadałyśmy, może ze trzy metry, ale mogło się to dla mnie źle skończyć, jeśli Jade nie byłaby tak uprzejma, żeby zamortyzować upadek swoim ciałem.

– Ty suko – syknęła i zepchnęła mnie z siebie.

Przetoczyłam się na bok, łapiąc powietrze. Uderzenie wypchnęło mi powietrze z płuc, dostało mi się w dobre ramię. Przez chwilę byłam pewna, że jest złamane. Nie miałam czucia w palcach, a ostry ból od szyi do łokcia przyprawił mnie o atak paniki. Połamane kości na nic by się teraz nie przydały. Ból jednak zaczął się cofać i zobaczyłam, że mogę ruszać palcami. Wiedziałam, że wszystko jest w porządku. Spojrzałam w górę na okno i zobaczyłam ciemne cienie. Bliźniacy. Za chwilę zbiegną po schodach i znajdą się za domem. Muszę wstać. Wstać i zwiewać. Niepewnie postawiłam się do pionu, zachwiało mnie, kiedy odzyskiwałam równowagę.

– Cholera, co jest z tobą? – pisnęła Jade. Stała już na równych nogach i była oczywiście w lepszej formie niż ja.

– O co jej chodziło? Przecież nic jej się nie stało.

Niestety.

Bliźniacy wyszli zza rogu domu prosto w światło księżyca i nasze oczy się spotkały. Aubrey uśmiechnął się do mnie złośliwie, kiedy ruszyli w naszym kierunku.

– Szlag trafi! – zaklęłam, odwracając się w przeciwną stronę.

– Nie ruszać się! – ktoś wrzasnął. Z naszej lewej dwóch policjantów obchodziło dom z drugiej strony. Kiedy spojrzałam przez ramię, Bliźniacy wycofywali się w kierunku linii lasu. W ciągu paru sekund wtopili się w ciemność, ale wiedziałam, że wciąż tam są. Przyglądają mi się i czekają na swoją szansę.

Toksyczne Bliźniaki, albo sympatyczna przejażdżka policyjnym wozem patrolowym. Nie miałam wyboru.

– Tutaj, panowie! – krzyknęłam, machając rękami. Wskazałam ruchem głowy na Jade i zawołałam: – Ona jest małoletnia! I pijana!

Kiedy prowadzili nas do samochodów, z ciemności wyłonił się Able. Krwawił na skroni tam, gdzie walnęłam go krzesłem i był potwornie wściekły. Coś mówił, poruszał ustami i nawet w ciemności, w świetle księżyca, zorientowałam się, co chce powiedzieć.

– *To jeszcze nie koniec.*

15

– Cholera, to nie do wiary. Wyrzucasz mnie przez okno, a później oddajesz w ręce policji? Nie uważasz, że ta histeria zazdrości posunęła się już trochę za daleko? Podwinęłam nogi pod siebie, zmarszczyłam twarz i oparłam głowę o ścianę samochodu. Pulsujący ból w lewym barku wzmógł się dwukrotnie od momentu naszego lotu nad światem, swędzenie doprowadzało mnie do szaleństwa. Musiałam usiąść na dłoniach, żeby się nie drapać. I jeszcze głos Jade. Każde jej słowo było jak nóż, który płatał mi głowę na dwoje. Próbowałam nie zwracać na nią uwagi, ale była niestrudzona.

– To było samolubne. Policjanci uprzejmie zapewnili nam eskortę z przyjęcia, zapraszając na tylną kanapę wozu patrolowego. Jeszcze bardziej wzmocnili swoją gościnność, bo zaproponowali nam specjalne miejsce, w którym czekałyśmy, aż zadzwonią po mamę i Ginger. Cuchnęło tam, jak gdyby ktoś się zrzygał miesiąc temu, za jedyną dekorację służyły śliczne metalowe kraty, na podłodze było kilka podejrzanie wyglądających plam.

Zamknęłam oczy i przygryzłam mocno język. – Czego ty tak do cholery jęczysz?

– Zamiast się upewnić, że Kale'owi nic nie jest, ty próbujesz nas zabić. A kiedy to się nie udaje, załatwiasz mi areszt za to, że się pokazałam na imprezie.

– Jesteś niezwyciężona, przecież sama mówiłaś. Nie mogę cię zabić, choćbym nie wiem jak się starała.

Otworzyłam oczy i prychnęłam.

– A to, co się stało, nie miało nic wspólnego z małością ducha, ani z zemstą. Prawdę mówiąc, wyrządziłam ci przysługę.

Nie mogła uwierzyć własnym uszom.

– Przysługę? Ty jesteś niespełna rozumu. Kto normalny wyrzuca ludzi przez okno? Albo próbuje i pomaga w aresztowaniu? Jesteś poważnie uszkodzona! Nie wiem, co on w tobie widzi.

Wstałam i wzięłam głęboki oddech. Byłyśmy w celi. Same. Nie było tu nikogo, kto by mnie powstrzymał od skopania dupy tej laluni. Być może nie potrafiłabym jej zrobić poważnej krzywdy, ale podjęcie próby sprawiłoby mi wielką radość.

– Instynkt przeżycia. Jeszcze chwila i miałybyśmy nalot.

– Co takiego? Przecież gliny już tam były.

– Gliny? Nie. Mam na myśli Denazen. Kiedy byłaś zajęta gadaniem o Kale'u, szła na nas grupa przydupasów Denazen. Co, nie miałaś pojęcia?

Podniosła twarz ku niebu i odwróciła się ode mnie.

Zrobiłam krok naprzód.

– A skąd by wiedzieli, jak się tam dostać? Przychodzi ci coś do głowy?

Odwróciła się zesztywniała, poczerwieniała, żeby spojrzeć na mnie jeszcze bardziej niechętnie. Przez chwilę myślałam, że się na mnie zamachnie. Albo będzie próbowała.

– Co to miało znaczyć?

– To znaczy, że ty zjawiasz się na imprezie, a zaraz po tobie zjawia się Denazen? Nie sądzisz, że to dziwne? Zwłaszcza po tym numerze na poczcie?

Zrobiła wielkie oczy i popatrzyła na mnie z udawanym zdziwieniem.

– Po numerze na poczcie? To z ciebie dopiero jest numer, wiesz?

– Nie udawaj niewiniątka. Wiem o tobie wszystko. I przestań! Wyciągasz Kale'a z hotelu na imprezę, na którą robi nalot Denazen? Jak to ma wyglądać?

– A może chciałam wyjść z facetem, który mi się podoba?

– Z facetem, który ci się podoba? – Szczęka mi opadła. Muszę jej oddać sprawiedliwość. Żeby to powiedzieć, trzeba mieć jaja. Albo być głupią idiotką. – Z facetem, który powiedział jasno, że już ma dziewczynę? O tym facecie mówisz?

Jej irytacja zamieniła się teraz w wyraz złośliwej satysfakcji.

– Może nie zauważyłaś, ale Kale lubi spędzać ze mną czas. I może twój status jego dziewczyny nie jest tak mocny, jak ci się wydaje.

– Kale jest zmuszany do tego, żeby spędzać z tobą czas. A to różnica.

Założyła ramiona na piersi i usiadła. Odrzuciła włosy z czoła i powiedziała:

– Wcześniej miałam wrażenie, że ktoś go do czegoś zmusza. Ginger dała mu wybór – rób coś innego albo pobądź ze mną i ćwicz. I zgadnij, co wybrał?

Prychnęłam.

– Ćwiczenia. Oczywiście, że wybrał ćwiczenia. Ginger powiedziała, że jesteś tu po to, żeby mu pomóc, a on naprawdę w to wierzy. Chce kontrolować swój dar, a potem pozbyć się ciebie, jak wszystko wróci do normy.

Słyszałam własny głos, a nawet udawałam, że jestem całkowicie pewna, ale gdzieś z tyłu głowy usłyszałam cichy szept. Zawsze wyglądają na takich zadowolonych z siebie. Są tak blisko. Może Kale'owi rzeczywiście podoba się spędzanie z nią czasu.

Nie. Tak nie mogę myśleć, bo zwariuję.

– A myśl sobie, co chcesz. Mnie się wydaje, że ta nowa codzienność bardzo mu się podoba.

– Przestańcie klepać – usłyszałyśmy zachrypnięty głos.

Kiedy się odwróciłam, przed drzwiami celi stała Ginger w towarzystwie jednego z policjantów, który nas przywiózł. Usta miała zaciśnięte w wąską linię, dwa razy stuknęła laską w podłogę, a później uderzyła nią w kraty.

Oficer otworzył drzwi i pociągnął je do siebie, a potem odsunął się na bok.

– Dziękuję ci, Larry. Pozdrów Lillian, dobrze? – Odwracając się do nas, Ginger warknęła. – Do samochodu. I to już. Ludzie w moim wieku o siódmej powinni być w łóżku. A zamiast tego wyciągam dwie nieznośne dziewuchy z pudła.

Prześliznęłam się obok niej bez słowa i pobiegłam w kierunku drzwi. Ginger była cała zrobiona z kory, ale w tej starej kobiecie tkwiła twardość, która martwiła nawet mnie. To nie była osoba, którą człowiek chciałby wkurzyć.

– To Denazen – powiedziałam po tym, jak Sira – kolejna z naszych Szóstek w Sanktuarium – wyprowadzała samochód z policyjnego parkingu. – Widziałam ich. Założę się, że to oni wezwali gliny dla odwrócenia uwagi.

– I właśnie dlatego kazałam wam nie wychodzić z hotelu po zmroku – Ginger okręciła się w swoim fotelu. – Nie przypominasz sobie?

Westchnęłam. Zazwyczaj w pierwszym odruchu powiedziałabym jej, że przesadza. To tylko impreza. Co złego w tym, że nastolatka wymyka się na imprezę? Ale z tym, jak się wszystko układało, powinnam być ostrożniejsza. Powinnam była przewidywać. Nie wiedziałam, czy złapali Kiernan, więc nie pytałam o to, ale z Kale'em historia była inna.

– Czy Kale jest bezpieczny?

– Wrócił do hotelu. – Odwróciła się i obrzuciła niechętnym spojrzeniem Jade. – Czy choć przez sekundę pomyślałaś, co się może stać, jeśli was rozdzielą?

Jade zbladła.

– Ale on nie...

– Nic się nie stało – ucięła Ginger. Przez chwilę patrzyła rudej w oczy, a potem znów odwróciła się na swoim fotelu. Mruknęła przez ramię – Ale ta cała historia mogłaby się bez problemu przerodzić w jedno wielkie nieszczęście.

Resztę drogi przebyłyśmy w milczeniu. Samochód podjechał przed hotel, a kolega Alexa, Dax, mama i Kale wypadli przez frontowe drzwi na ulicę.

– Co się dzieje? – spytała Ginger, powoli wydobywając siebie i swoją laskę z siedzenia pasażera samochodu Siry. Nie zauważyłam tego na komisariacie, ale jej jasnoniebieskie papcie kończyły się parą paciorkowatych oczu i jasnożółtym dziobem. Najmniejszy z Angry Birds.

Dax zawahał się, pokręcił głową i spojrzał na mnie.

– Dostałem właśnie SMS od Alexa. On był na tej imprezie. – Nacisnął jakiś guzik na klawiaturze, a biały chevrolet po drugiej stronie parkingu mrugnął światłami i dwa razy zatrąbił. – Zapędzili go do Memorial Park.

Poczułam, że coś mnie ściska w gardle.

– Oni? Kto, gliniarze? – Alex nie miał najlepszych notowań na komisariacie. Jeszcze jedno wykroczenie, a wyląduje w pierdlu.

– Oni, to znaczy Denazen.

16

Kale usiadł z przodu z Daxem, a mama, Jade i ja wcisnęłyśmy się na tylne siedzenie. Spodziewałam się, że Ginger będzie wysuwać jakieś głupie argumenty, kiedy bez słowa biegłam przez parking do samochodu Daxa, ale milczała i znikła we wnętrzu hotelu.

Założę się, że to dlatego, że coś zobaczyła. Wszyscy mieliśmy być w tym parku. Jeśli byśmy nie byli, nigdy byśmy się nie wydostali z parkingu. To byłoby jakieś pocieszenie, jeśli nie znałabym jej tak dobrze. Nawet, jeżeli każdy z nas byłby skazany na Bóg wie co, puściłaby nas, bo tak miało się stać.

Kiedy dotarliśmy do parku, Dax zebrał nas w kręgu. Popatrzył na mamę, uniósł brwi, lecz nic nie powiedział. To było dziwaczne. Skinęła głową i stuknęła palcem w biodro, a na jej ustach pojawił się maleńki cień uśmiechu.

Rozdzieliliśmy się w nadziei, że szybciej odnajdziemy Alexa. Mama poszła ze mną i Jade, a Dax wziął Kale'a. Byłam pewna, że jeżeli chodziłoby o kogoś innego, a nie o Alexa, Dax zaproponowałby Kale'owi, że pójdą osobno, ale chyba się bał, co Kale zrobi Alexowi, jeżeli pierwszy go znajdzie.

Byłam trochę zdziwiona, że się rozdzieliliśmy. Z nas wszystkich tylko Kale miał umiejętności ofensywne i sensowniej byłoby trzymać się razem. Być może poszukiwania trwałyby dłużej, ale byłoby bezpieczniej. Można byłoby się spierać, że Jade jest niezwyciężona, a mama dorównuje umiejętnościami w walce Kale'owi, ale miałam wrażenie, że idziemy w bój bez broni. Do czasu, gdy zobaczyłam delikatne wybrzuszenie pod koszulą mamy. Coś tam chowała. Mama, zawsze czujna, omiatała wzrokiem las po prawej stronie naszej ścieżki.

– Widziałaś go na imprezie?

Nie wiedziałam nawet, że tam jest.

– Długo tam nie zabawiłam i było ciemno.

– O, Jezuśku – szepnęła Jade spanikowana. Chwyciła mnie za ramię i pociągnęła, niemal wytrącając mnie z równowagi.

– Coś się poruszyło tam, w krzakach.

Odepchnęłam ją, pokazałam na ziemię i uśmiechnęłam się. Pod krzakiem zobaczyłyśmy długie uszy, przytwierdzone do małej, brązowej, łaciatej główki.

– Tak. Ten królik to fagas Denazen w przebraniu. A jak myślisz, gdzie chowa broń? A może nie potrzebuje broni. Może jest mistrzem sztuk walki, który nam wszystkim zaraz skopie tyłki.

– Jesteś wredna – mruknęła i odwróciła się.

Szłyśmy jakieś dobre dziesięć minut, nie widząc śladu Alexa, pozostałych, ani Denazen. Niestety park Memorial był wyjątkowo duży. Było tu siedem ścieżek spacerowych, dwa jeziorka, basen, boisko do siatkówki, kort tenisowy i kort do badmintona. Nie mając pojęcia, gdzie Alex się chowa, mogliśmy tu krążyć całą noc.

– Założę się o milion dolców, że Metalowa Buźka wyrwał się stąd i już go tu nie ma. – Jade stanęła w miejscu i założyła ramiona na piersi. – Tracimy tylko czas.

– Nie – odparła mama, stając tuż przy niej. – Dax powiedział mu, żeby się nigdzie nie ruszał.

– To znaczy, że go posłuchał, prawda? – odparowała Jade, dodając do tego dramatyczny gest dłonią.

Mama zmrużyła oczy, a po chwili westchnęła ciężko.

– Dez ma rację. Jesteś potwornie irytująca.

Czegoś takiego spodziewałam się po Kale'u, ale nie po mamie. Zazwyczaj nie dzieliła się swoim zdaniem, raczej stawała z boku i przyglądała się, zamiast brać udział.

– Dobra, to już oficjalne. Mam najfajniejszą mamę we wszechświecie.

Jade otworzyła usta, prawdopodobnie, żeby znowu powiedzieć coś złośliwego, ale zamarła w miejscu. Machała ręką, zatańczyła w miejscu i pisnęła:

– To nie królik. To nie królik!

Tuż obok bramy West Lake, tam, gdzie zaczynała się ścieżka, zobaczyłyśmy czterech facetów w garniturach biegnących w naszym kierunku. Mama sięgnęła za plecy, wyrwała zza paska pistolet, uklękła na kolano i wymierzyła. Jeden strzał. Jeden agent wyłączony z gry. Kula trafiła go w kolano, usłyszałyśmy okrzyk bólu.

– Cofnijcie się – rzuciła mama. Zawahałam się, nie chcąc jej zostawiać samej, ale wrzasnęła – Już!

Nie spierałam się z nią. Chwyciłam Jade za koszulę na plecach, zrobiłam kilka kroków w tył i ukryłam siebie i ją za dużą sosną. Rozległo się kilka strzałów i mama zaklęła. Jeden z agentów coś krzyknął, potem była chwila ciszy, a później mama nagle pojawiła się po drugiej stronie dużego drzewa.

– Trafiłam trzech z czterech. Ostatni mi uciekł, więc powinniśmy być...

Była niemal pełnia księżyca, nocne niebo rozjaśniał jego blask. Agent myślał pewnie, że ją przechytrzył, skradając się za mamą, kiedy wszystkie miałyśmy uwagę skierowaną gdzie indziej, ale jego cień zapowiedział go tuż zanim on sam doszedł do drzewa.

Pchnęłam mamę do przodu w tym samym momencie, kiedy jego ramię wystrzeliło, żeby ją szarpnąć w tył. Odepchnęła mnie, ale nie wzięłam tego do serca. Widziałam ją w akcji podczas bitwy pod Sumrun. Pod wieloma względami przypominała Kale'a. Była całkowicie zanurzona w tym, co się dzieje i skupiona na zadaniu. W tamtym momencie zadanie polegało na spuszczaniu manta jednemu z agentów Denazen, który być może nie należał do jego elity.

Ostrożnie wystawiłam głowę zza drzewa. Zbliżało się jeszcze dwóch.

– Mamy towarzystwo.

Mama uchyliła się przed ciosem i odparowała, trafiając agenta dokładnie w splot słoneczny. – Ruszajcie do lasu – powiedziała, dysząc ciężko. – Zaraz tam będę.

Rozproszyłyśmy się. Ja pobiegłam do lasu tak, jak mi kazała, a Jade ruszyła w przeciwnym kierunku.

Zatrzymałam się na linii drzew, próbując podjąć decyzję, czy powinnam pójść za nią, ale jeden ze zbliżających się agentów powiedział: „Łap tę rudą. Ja biorę małą Crossa."

Małą Crossa? Co jest, do cholery? Czy gdzieś krążył karton mleka z moim rysunkiem? Te świry znają mnie z widzenia? Rozpoznały w ciemności? Na betonowej ścieżce rozbrzmiały odgłosy kroków. Facet siedział mi na karku i nie było czasu ani czekać na mamę, ani szukać Jade. Musiałam go zgubić.

Albo przynajmniej zyskać nad nim trochę przewagi. Kiedy był bliżej, zatrzymałam się nagle i rzuciłam na ziemię. Uderzyłam się w kolano, które już bolało od wyskoku przez okno. Zabolały oba nadgarstki. Może to nie było wdzięczne, ale skuteczne. Facet nie był w stanie zatrzymać się na czas, wywrócił się przez moje plecy i przywalił o ziemię. Ja nie czekałam. Kiedy już leżał, podnosiłam się na równe nogi i ruszałam sprintem w kierunku linii drzew.

W ostatniej chwili jednak zmieniłam zdanie. Zamiast biec do drzew, skręciłam w kierunku placu zabaw. Po piasku i pod trzepakami. Nad huśtawką. Dookoła ślizgawki. W końcu, kiedy znalazłam się z powrotem na ścieżce, wróciłam do tej części parku, w której urządzano pikniki. Było tam gęsto od drzew. I na tyle bezpiecznie, żeby się zatrzymać i złapać oddech.

Przyczaiłam się pod grubym klonem i wyciągnęłam przed siebie lewe ramię, sprawdzając, czy mogę poruszać palcami. Z każdym ruchem musiałam przygryzać zęby, żeby nie krzyknąć. Ból był coraz gorszy. Strzelanina się skończyła. Teraz w parku panowała cisza, słychać było tylko od czasu do czasu cykady i szelest liści. Mama i Kale dadzą sobie radę, Dax i Alex też, ale ja wciąż byłam pełna niepokoju. A Jade... Niestety, nic jej nie będzie. Gotowa byłam się założyć, że jest na usługach Taty, więc nie grozi jej żadne prawdziwe niebezpieczeństwo.

Po kilku minutach, kiedy serce się uspokoiło, wyszłam zza drzewa. Moja karma, albo naćpany anioł stróż, tak, jak się to ostatnio zdarza, przyprowadziła agenta Denazen w to samo miejsce dokładnie w tym samym momencie. Nasze oczy się spotkały. Wyrwałam się, ale nie byłam dość szybka.

Skoczył i przygwoździł mnie do najbliższego drzewa. Uderzyłam w pień prawym ramieniem pod dziwnym kątem. W jego ruchach nie było łagodności, kiedy wykręcał mi ręce za plecy i wcisnął łokieć w kręgosłup, żeby nade mną zapanować.

Ugryzłam się w wargę od zewnątrz i wciągnęłam powietrze w nozdrza. Przygwoździł mnie do drzewa tak mocno, że nie mogłam się ruszyć. Przyciskał mnie całym swoim ciężarem. Nawet, jeżeli walczyłabym ze wszystkich sił, nie uwolniłabym się. Czas na inną taktykę.

– Bardzo proszę...

– Nie ruszaj się – mruknął, dociskając mi ramiona. Wyglądało na to, że chce mi je oderwać od ciała.

Zrobiłam dokładnie to, o co poprosił. Pociągnęłam nosem i jęknęłam cicho – tym razem naprawdę. Moje lewe ramię płonęło z bólu. Pozwoliłam, żeby mi się lekko trzęsły ramiona i wysunęłam nieco prawą rękę spod siebie. Bolało, jak cholera, musiałam zaciskać mocno zęby, żeby nie wrzeszczeć.

– Nie udawaj, mała. Nie zrobiłem ci krzywdy. – W jego głosie brakowało pewności.

Doskonale.

Zatrzęsłam się mocniej i dodałam parę efektów dźwiękowych.

Facet chyba to kupił.

– Posłuchaj, wszystko będzie dobrze. Nikt ci nie chce zrobić krzywdy. – Nie byłam pewna, czy w to rzeczywiście wierzy, czy po prostu jest dobrym kłamcą, ale to nie miało znaczenia. Miał odwróconą uwagę, a o to mi właśnie chodziło.

Prawe ramię miałam teraz wolne. Po lewej, tuż obok mojego biodra, była gałąź. Jeszcze tylko parę centymetrów, a będę ją miała w dłoni.

– Chcecie mnie zabić – jęczałam. – Będziecie robić eksperymenty, żeby zobaczyć, co się ze mną stanie.

Pewnie go zaskoczyłam, bo się zawahał.

– Eksperymenty? Nie, mała, my nie jesteśmy, jak Zona 51. Próbujemy tylko pomóc.

Pomóc. Akurat. A ja jestem Dalajlamą idącym przez Himalaje. Znów zaczęłam pociągać nosem.

– Przy... Przyrzekasz?

Jeszcze centymetr.

Jeszcze trochę.

Poluźnił uścisk.

– Tak.

Pół centymetra.

Zacisnęłam palce na gałęzi i mocno przekręciłam. Drewno oderwało się od pnia, a ja skupiłam się na wspomnieniu metalowych rurek w piwnicy hotelu, które Ginger kazała Alexowi i mnie szorować jako część kary po szkole. Szorstka kora zrobiła się gładka i równa, chłodna w dotyku. Księżyc zatańczył za chmurami, a kij, który zamienił się w metalową rurkę, zalśnił w jego świetle.

– Kłamczuch – rzuciłam, okręcając się. Rurka pofrunęła w górę – pocisk napędzany całą siłą, na jaką mnie było stać, wycelowany w jego głowę. Musiałam przygryźć język, żeby nie zawyć z bólu, kiedy coś się w moim ciele wyprostowało w sposób, jakiego nie przewidziała natura i poczułam ostry ból od łokcia do szyi. Metal napotkał na swojej drodze jego czaszkę, rozległ się odgłos uderzenia i Pan Kretyn, potykając się, zrobił krok w tył.

Upadłby na ziemię, gdyby ktoś za nim nie stał.

Kale złapał mężczyznę, jego nagie palce zacisnęły się na szyi agenta. Jednym wdzięcznym ruchem przywalił nim w drzewo stojące z tyłu. Ciało agenta rozpadło się na miliard podobnych do pyłków popiołu cząstek, które rozwiał lekki wiatr.

Kale otrzepał bluzę z kapturem z szarych resztek mężczyzny i podszedł bliżej tak, że rozdzielało nas tylko dziesięć centymetrów. Może mniej. Stalowoniebieskie tęczówki przewiercały mnie na wskroś.

– Zrobił ci krzywdę?

Zadał to pytanie spokojnie, ale wyczułam, że nie jest zrelaksowany. Czułam napięcie. Zwarte ramiona, szeroko rozstawione ręce, oczy skupione na mnie. Mogłabym przysiąc, że widziałam dwa razy, jak palce zadrżały mu w nerwowym tiku.

– Nic mi nie jest – szepnęłam, rzucając rurę na ziemię. Metal uderzył o kamień i potoczył się po ziemi, by po chwili zatrzymać się i zamilknąć. Rurka rysowała teraz piękną, poziomą linię, a ja nie mogłam się nadziwić ironii. Ostatnio świat uparł się, żeby rzucać nam kłody pod nogi. – A tobie?

Przysunął się bliżej.

– Nie mają dość dobrego sprzętu, żeby stawić mi czoła. Żaden z nich nie nosi bezpiecznego kombinezonu.

203

Przełknęłam głośno ślinę. W mojej wyobraźni nad głową Kale'a migał neon z napisem „Nie dotykać". A jednak niemal go dotknęłam. Przez sekundę w ogóle nie obchodziło mnie, co się stanie. Chciałam po prostu poczuć jego skórę na mojej nawet, jeżeli byłaby to ostatnia rzecz w moim życiu.

– Dax?

Naciągnąwszy rękaw na dłoń, odsunął włosy z mojej twarzy.

– Byłem niespokojny tak daleko od ciebie. Zostawiłem go, żeby cię znaleźć.

Chciałam wszcząć spór, że pozostawienie Daxa samemu sobie po to, żeby mnie znaleźć, nie było właściwe, ale to bezcelowe. Gdybym miała być całkiem szczera, to jeśli byłabym z kimkolwiek oprócz mojej mamy, zrobiłabym to samo.

Coś się poruszyło w krzakach za stołami piknikowymi. Z rękawem wciąż zabezpieczającym skórę Kale wziął mnie za ramię i ruszyliśmy ścieżką w kierunku skał.

– Powinniśmy poszukać Alexa i pozostałych. Teraz w parku jest siedmiu ludzi Denazen. Pewnie jeszcze więcej jest w drodze. Jeżeli wiedzą, że tu jestem, na pewno przyjadą lepiej przygotowani.

– Siedmiu? Jesteś pewien? Skąd wiesz?

Wzruszył ramionami.

– Widziałem ich. Jest ich siedmiu.

Ktoś wyszedł na ścieżkę tuż przed nami.

– Siedmiu ludzi Denazen. A to za wyjątkiem...

Później znowu ktoś.

– ...Szóstek, tak?

– Naprawdę – mruknęłam, zatrzymując się wpół kroku. – Pewnie w poprzednim życiu byłam Kubą Rozpruwaczem. A teraz dostaję za to karę.

– Fajnie cię znowu spotkać, maleńka – powiedział Able. Rozcięcie na jego głowie zostało oczyszczone i rana wysychała. Szła od koniuszka ucha aż do prawego oka i znikała pod linią włosów. Poczułam dumę – ładnie go trafiłam. Chwycił mój wzrok i stuknął palcem w skroń. Bez swojego głupiego uśmieszku powiedział: – Jesteś mi za to coś winna.

Kale wyszedł krok przede mnie, widziałam uśmieszek, który unosi mu kącik ust. Popatrzył na jednego, później na drugiego i w końcu jego wzrok spoczął na Able'u. Kale nie miał zbyt dużo czasu przed wypadkiem, żeby przyglądać się Bliźniakom, ale jakoś ich rozróżniał.

– To ty prowadziłeś wóz.

Able zamrugał powiekami.

– W końcu. Słynny Dziewięćdziesiąt Osiem, co? Nie mieliśmy jeszcze czasu się sobie przedstawić. Pamiętasz, kiedy rozwaliłeś mi samochód?

Pociągnęłam Kale'a za bluzę z kapturem, ale poczułam opór.

– Ja tylko wgniotłem dach. Wasze auto zniszczył Alex. Bardzo chętnie dostarczyłbym wam jego adres – stwierdził spokojnie Kale. – Jeżeli to was, oczywiście, nie dotknie – dodał i zachichotał. Podciągnął rękaw i sięgnął do Able'a.

Gotycki Chłopczyk uniósł ręce w dramatycznym geście poddania.

– Zastanowiłbym się na twoim miejscu, Dziewięćdziesiąt Osiem. Myślę, że to wkurzy twoją dziewczynę. Poza tym nie przyszliśmy tu po to, żeby skroić ci dupę.

Zrobił krok wstecz, wpuszczając na swoje miejsce Aubreya.

Kale zmrużył oczy.

– To po coście się tu przypętali?

– Tylko sprawdzamy. – Aubrey uśmiechnął się i gestem głowy wskazał mój bark. – Sprawdzamy, jak się czuje nasza koleżanka, Dez.

Obaj Bliźniacy gapili się na mnie wyzywająco.

Aubrey zrobił gest, żeby chwycić mnie za rękę. Reakcja Kale'a była natychmiastowa.

– Nie! – nie przyszło mi do głowy to, że Kale mógł przypadkowo dotknąć mnie. Myślałam tylko o tym, że Kale dotknie Aubreya. Nie chroniłam go, tylko siebie samą. Jeżeli to, co Tata powiedział, było prawdą – a to wciąż stoi pod znakiem zapytania, jeśli o mnie chodzi – jedynie Aubrey mógł być antidotum. Jeśli on zginie, zginę i ja. Wepchnęłam się przed Kale'a i stanęłam między nimi.

Wszyscy trzej mnie obserwowali. Aubrey i Able byli rozbawieni, a Kale wyglądał na zdezorientowanego. Przez chwilę nie spuszczał ze mnie wzroku, a później odwrócił się do Bliźniaków.

– Wygląda na to, że ona nie chce, żebyście zginęli. Jeżeli natychmiast stąd nie znikniecie, będę musiał się nad tym zastanowić.

– Komandosie, nie rzucaj się na nas, dobra? Już idziemy.

Aubrey zmierzył nas pogardliwym uśmieszkiem, odwrócili się i ruszyli z powrotem ścieżką. Po chwili krzyknął przez ramię:

– Na pewno i tak prędzej czy później na siebie wpadniemy.

Kiedy już zniknęli nam z oczu, Kale odwrócił się z powrotem do mnie. Na jego twarzy malowała się podejrzliwość.

– Ten z raną – to ty mu przywaliłaś?

Kale był nieprzytomny przez jakiś czas, więc zaryzykowałam. Powinnam była jednak się dwa razy zastanowić.

– Walnęłam go w samochodzie, jak byłeś nieprzytomny.

Przez chwilę milczał.

– Ta rana była świeża.

Wiedziałam, jak na mnie popatrzy, ale tak czy inaczej to powiedziałam:

– To skomplikowane.

– Dez – powiedział ostrzegawczo, robiąc krok w moim kierunku. – Czegoś mi nie mówisz.

– Ja...

– Co, do cholery, robicie na samym środku ścieżki? –

Z cienia drzew wyłonił się Dax. Przeszedł w naszym kierunku sztywnym krokiem, w ręce miał komórkę. Szturchnął nią Kale'a i rzucił – A ty, gdzie się podziewałeś?

Kale nawet nie mrugnął.

– Poszedłem poszukać Dez. Wiedziałem, że sobie poradzisz.

Dax, którego w normalnych warunkach trudno było wyprowadzić z równowagi, wyglądał tak, jakby chciał wrzasnąć.

– Wszyscy mieli zostać przy swoich partnerach!

– Ty nie jesteś moim partnerem – powiedział Kale. W tonie jego głosu nie było zaczepki. Tylko zwykła, statyczna logika, która była uosobieniem Kale'a. – Dez jest moją partnerką.

Może i Dax chciałby się kłócić, ale telefon w jego dłoni zaczął wibrować. Patrzył przez sekundę na wyświetlacz, a później zawołał nas gestem ręki.

– To Alex. Jest w budynku technicznym po południowej stronie parku. Jest ranny.

– Ranny? Co to znaczy ranny?

Dax wyglądał na zaniepokojonego. Wsunął telefon do kieszeni i skinął głową na ścieżkę prowadzącą do basenu.

– Powinniśmy się pospieszyć.

17

Mama, którą znaleźliśmy w połowie drogi ze wzgórza, zamieniła się w jednego z ludzi Denazen, kiedy zeszliśmy nad dół. W Tatę, mówiąc dokładniej. Było coś dziwnego w tym, że między nami stoi mama, która wygląda, jak Tata. Nie wiedziałam, czy się śmiać, czy płakać. Albo czy uciekać. Jade znalazła nas, kiedy przechodziliśmy przez południową bramę. Nic jej nie było, ale wciąż oglądała się przez ramię, jak gdyby się spodziewała, że w każdej chwili ktoś może wyskoczyć z lasu. Znów wszyscy razem ruszyliśmy w kierunku budynku technicznego, gdzie zaszył się Alex i teraz ukryliśmy się za krzakami kilka metrów od jego ściany. Na zewnątrz stało dwóch mężczyzn, Jeden zagradzał drogę do głównych drzwi, a drugi stał przed oknem z komórką przyklejoną do ucha.

– Mamy jakiś plan? – spytałam, wyglądając zza krawędzi dużego krzaka. Dax wciąż nam nie powiedział, co to znaczy, że Alex jest ranny, ale domyślałam się, że musi być z nim źle, jeśli dał się tu zapędzić.

– Shanna podejdzie do nich i odwróci ich uwagę. Kiedy zajmie ich rozmową, do akcji wkroczy Kale i ich zlikwiduje.

Shanna? Dax nazywał moją mamę jakimś przezwiskiem? Co, do cholery?

Odwrócił się do niej i mrugnął okiem.

– Jesteś gotowa, Shanna?

Uśmiechnęła się do niego zalotnie – co było niepokojące, zważywszy na ciało, w którym teraz przebywała – i wyszła zza drzew.

– Co się tu dzieje? – zapytała głębokim, bezosobowym głosem Taty. Ten dźwięk wywoływał dreszcz na moich plecach. To jak dźwiękowa ilustracja moich najgorszych koszmarów nocnych.

– Mamy tu tego od telekinezy, proszę pana – powiedział ten przy drzwiach. – Zadzwoniliśmy po wsparcie i transport.

– Po wsparcie? Ten chłopak potrafi tylko przemieszczać przedmioty, na Boga. Uśpić go i ruszamy.

Mężczyzna wyjął pistolet z amunicją usypiającą.

– Nie mamy już nabojów. A on się nie daje złapać. Za każdym razem, kiedy wchodziliśmy do środka, leciały na nas jakieś przedmioty.

Mama jako Tata warknęła.

– Nie daje się złapać? Wasza niekompetencja jest nie do przyjęcia.

Cholera, dobra jest. Chociaż spędziła ostatnie siedemnaście lat pod kluczem w Denazen, znała Tatę lepiej niż ja. Idealnie imitowała jego manieryzmy i ton głosu. Nawet ruchy, postawę i sposób trzymania głowy. Jeżeli bym nie wiedziała, że to ona, nie zauważyłabym absolutnie żadnej różnicy.

– Jest ranny – wtrącił ten stojący przy oknie.

Mężczyzna przy drzwiach zareagował szybko.

– Bieder go postrzelił, proszę pana. Nie wiemy, na ile to poważne, ale już jakiś czas tam siedzi. Ten w garniturze przy oknie, Bieder, jeśli miałabym zgadywać, skrzywił się.

– Posługujesz się śmiertelną bronią, żeby opanować Szóstkę, którą możemy wykorzystać, a potem nie potrafisz tam wejść i go złapać?

– Jeśli mogę powiedzieć słowo w swojej obronie, on ma zdolności telekinetyczne – powiedział Bieder. – Już udało mu się wykosić Barnesa i Farbera. – Podszedł do Taty, trzymając w wyciągniętej ręce telefon komórkowy. – Niech pan tylko spojrzy na to.

Mama jako Tata sięgnęła po telefon. Jej naśladownictwo nie było takie, jak moje. Ja potrafiłam zmieniać strukturę przedmiotów na poziomie molekularnym, ona bawiła się tylko w iluzję. Wystarczyło tylko najlżejsze dotknięcie jego dłoni, żeby czar prysł.

I oczywiście właśnie to się stało.

– Co jest, do...

Mama wzięła duży zamach, a Kale wyskoczył z krzaków i eksplodował. Pędził naprzód, jak rozszalała ciężarówka i w mgnieniu oka był tuż przy niej. Facet przy drzwiach zobaczył go i próbował uciec, ale dobrze wymierzony kopniak mamy powalił go na ziemię. Dax podbiegł do tego, który miał komórkę w ręce i który zaatakował mamę z tyłu, powalając ją na ziemię.

Wszyscy byli zajęci czym innym, a ja pobiegłam co sił w nogach do budynku i weszłam do środka. W powietrzu czuć było zapach stęchlizny i słaby odór chloru.

– Alex? – zawołałam, wystawiając głowę za stos pudeł. Budynek był nieco przerośniętą wersją szopy ogrodowej, słabo oświetlony dzięki światłu księżyca, które wpadało przez jedno brudne okno.

Park, któremu brakowało przestrzeni, zdołał tu wcisnąć niewiarygodną ilość różnego rodzaju złomu. Namieszane tam było, jak cholera. Gdy byłam już trzy kroki za progiem, musiałam wymanewrować między dwiema wielkimi półkami, na których stały zakurzone pudła i obejść kosiarkę, która wyglądała tak, jakby tkwiła w tym samym miejscu od lat sześćdziesiątych. Zobaczyłam na podłodze czarną kałużę, której ślad prowadził gdzieś na tyły.

– Cholera. Alex?

Poszłam tym śladem i znalazłam go w kącie, siedział tam skulony, wciśnięty za stos sklejki, oczy miał zamknięte. Był półnagi, a jego koszulka była związana wokół górnej części uda na węzeł, żeby zatamować krew. Zanurkowałam i chwyciłam w dłonie jego twarz.

– Alex! – powiedziałam zdecydowanym tonem. – Otwórz oczy. Jeśli ktoś ma cię zabić, to na pewno nie ja.

Cichy głos w mojej głowie nie zgadzał się z mdlącym odczuciem w żołądku. To jest Alex, mówił żołądek. Alex. A głosik przypominał mi, co zrobił Kale'owi w Sumrun. I co zrobił mnie u Roudeya.

Usłyszałam jęk i zobaczyłam błysk brązowych oczu.

– Dez?

Dźwięk jego głosu zdjął mi dwutonowy ciężar z serca.

– Co się stało?

– Bałem się, że cię złapią – powiedział, zamykając oczy. – Widziałem... Widziałem, jak ty i Kiernan wchodziłyście do środka. Poszedłem z powrotem po śladach, żeby was znaleźć i...

– Co z nim? – Kale pojawił się za moimi plecami. Na ogonie siedziała mu, jak zwykle, Jade.

– Nie wiem – odparłam. – Ale dobrze to nie wygląda.

Spod jego nogi wypływała kałuża krwi i rozszerzała się wokół niego w mały półokrąg. Miał krew na boku, dżinsach, a podkoszulka była całkiem przesiąknięta.

Z klinicznym zainteresowaniem Kale przesunął dłoń Alexa – nie zamieniając go w opar, bo tuż za nim była Panna Wkurzająca – z miejsca, w którym ściskał udo.

– Ciało ludzkie może stracić znacznie więcej krwi, zanim zacznie przechodzić w stan zawieszenia. Wygląda na to, że kula ominęła tętnicę udową. Będzie żył.

– Nie podniecaj się tak – mruknął Alex. Głowa opadła mu na ramię, kiedy otworzył szparkę oczu.

Kale wzruszył ramionami.

– Jestem tylko rozczarowany. To byłoby wygodne rozwiązanie problemu.

Alex przechylił głowę, na jego ustach pojawił się uśmieszek.

– Problemu?

Kale miał kamienną twarz.

– Twojego problemu.

– Znikajmy stąd, zanim następni się tu pojawią – powiedział Dax, wpadając przez drzwi. Odepchnął mnie na bok, chwycił Alexa za ręce i podniósł na nogi. – Możesz chodzić?

Alex spojrzał na mnie kątem oka. Wziął głęboki oddech i skinął głową.

– Mogę chodzić.

§

Kiedy wróciliśmy do hotelu, opatrzyliśmy Alexa i położyliśmy go do łóżka. Była sobota rano. Wszyscy byli zajęci Alexem – kula przeszła czysto i w końcu udało się opanować krwawienie – a ja wymknęłam się do świetlicy i korzystając z komputera Rosie, sprawdziłam numer pokoju Daun. Z kubkiem kawy w ręce poszłam jej poszukać.

– Deznee – powiedziała z uśmiechem. Odsunęła się na bok i przytrzymała drzwi, żeby mnie wpuścić. – Jest dość wcześnie. Wszystko w porządku?

– Ojej. – Było mi głupio, poczułam się, jak oślica. Cały ten chaos, adrenalina, która nie chciała opuścić żył, wydarzenia tej nocy, a ja całkiem zapomniałam, że nawet jeszcze nie ma siódmej. Normalni ludzie wciąż śpią o tej porze. – Jestem pogubiona z czasem. Przepraszam, nie gniewaj się.

Daun tylko się uśmiechnęła i szerzej otworzyła drzwi.

– Wejdź, proszę.

Było to wielkie ryzyko, ale nie miałam wyboru.

– Muszę cię o coś zapytać. Poprosić o przysługę. Ale najpierw muszę się upewnić, że to, co powiem, zostanie między nami. Choćby się waliło i paliło.

Jeśli miała jakieś podejrzenia, to tego nie okazywała. Daun w zasadzie nie okazywała niczego. Była łatwa w obejściu, łagodna do tego stopnia, że człowiek miał ochotę sprawdzić, czy ma jeszcze tętno i czy żyje. Rzadko się odzywała, prawie nigdy nie przebywała w towarzystwie innych gości hotelowych.

– Wyjeżdżam za dwa dni. To, co powiesz, zostanie tajemnicą.

– Wyjeżdżasz?

Uśmiechnęła się i powiodła palcami po brzegu pledu.

– Czas ruszać dalej. Jak mogę ci pomóc?

Wiedziałam, że moja pierwsza prośba spotka się z negatywną odpowiedzią, zanim nawet zadałam pytanie. Mama i Ginger pewnie już o tym pomyślały. A jednak, aby mieć to z głowy, musiałam usłyszeć to na własne uszy.

– Wiesz, co to jest projekt Supremacja, tak?

W jej oczach zobaczyłam zrozumienie. Zmarszczyła brwi i pokręciła lekko głową. – Przepraszam, ale nic nie mogę tu dla ciebie zrobić.

Skinęłam głową. No cóż, przynajmniej się teraz upewniłam. Nigdy nie lubiłam mieć przed sobą wielu „jeżeli".

– Tak myślałam. Jednak trzeba było spróbować. Jest coś jeszcze.

Spodziewała się pytania o Supremację. Fakt, że było coś jeszcze, zbił ją trochę z tropu.

– Tak?

– I tu właśnie zaczyna się tajemnica. – Wstałam z krzesła, zmarszczyłam się i odsunęłam rękawek mojej podkoszulki.

– Czy możesz coś na to zaradzić?

Próbowała ukryć zdziwienie, ale jej się nie udało. – Co to...

Przykryłam ramię i opadłam na krzesło. W ciągu ostatnich kilku godzin ból się nieco zmienił i to mnie trochę irytowało. Teraz, zamiast ściskania i mrowienia, ból był na przemian gorący i zimny. W jednej sekundzie czułam chłód, jakbym stała na szelfie arktycznym, a w następnej – jakbym płonęła żywcem. Każdy członek mojego ciała płonął, tak, że czułam, że całkiem się spalę. Teraz wracało uczucie chłodu. Zaczynałam się zastanawiać, czy Tata nie mówił prawdy.

Objęłam się ramionami i westchnęłam ciężko.

– To jakaś trucizna. Postąpiłam głupio i jeden z pracowników Taty zrobił mi właśnie to.

– To pochodzi od jakiejś Szóstki?

Skinęłam głową.

Podeszła do mnie, odsunęła rękaw podkoszulki i położyła dłoń na mojej nagiej skórze. Jej dotyk był zadziwiająco chłodny, jak dotyk słuchawek w gabinecie lekarza, podskoczyłam nerwowo, czując kontakt.

– Siedź spokojnie – szepnęła i zamknęła oczy.

Minęło kilka chwil, zanim je otworzyła.

– Niech pani mówi szczerze, pani doktor – zażartowałam. Musiałam. Wyraz jej oczu? Nie był zachęcający.

– Nie gniewaj się, Dez. Nie mogę nic dla ciebie zrobić.

– Nic a nic?

– To leży poza zasięgiem moich umiejętności i jest bardzo poważne. Grozi utratą życia.

Poczułam się tak, jakby gdzieś wewnątrz mojej klatki piersiowej pękł balon. Jak gdyby szydząc ze mnie, ból, gorąco i szarpiące mrowienie zaczęły schodzić z lewego ramienia do palców. Grozi utratą życia? Nie to chciałam usłyszeć. Wstałam i powiedziałam:

– Rozumiem. Chciałam przynajmniej spróbować.

– A czy mogę zapytać, dlaczego nikomu o tym nie powiedziałaś?

– Mój Tato ma takie dwie Szóstki – jeden ma dotyk trujący, a drugi leczy. Powiedział, że da mi lekarstwo, jeżeli oddam się w jego ręce.

Zmarszczyła brwi.

– A ty się boisz, że Kale zaproponuje, żeby jego wzięli za ciebie?

Znów przytaknęłam.

– Nie mogę mu pozwolić tam wrócić. Zwłaszcza, że to może być przełom. Jak dotąd wszystkie dzieciaki biorące udział w projekcie Supremacji, które przekroczyły osiemnasty rok życia, są martwe. – No właśnie. Martwe. W końcu powiedziałam to głośno. To nie było takie trudne, jak mi się wydawało. Martwe. Martwe. Martwe. Ja też byłam już martwa.

– Twoja sytuacja jest nie do pozazdroszczenia. Radzę ci im powiedzieć.

– Ale ty nie...

– Nie. Ale uważam, że powinnaś. Może jest jakaś ścieżka, o której nie myślałaś. Ktoś z zewnątrz może ci podsunąć odpowiedź, która była przed tobą ukryta.

– Nie gniewaj się, ale to zabrzmiało, jakbyś była chińskim ciasteczkiem przepowiadającym przyszłość, tyle że zrobionym z cracku.

– To – powiedziała z uśmiechem – usłyszałam po raz pierwszy w życiu. Chyba zapamiętam sobie to do końca moich dni.

Kiedy wyszłam od Daun, nalałam sobie jeszcze kawy i wróciłam do pokoju, żeby trochę pospać. O wpół do dziewiątej poddałam się i włączyłam telewizor. Pewnie mama go oglądała, bo był nastawiony na program czterdziesty drugi, z miejscowymi wiadomościami. Markus Clamp, lokalny dziennikarz i wielbiciel teorii spiskowej, miał tam program, który z Bóg wie jakiego powodu uważała za fantastyczny. Miałam szczęście, bo akurat zaczynała się wczorajsza powtórka.

– Rozmawiam z Sidem Fentonem, chłopakiem zmarłej Layne Phillips.

W moim świecie Markus Clamp nie był nikim ważnym, ale chociaż raz przykuł moją uwagę.

Na ekranie telewizora Sid wił się na fotelu.

– Tak, jak wielu innych, i ja uważam, że jest coś jeszcze w tej historii, którą nam opowiadają. Powiedz mi, Sid, czy działo się coś dziwnego w dniach poprzedzających śmierć Layne?

Sid zawahał się, a Markus ruszył zadać ostatni cios.

– Rozumiem. Jesteś zdenerwowany, ale zgodziłeś się przyjść tutaj, do programu, więc musisz mieć coś do dodania. Coś, co chcesz powiedzieć naszym widzom.

– To nie był przypadkowy akt przemocy, jak mówi policja – wydusił z siebie Sid po kilku sekundach. Już nie był zdenerwowany, tylko wkurzony. – I nie chodziło o narkotyki, jak upierali się jej rodzice. Tak, Layne eksperymentowała z tym, czy owym, ale przez coś przechodziła.

– Chciałbyś o tym porozmawiać?

Sid obrzucił go tylko niechętnym spojrzeniem. Markus skinął głową.

– W porządku. A może byśmy spróbowali inaczej. Ja powiem słowo, a ty potwierdzisz, czy to coś dla ciebie znaczy. Może być?

Widział, że go wrabiają, miał to w oczach, ale tak czy owak skinął głową.

Podwinęłam stopę pod udo, żeby wygodniej usiąść.

– Gang.

Sid zaśmiał się głośno.

– Absolutnie nie. Layne nie była w żadnym gangu i to, co się stało, nie miało nic wspólnego z gangami. To jest Parkview, na Boga.

– Niestabilna.

Słysząc to słowo, Sid się zawahał.

– Nie powiedziałbym, że niestabilna. Te ostatnie parę miesięcy było dla niej ciężkich, ale nie była aż tak załamana, jak mówią jej rodzice. Próbowali wmówić policji, że jest zamieszana w coś dziwnego. Próbowali ją posłać do wariatkowa. A to wszystko bzdury. Stek bzdur.

– A może... Denazen.

Sid na ekranie zamarł, a ja niemal spadłam z łóżka.

Nic nie powiedział, ale nie musiał. Przerażenie miał wypisane na twarzy, a tego Markus nie mógł nie zauważyć.

– Co to jest Denazen, Sid?

Sid wziął się w garść i wyprostował na krześle.

– To firma prawnicza, której siedziba spaliła się z początkiem lata. A co to ma wspólnego z Layne?

Markus uśmiechnął się wszechwiedząco.

– Miałem nadzieję, że ty mi powiesz.

Sid przesunął się nerwowo na krześle.

Markus odchylił się do tyłu. Można było się domyślić po uśmiechu kota, który dorwał kanarka, że wiedział, iż Sid coś ukrywa. Każdy, kto oglądał ten program, zdawał sobie z tego sprawę. Sid nie miał pojęcia, co to znaczy utrzymywać pokerową twarz.

– Moje źródła donoszą, że Layne mówiła rodzicom o pamiętniku. Może tam jest coś, co mogłoby rzucić światło na fakty. Wiesz może, gdzie jest ten pamiętnik?

– Layne nie pisała pamiętnika – odparł Sid szybko. – Uważała, że to głupie.

– A ja sądzę, że nie mówisz prawdy, Sid. Myślę, że jej dziennik jest kluczem, który otworzy nam drzwi łączące Denazen z twoją nieżyjącą dziewczyną. To źródło...

– Kto to jest?

Markus pokiwał groźnie palcem.

– Dobry dziennikarz nigdy nie zdradza swoich źródeł informacji.

Sid wstał. Był czerwony na twarzy i zrobił groźny krok w kierunku Markusa. Sęp nawet nie drgnął.

– Jesteś łobuzem, który szuka kłopotów, nie dziennikarzem. – Pchnął Markusa i na sztywnych nogach zszedł z wizji. To nie było nic nowego. Kilka razy, kiedy miałam tę wątpliwą przyjemność oglądania kawałków jego programu, widziałam wielu tak zwanych gości, którzy schodzili z wizji. Prawdę mówiąc, z tego słynął. Dociskał ludzi do ściany, aż pękali, a on śmiał się z ich wybuchów.

– Sami państwo widzicie. Co naprawdę stało się z Layne Phillips i co ma to wspólnego z firmą prawniczą Denazen?

– Markus wstał. – Gdzie jest ten tajemniczy dziennik?

Resztę tego, co mówił, zagłuszał cichy głos w mojej głowie. Ten, który częściej wpędzał mnie w kłopoty niż pomagał mi z nich wyjść. Dzienniczek. Pamiętnik. Jeśli pisała o Denazen, być może było tam coś pożytecznego. Coś o Supremacji. Albo o antidotum.

To był strzał w ciemno. Ale musiałam się przekonać.

§

Z niewielką pomocą Google'a dowiedziałam się, dokąd mam się udać i o dziesiątej byłam gotowa do wyjścia. Nie byłam w radosnym nastroju. Wszystko mnie bolało, nie wspominając już o siniakach, które były pamiątką po próbie latania. Bark nie dawał mi spokoju. Dojmujący ból, który wzmagał się ilekroć nim poruszałam, zakorzenił się na dobre i raz było mi potwornie zimno, a raz gorąco. Ponadto co chwila czułam mdłości. Nie trwały długo, ale zastanawiałam się, czy próbować czegoś oprócz wody. Nawet od kawy mnie odrzucało – a to było przygnębiające.

Miałam wrażenie, że temperatura podniosła mi się o jakieś pięćset stopni. Ściągnęłam z siebie bluzę z kapturem, byłam tylko w podkoszulce, chociaż gość od prognozy pogody powiedział, że temperatura na dworze nie przekroczy dwudziestu stopni. Ciągłe wahania, raz gorąco, raz zimno, doprowadzały mnie do obłędu.

Rosie nie było przy biurku, więc nikt nie sprawdzał, co się dzieje przy drzwiach wejściowych. Wydało mi się to dziwne. Rosie nigdy nie wychodziła zza biurka. Może jednak to znaczyło, że szczęście się odwróciło. Należało mi się. Będę mogła się wymknąć i nikt się nie zorientuje.

– Myślałam, że będziesz spać.

A może jednak nie miałam racji.

Kiedy się odwróciłam, Kale opierał się o biurko Rosie. Teraz poczułam zupełnie nowy ból, który promieniował z klatki piersiowej.

– Mogłabym powiedzieć to samo o tobie. – Rozejrzałam się. Byliśmy tylko we dwoje. – A gdzie twój cień?

Odepchnął się od biurka, przeszedł przez hol i zatrzymał się w bezpiecznej odległości.

– Dokąd idziesz?

– A co cię to obchodzi? – powiedziałam to szybciej niż pomyślałam. Zwaliłam winę na ból w ramieniu. Wpływał na połączenie między mózgiem a językiem.

Zrobił wielkie oczy.

– Jesteś wściekła? Na mnie?

– Nie – powiedziałam, odsuwając się o krok. – Tak. Tak jakby.

Cofając się ku drzwiom, nagle dotknęłam plecami chłodnego szkła. Zaczynała się faza zimna. Naciągnęłam bluzę z kapturem i ściągnęłam rękawy aż do nadgarstków.

– Posłuchaj, nie gniewaj się. Nie czuję się dobrze, a ta cała historia z przyjęciem wczoraj wieczorem...

– Bo przyszedłem z Jade.

– Tak, i wyszedłeś. Beze mnie. – Prawda była taka, że rzeczywiście byłam na niego wściekła. Chciałam mu powiedzieć, co się dzieje. Z Tatą. O Bliźniakach. Ale się bałam. Jeśli byłby tam ze mną, dowiedziałby się tak czy owak i nie można byłoby przed nim niczego więcej ukrywać. Logika mojego myślenia nie była solidna, bo obwiniałam go o coś, nad czym nie mógł zapanować. Nic mnie to jednak wtedy nie obchodziło.

– Jade mówiła...

Uniosłam dłoń i pchnęłam drzwi.

– Nie kończ tego zdania.

– Wyrzuciłaś ją przez okno?

Mój racjonalny umysł usłyszał proste pytanie. Moje emocje jednak usłyszały gorzkie oskarżenie. Odgryzłam się, mówiąc

– Uratowałam jej tyłek. I swój!

Zmrużył oczy. Ostrożnie, odmierzonymi krokami podszedł bliżej.

– Przed czym?

Ugryzłam się w język. Szlag to trafi. Otwórz usta i wsadź całą pięść. Co ze mną jest dzisiaj nie tak? Teraz mi nie odpuści.

– Dez – powiedział, zbliżając się. – Uratowałaś ją, ale przed czym? Powiedz mi, co się wczoraj stało? To musi mieć coś wspólnego z tymi Szóstkami w parku. Właśnie tam go uderzyłaś, prawda? Był na imprezie?

Wycofywałam się w kierunku drzwi.

– Dez.

– Tak, był tam. Sądzę, że wezwali gliny dla odwrócenia uwagi po to, żeby mogła wkroczyć Denazen.

Zamrugał oczami.

– Skąd by wiedzieli, że tam jesteśmy? Przecież to nie była impreza Ginger.

223

– No właśnie, Kale. Pomyśl tylko. Skąd wiedzieli? – Czekałam. A kiedy nic nie powiedział, mówiłam dalej. – Bo ktoś im powiedział.

– Ktoś?

Wzniosłam oczy ku niebu.

– Myślisz, że to Jade?

– Uhm.

Pokręcił głową.

– Nie. Nie masz racji.

To mnie wkurzyło i nie byłam pewna, czy to trucizna robi ze mnie taką zimną sukę, czy fakt, że on jej broni.

– Tak czy owak, muszę iść.

Wyciągnął rękę, żeby mnie chwycić za ramię, ale zamarł. Zrobił krok w tył i spytał:

– Dokąd?

Wzruszyłam ramionami, próbując go zbyć.

– Mam parę rzeczy do zrobienia.

– To ja też idę. – Obszedł mnie i otworzył drzwi.

– Nie ma potrzeby.

– Nie jestem głupi. – Rozłożył ramiona i powiedział. – To wciąż dla mnie nowe rzeczy, ale mam oczy i znam cię. Wiem, że coś ukrywasz. Unikasz mnie. A nigdy mnie nie unikałaś.

– Nie ciebie. Unikam twojego cienia. – Zaczął coś mówić, ale ucięłam go w pół słowa. – Nie umiem sobie z nią poradzić, rozumiesz? Nie teraz. – Zaczęłam mówić coraz głośniej, choć starałam się to opanować. – Gdzie się tylko nie obejrzę, widzę ją. Z tobą. Rzuca się na ciebie. A po to, żebym ja mogła dotknąć ciebie, ona musi być w pobliżu.

– Nie ma jej tu.

– A to znaczy, że nie mogę cię dotykać. Nie bez bólu i mdłości. Albo, żeby nie umrzeć.

Wzdrygnął się, ale nic nie powiedział.

Spojrzałam mu za ramię, spodziewając się, że wyskoczy, jak diabeł z pudełka. Miała talent do pokazywania się w najmniej sprzyjających okolicznościach. W holu hotelowym wciąż było cicho, westchnęłam i kopnęłam w dywan. Odszczekiwanie się Kale'owi było głupie. To nie jego wina.

– Nie gniewaj się.

– Chcę iść z tobą.

– Nawet nie wiesz, dokąd się wybieram.

– Nic mnie to nie obchodzi. – Przykrył dłoń rękawem i próbował mnie chwycić za rękę, ale się odsunęłam. Jego gest był słodki, ale gdzieś w głowie wściekał się maleńki głosik. *Dlaczego jesteś taka wściekła? Co z tobą, dziewczyno? To jest Kale!*

Westchnęłam, wyjęłam z kieszeni kluczyki Ginger i zamachałam mu nimi przed nosem.

– Niech będzie po twojemu, ale wiedz, że teraz jesteś oficjalnie winny poważnej kradzieży samochodowej.

– Nie powiedziałaś mi, dokąd jedziemy.

Zaparkowałam starożytny samochód Ginger przy krawężniku dwie przecznice od domu Phillipsów. Przez całą drogę zastanawiałam się, co powiedzieć Kale'owi. Ciężko mi było trzymać coś przed nim w tajemnicy, ale fabrykować jakieś kłamstwa? To niemożliwe. Przejrzałby mnie natychmiast. Już wiedział, że coś się dzieje ze mną i z Able'em. Postanowiłam powiedzieć mu na tyle dużo, żeby zmieścić się w granicach prawdy.

– Jesteśmy tu, żeby przeszukać dom Layne Phillips.

Odpiął pas i przesunął się na fotelu.

– Tej dziewczyny z wiadomości telewizyjnych?

Skinęłam głową.

– Dlaczego?

– Myślę, że ona była w Supremacji. Sądzę, że jej śmierci jest winna Denazen.

– Skąd myśl, że ona miała coś wspólnego z Denazen?

– Intuicja mi to podpowiada – powiedziałam i otworzyłam drzwi do samochodu. – Powinniśmy się pospieszyć. Jej rodzice pracują w ratuszu. A w soboty tylko do pierwszej.

Wiedziałam, że chciałby więcej wyjaśnień, ale na szczęście nie naciskał. Jeszcze kilka miesięcy temu przeszłoby, gdybym powiedziała, że dostałam anonimowy cynk. Kale był od niedawna wolny i w jego świecie takie rzeczy zdarzały się cały czas. Ale teraz? Teraz wszystko kwestionował. Widział świat oczami Dez, dzięki czemu był w stanie wyjaśnić dlaczego robiłam to, co robiłam, a co cała reszta ludzkości uznawała za albo niewiarygodnie głupie, albo niezrozumiałe.

Szliśmy parę minut w milczeniu.

Ściągnął znów rękaw na dłoń i wziął mnie za rękę.

– Cieszę się na poniedziałek.

– Ja też – powiedziałam. Palce mi zadrżały, zamknięte w grubym materiale jego bluzy.

Po tym, jak Kale zaprosił mnie na tańce z okazji rozpoczęcia szkoły, był rozczarowany, kiedy się dowiedział, że jeśli nie ma prawdziwej szkoły, nie ma i tańców.

Czuł, jakby to on czymś w tej materii zawinił, że umknęła mi klasa maturalna i postanowił, że to, co się dzieje, będzie tak autentyczne, jak się da. Rosie twierdziła, że godzinami siedział przy komputerze, a w końcu poszedł poprosić o pomoc Ginger. Żeby uczcić powrót do szkoły, zarezerwowała miejsca w restauracji Flavour, w klubie tanecznym Parkview. Wysłała zaproszenia do wszystkich Szóstek mieszkających w Sanktuarium. A to znaczyło, że będzie tam i Kiernan. Wiedząc, że Jade będzie się rzucała na Kale'a i pewnie założy jakąś kurewską sukieneczkę – byłam wdzięczna.

Ktoś będzie musiał mnie powstrzymać, żebym jej nie skoczyła do gardła.

Większość drogi przeszliśmy w milczeniu. Kale rzucał spojrzenia na boki. Ramiona miał sztywne, wzrok wbity przed siebie i nic nie mówił. Dwa razy złapałam go na tym, że prostował palce i zauważyłam delikatny ruch ust, jakby liczył. Wiedziałam, że to moja wina, ale nie było sposobu, żeby to naprawić – przynajmniej na razie.

– Jesteśmy – powiedziałam, zatrzymując się przed ciemnoszarym domem w wiejskim stylu. Trawa była starannie przystrzyżona, dekoracją trawnika był różowy flaming i pasujące do niego małe dzieci-flamingi. Front domu ocieniała ogromna sosna, której gałęzie sięgały krawędzi trawnika.

– Na pewno nikogo nie ma?

Pokazałam gestem pusty podjazd i obeszłam dom dookoła. Żadnych samochodów.

– A jak się dostaniemy do środka?

Zatrzymałam się i machnęłam na niego ręką.

– Zostawiam to specjaliście.

Kale, który był Kale'em – przypuszczałam, że dokona czegoś w stylu prawdziwego ninja, albo otworzy zamek wytrychem. Tak właśnie robił. Niepostrzeżenie. Jego umiejętność infiltracji była imponująca.

Zamiast tego jednak obszedł dom dookoła, podszedł do tylnych drzwi i łokciem wywalił szybę.

Boże! – wstrzymałam oddech i spojrzałam pospiesznie przez ramię. W powietrzu słychać było dźwięk spadających na beton odłamków szkła. To była spokojna dzielnica. Domy stały stosunkowo blisko siebie. Ktoś, kto pracował na podwórku z tyłu za swoim domem mógł wszystko usłyszeć, zadzwonić do straży sąsiedzkiej, albo co tam w tej okolicy mają.

– Oszalałeś?

– Tu nikogo nie ma. Jest bezpiecznie. – Sięgnął ręką przez wybitą szybę, otworzył drzwi i pchnął skrzydło.

Weszłam za nim do środka.

– Tu mógł być alarm.

– Nic na to nie wskazywało.

Ruszyłam za nim przez próg.

– Nie wskazywało?

Wzniósł oczy ku niebu. Boże. Uwielbiałam te jego miny. – Na oknach nie ma żadnych naklejek, na trawniku przed domem niedaleko stąd bawiły się dzieci. To spokojna dzielnica. Nie ma przestępczości, albo jej poziom jest bardzo niski. Nie byłoby potrzeby zakładania alarmu.

Zamknęłam drzwi za sobą i wskazałam na schody.

– Chodźmy. Mamy tylko parę godzin, zanim pan i pani Phillips wrócą do domu.

Pokój Layne znaleźliśmy na górze. Sądząc po jego stanie domyślałam się, że jej rodzice nie mieli serca wrócić tu po tej nocy, kiedy była impreza. Ciuchy rozrzucone na podłodze, niedojedzona kanapka na rogu biurka. Krążyło nad nią kilka much, czekając na szansę wylądowania i pożywienia się.

– Ty szukaj z tej strony – powiedziałam, wskazując na połowę pokoju z oknem. Na parapecie stał niepewnie duży kubek w kształcie głowy królika. Przy ścianie stała toaletka i cedrowa szafa na ubrania. Chciałam sama sprawdzić biurko i toaletkę. – Ja poszukam z tej strony.

– Czego szukamy? – Kale pochylił się i zajrzał do kubka.

– Krąży plotka, że Layne prowadziła pamiętnik. Mam nadzieję, że jest tu gdzieś ukryty.

Kale wyglądał na nieprzekonanego.

– Czy ktoś by już go nie zabrał? Czy nie zginęła właśnie tutaj? Przecież policja na pewno przeszukała pokój.

Wzruszyłam ramionami.

– To zależy od tego, jak dobrze go schowała.

Zabraliśmy się do pracy, szukaliśmy w milczeniu przez długi czas, który ciągnął się, jak w zwolnionym tempie. Raz po raz podnosiłam wzrok i napotykałam spojrzenia Kale'a, który przyglądał mi się z dziwnym wyrazem twarzy. Raz czy dwa otworzył usta, żeby coś powiedzieć, ale szybko się odwracałam. Nie drążył tematu.

Kiedy znów spojrzałam na wyświetlacz telefonu, była prawie dwunasta. Kopnęłam puste pudełko po butach przez pokój i westchnęłam. Już przeryłam się przez całą szafę i nic nie znalazłam.

– To bez sensu. – Kale wyciągnął głowę spod łóżka. – Nie sądzę, żeby napisała czarno na białym, że w to wszystko jest wmieszana Supremacja.

Odepchnęłam się od szafy i stanęłam niepewnie na równe nogi. Poczułam mrowienie w udach, zachwiałam się, niemal tracąc równowagę. Chwyciłam się tego, co miałam pod ręką – za wieszak, pełen wielkich torebek w fatalnym stylu – próbowałam nie upaść. Nie udało mi się, pociągnęłam za sobą wieszak, torby i swetry leżące naokoło nich na podłogę. Uderzyłam głową we framugę drzwi i naciągnęłam mięsień w zdrowym ramieniu, ale było warto.

– Założysz się? – wyplątałam się ze stosu ubrań i pochyliłam naprzód. Na ścianie szafy był plakat, przedstawiający obraz M. C. Eschera. Najpierw zastanowiło mnie to, że był w szafie. Escher był niesamowity. Dlaczego ktoś miałby go chować w szafie? Po drugie, podejrzana była mała, czerwona plama na ścianie w narożniku. Plakat przykrywał ścianę, ale kiedy upadałam, jeden ze swetrów spadł z wieszaka i pociągnął za narożnik, odrywając go od powierzchni.

Wstrzymując oddech, sięgnęłam ręką i oddarłam papier od ścianki szafy. Wielkimi literami zaschłą krwią napisane było „Supremacja" i to parę razy. Wielkimi literami. Małymi literami. Zygzakami. Esami floresami.

– To naprawdę dziwaczne.

Kale stanął za mną z tyłu. Nie był tym zdziwiony.

– Ale to tylko potwierdza twoje podejrzenia, nic więcej. Słuszna myśl. Ale co z tego? Wiemy na pewno, że ona była w Supremacji. To nic mi nie dało.

Kale przechylił głowę i ukląkł obok mnie.

– Może coś znajdziemy w panelu za szafą.

– Co takiego?

Sięgnął z boku i ściągnął jeden z wieszaków z pałąka. Rozgiął go, na wpół schował się do szafy i dźgnął stalą w ścianę. Po kilku uderzeniach zobaczyłam ślad jakby po szwie. Jeszcze kilka uderzeń, szew oddzielił się od ściany i ukazał się mały otwór.

– To może być to coś – powiedział Kale, wyciągając stamtąd niewielki, oprawny w skórę album.

Odebrałam od niego książkę i otworzyłam. Pierwszym słowem, które zobaczyłam na przypadkowo otwartej stronie, było „Supremacja".

– Trafiony! Czy coś...

Kale zesztywniał.

– Ciii!

Stłumione głosy, a później jeden jasny, jak dzwon.

– Macie przeszukać tę sypialnię do spodu. Nikt stąd nie wyjdzie, zanim nie znajdziemy tego pamiętnika.

– Cholera! – Ruszyłam do okna, ale Kale był tam pierwszy. – Zablokowane. – W jego głosie usłyszałam subtelny ślad paniki.

– To już mamy...

– Przerąbane – dokończyłam za niego, kiedy do pokoju wpadło trzech facetów w typowych dla Denazen niebieskich uniformach.

20

Kale wyszedł przede mnie i przez bardzo długą sekundę nikt się nie ruszał.

– To mi ułatwia zadanie – powiedział ten stojący z przodu. Patrzył na mnie, jakbym była jakąś przerośniętą złotą rybką, którą ktoś rzucił w jego kierunku. – Założę się, że Cross awansuje mnie za to, że przyprowadziłem do domu jego dziewczynkę.

Kale zachichotał i zdjął bluzę. Ten odgłos wywołał dreszcz na moich plecach.

– Wiesz, że cię zabiję, jeżeli podejdziesz bliżej.

Mężczyzna westchnął i zrobił krok w bok. Jego kolega miał pistolet ogłuszający – model standardowy, jak kiedyś powiedział mi Kale – wymierzony prosto w nas.

– I to właśnie dlatego wy nie będziecie podchodzić bliżej.

Usłyszałam cichy odgłos wystrzału, jakby ktoś otwierał butelkę i strzałka wyleciała z lufy broni, usłyszałam stłumione jęknięcie, kiedy Kale odsuwał mnie na bok. Strzałka uderzyła w okno, szkło pękło, ale nie rozbiło się. Kale ruszył na mężczyzn, rozbijając ich, jak kula tocząca się w kierunku idealnego rzutu. Jeden natychmiast upadł. Oczy miał szeroko otwarte, próbował zejść mu z drogi, ale nie był na tyle szybki. Nie osłonięta ręka Kale'a dotknęła jego twarzy.

Pchnął mocno, mężczyzna potknął się i rozpłynął w powietrzu jeszcze zanim uderzył w ścianę.

Jeden z pozostałych kopnął i trafił Kale'a w brzuch. Kale potknął się i upadł na ziemię, ale nie sam. Przekręcając się w pasie, wyrzucił nogi w górę w kolistym ruchu i łagodnym kopnięciem trafił mężczyznę w dołki podkolanowe. Tymczasem ten ostatni zaatakował mnie. Chwyciłam strzałkę z podłogi pod oknem i pobiegłam mu na spotkanie. Udało mu się chwycić mnie za gardło, ale sekundę wcześniej ja wbiłam zaostrzony szpic strzałki w miękką skórę na jego szyi. Zacisnął palce. Raz. Dwa razy. Trzy razy. A później puścił mnie i potykając się, zrobił kilka kroków w tył. Wyrwał sobie strzałkę z szyi i rzucił na ziemię.

– Zapłacisz mi za to – warknął.

– Często to słyszę – powiedziałam, uśmiechając się słodko, a później zrobiłam unik, kiedy znów ruszył na mnie, tym razem z mniejszą gracją. Substancje usypiające, którymi pokryta była strzałka zaczęły działać. Musiałam tylko uskakiwać mu z drogi, aż padnie.

Jeszcze raz się zamachnął. Siła uderzenia wytrąciła go z równowagi i poleciał aż na biurko. Krzesło pochyliło się w lewo i upadło na ziemię. Potknął się o nie agent, z którym mocował się Kale. Zrobiłam błąd, bo przyglądałam się, jak upada i odwróciłam na chwilę oczy od mojego przeciwnika, dając mu szansę uzyskania przewagi.

Agent jednak był bezsilny. Jego uchwyt był letargiczny, a ruchy powolne. Odtrąciłam go i odsunęłam się, zanim zorientował się, co się stało. Otworzył usta, ale nic nie powiedział. Wywrócił oczami. Bezwładne ciało runęło na niebieski dywan.

Przez kilka sekund podziwiałam swoje dzieło. Duży błąd. Znów usłyszałam delikatny wystrzał z broni i znów kątem oka zobaczyłam szpiczastą strzałkę, lecącą w moim kierunku. Zejście z toru jej lotu byłoby niemożliwością. A jednak mi się udało.

Albo komuś się udało. Kale'owi.

Wpadł na mnie z prawej i oboje polecieliśmy na bok. Uderzenie było tak silne, że potknęłam się i walnęłam o ścianę sporo poza jego zasięgiem. W mgnieniu oka był już na nogach i odpierał ataki ostatniego z Denazen.

– To głupie – powiedział – mnie nie możesz dotknąć, a jej nie dotkniesz na pewno.

Mężczyzna nie odpowiedział, tylko uśmiechnął się i sięgnął ręką do tyłu. Chwilę później miał w dłoni mały nóż. Usłyszałam świst przecinanego powietrza, kiedy nóż zrobił łuk tuż przed Kale'em. Jednak on z łatwością zrobił unik i sięgnął po mężczyznę, tylko że on był inny niż reszta.

Wyrwał się z zasięgu Kale'a i wycinał ostrzem w powietrzu przemyślne kółka. Kale okręcał się i wirował podczas, gdy mężczyzna próbował go pociąć na małe kawałki, zataczając kręgi. Widać było, że wie, co robi. Kale ruszał do przodu, a mężczyzna wymykał mu się spod ręki. To było jak oglądanie jakiegoś egzotycznego tańca. Poezja i gracja, za którymi kryły się śmiertelne zamiary. Tylko raz przyszło mi do głowy, żeby podejść tam i pomóc Kale'owi, ale tę myśl szybko odrzuciłam. Kale był skupiony, jego ruchy miały zadawać śmierć. A ja nie mogłam zaryzykować, że przypadkowo wejdę mu w drogę.

Z ust Kale'a wymknęło się ciche przekleństwo. Ostrze noża trafiło go w ramię. Na początku było to tylko przecięcie jego podkoszulka. Chwilę później brzegi materiału zaczęły ciemnieć, a rana – krwawić.

Kale, lekko zszokowany, odwrócił się, żeby się jej przyjrzeć.

To powinno być światłem ostrzegawczym. A jednak dopiero, kiedy mężczyzna odprężył się, założył ramiona na piersi i zachichotał, zobaczyłam dlaczego. Z tyłu drugiego barku Kale'a wystawała strzałka, którą mężczyzna wystrzelił w moim kierunku.

Kale pewnie zobaczył to w tym samym momencie, kiedy i ja. Zrobił bardzo wielkie oczy, wyrywając ją z ciała. Strzałka spadła na podłogę, podskoczyła dwa razy na dywanie i znieruchomiała u jego stóp.

– Zabiję cię wcześniej, niż zadziała trucizna.

Mówił to niezbyt pewnym głosem. Prawdę mówiąc, głosem, który się lekko łamał. Mogłabym się założyć, że mężczyzna tego nie zauważył, bo większość ludzi nie była do tego stopnia świadoma tego, co się dzieje z Kale'em, jak ja, ale widać było, co się święci. Może szkolenie, które przeszedł w Denazen, było najtrudniejsze ze wszystkich, a on – najbardziej morderczym z morderców, ale ostatecznie był tylko człowiekiem.

A ludzie nie tolerują zbyt dobrze strzałek z broni usypiającej.

Mężczyzna skoczył naprzód i wyprowadził kopnięcie, uderzając Kale'a z tyłu w kolana. Kale, oszołomiony przez substancję usypiającą, która teraz atakowała jego krwiobieg, nie odsunął się na czas i upadł na ziemię. Ruszyłam naprzód, żeby mu pomóc, ale zamarłam, gdy mężczyzna wycelował we mnie broń.

– Nie ruszaj się, mała. – Odwrócił się do Kale'a i wsadził but pod jego podbródek. Zaśmiał się. Machając bronią, powiedział – Cross ma rację. Jesteś tylko zwierzęciem. Łatwo cię opanować, jeśli się ma do tego odpowiednie narzędzia.

Sięgnęłam dłonią za siebie i macałam na ślepo po parapecie, próbując wyczuć, gdzie stoi kubek z kawą w kształcie królika, który widziałam, gdy weszliśmy do środka. Kiedy czubkami palców dotknęłam chłodnej, dziwacznie uformowanej porcelany, westchnęłam z ulgą. Martwiłam się, że w całym tym zamieszaniu ktoś go strącił.

Palcami oplotłam rączkę, zrobiłam krok naprzód i przywaliłam z całej siły kubkiem facetowi w skroń. Pistolet wypadł mu z ręki, a on sam potknął się i potoczył do tyłu. Zastanawiałam się, czy nie zamienić kubka na coś bardziej użytecznego, bo wprawdzie uderzenie pomogło, ale tylko go oszołomiło. Coś takiego, jak rurka, wyrządziłoby więcej krzywdy. Nie chciałam jednak ryzykować, nie wiedząc, czy Kale jest na tyle przytomny, żeby to zauważyć. Nie miał pojęcia, że moja zdolność się nasiliła.

Agent jęknął i zrobił jeszcze jeden krok w tył, masując głowę. Nie odpuszczałam. Poszłam za nim, kopnęłam go w brzuch, stracił równowagę i wpadł do otwartej szafy. Zamknęłam drzwi i przycisnęłam je małym stolikiem nocnym, a później wróciłam do Kale'a.

Próbował usiąść, ale był oszołomiony. To na pewno nie ten superczujny na wszystkie sygnały facet, do którego byłam przyzwyczajona. Próbowałam wsunąć mu ramiona pod pachy, ale mnie odepchnął.

– Nie – zaczął mamrotać. – Nie dotykaj mnie. Ty...

Usłyszałam walenie w drzwi szafy.

Nie zważając na jego protesty sięgnęłam na dywan po jego bluzę. Zaczęłam od nagiego ramienia i pociągnęłam go w górę. Nie udało mi się jednak zbyt wiele zdziałać, chociaż nie byłam słabeuszem. Ale Kale był olbrzymim facetem. Bardzo umięśnionym. A to się przekładało na tonę bezwładnej masy.

– Pomóż mi, Kale. Musimy się zmywać. I to już. – Znów usłyszałam walenie w drzwi szafy. Długo nie wytrzyma, a ja nie chciałam tu być, kiedy agent się wydostanie. – W zasadzie powinniśmy się zmywać już pięć minut temu.

Kale'owi udało się wstać, ale ustać mu było trudniej. Dwa kroki w kierunku drzwi i znów leżał. Chwyciłam go i pociągnęłam w górę, ale podciągnęłam też rękaw i palcami dotknęłam gołej skóry. Tym razem efekt był natychmiastowy. Nie było już mrowienia, był od razu otępiający ból i brak oddechu. Upadłam tuż obok niego, widziałam gwiazdy, próbowałam z trudem wdychać i wydychać powietrze.

Jak gdyby tego było mało, drzwi do szafy akurat w tym momencie otworzyły się z hukiem. Wszędzie sypały się drzazgi i sucha farba. Mężczyzna warknął i z wyciągniętymi przed siebie rękami rzucił się na nas. Kale, który nie mógł się podnieść z podłogi, chwycił go za kostkę, kiedy ten przebiegał. Facet w ubranku Denazen przywalił z hukiem w podłogę.

Odsunęłam się, z trudem wstałam i próbowałam go obejść tak, żeby móc wyciągnąć Kale'a z pokoju, jeśli będę musiała. Jednak potknęłam się o coś i tak, jak ten facet, runęłam na podłogę. Mocno. Próbowałam się podnieść na równe nogi, ale coś mnie pociągnęło przez podłogę. Albo ktoś. Koszula sama mi się podciągnęła, szorstki dywan wrzynał mi się w skórę. I to wcale nie było ani przyjemne, ani śmieszne. – Dez... – jęknął Kale, przetaczając się na bok. Dopiero za którymś razem udało mu się uklęknąć na kolana, kiedy mężczyzna sięgał po moje ramię. Nieco dalej Kale zakłada na siebie bluzę. Nic w tym złego. Potrzebowałam tylko maleńkiego kawałka skóry. Kopnęłam wolną stopą i chwyciłam faceta za ramię. Puścił moją kostkę, a ja zanurkowałam w kierunku Kale'a. A on razem ze mną. Dobiegłam do niego z półsekundową przewagą, chwyciłam go za rękę osłoniętą koszulą, podciągnęłam rękaw i wypchnęłam do przodu nieokrytą dłoń. Facet był za bardzo rozpędzony. Nie mógł się zatrzymać. Koniuszki jego palców zderzyły się z dłonią Kale'a. Sekundę później zrobił wielkie oczy, ból minął szybko. Pozostał po nim tylko deszcz pyłu, który zawisł w powietrzu.

Wstałam na równe nogi, chwyciłam mocno Kale'a i szarpnęłam w górę. Kiwał się niepewnie na nogach, ale udawało mu się ustać. – Musimy iść.

§

Niedziela mijała powoli. Udało nam się wrócić do hotelu bez żadnych oznak obecności Denazen, chociaż spodziewałam się, że agenci będą chcieli zorganizować zasadzkę w drodze powrotnej. Ginger zarzekała się, że hotel jest bezpieczny, ale ja tego nie czułam.

Na szczęście, kiedy wróciliśmy, nie było nikogo. Pomogłam Kale'owi dojść do swojego pokoju, rzucił się na łóżko i zasnął. Kiedy spał, skuliłam się na fotelu obok jego łóżka i zaczęłam przeglądać dziennik.

Layne Phillips już jako dziecko wiedziała, że jest adoptowana. Z tego, co rozumiem i z tego, co ona rozumiała, jej rodzice nie mieli pojęcia o jej darze, ani o jej związku z Denazen. W wieku dziesięciu lat odkryła, że potrafi manipulować wodą. Pięć miesięcy później jej dar się zmienił. Nie tylko potrafiła manipulować wodą, ale również jej temperaturą. Wpis po wpisie relacjonowała wszystkie eksperymenty – wszystkie z katastrofalnymi rezultatami. Próbowała zamrozić wannę pełną wody, skończyło się zamrożeniem wody w rurach w całym domu. Później, nie zdając sobie sprawy z tego, co zrobiła, próbowała wodę ogrzać, co spowodowało popękanie rur i zalanie całego domu.

Innym razem włączyła wodę w wężu i próbowała dzięki niej kontrolować to, co się z wężem dzieje. Wybiła cztery okna i rozwaliła bok samochodu mamy. Spadek jej zdolności umysłowych ujawnił się na końcu.

Eksperymenty robiły się coraz dziwniejsze i coraz mniej przemyślane. Podczas jednego z nich wypełniła wodą szuflady toaletki. Kiedy woda wyciekła, próbowała dzięki swojej umiejętności wtłoczyć ją tam z powrotem, sfrustrowała się, kiedy znowu wyciekła. Jej ostatni odnotowany eksperyment opisywała w szczegółach – poszła do parku Memorial po zmroku i próbowała usunąć wodę ze stawu.

Im więcej czytałam, tym mniej sensu było na tych stronach. Layne wpadała w coraz silniejszą paranoję. Z tego, co zrozumiałam, Denazen nigdy się z nią oficjalnie nie skontaktowała.

Następnego dnia rano, wcześnie wyszłam z pokoju Kale'a, bo byłam głodna. Przysypiałam przez parę godzin, ale niewiele spałam. Kręciło mi się od tego wszystkiego w głowie.

Mdłości trochę odpuściły, a jako, że nie jadłam nic konkretnego w ciągu ostatnich paru dni, miałam na coś ochotę. Owinęłam się mocno bluzą i opadłam na krzesło kuchenne. Próbowałam zjeść miskę płatków. Byłam głodna jak wilk, kiedy zaczynałam, ale po paru kęsach słodkie płatki w misce przestały mi smakować, były jakby zwietrzałe. Odepchnęłam je na bok i spojrzałam na pamiętnik, a później na drzwi. Jade wsadziła głowę do kuchni dwa razy, żeby sprawdzić, czy jest tam Kale. Jeżeli zrobi to jeszcze raz, prawdopodobnie ją uduszę.

Kale był wciąż w sferze mroku, a ja robiłam się nerwowa. Nie mogłam usiedzieć na miejscu. Byłam zdezorientowana tym, co przeczytałam. Czy Denazen nie miała wychowywać dzieciaków tak, by wierzyły w te oficjalne bzdury? Z tego, co wiem, Layne Phillips nie miała pojęcia, kim i czym jest Denazen i o co w tym wszystkim chodzi. Wiedziała jednak o Supremacji. To mnie niepokoiło, aż nie dotarłam do końca lektury. Trzy tygodnie przed urodzinami zaczęła mieć koszmary nocne. Pojawiał się w nich człowiek, który mówił, że jest przeznaczona do wielkich rzeczy. Powiedział jej wszystko o projekcie Supremacji i o tym, że została wybrana. Biedna dziewczyna była przekonana, że otwierają się przed nią bramy szczęścia.

– Siema.

Odsunęłam dziennik i spojrzałam w górę. W drzwiach stał Kale, włosy miał w nieładzie, wzrok błędny. Jak na kogoś, kto właśnie się podniósł z łóżka, wyglądał nieciekawie.

– No, siemka. – Wstałam. – Jak się czujesz?

Wszedł do kuchni, rozcierając skronie.

– Wszystko jest jakieś rozmyte. Tak, jakbym się uderzył w głowę. Czy uderzyłem się w głowę?

Uśmiechnęłam się i podsunęłam mu niedojedzoną miskę płatków. Kale wziął ją w rękę.

– To wina substancji chemicznej, którą smarują strzałki. To minie. Naprawdę.

Ugryzł i skrzywił się. Za mało cukru. Kale był jedyną osobą na świecie, która używała więcej cukru, niż ja. Sypał go na wszystko. Parę tygodni temu złapałam go nawet na tym, że posypuje sobie tosty.

– Wszystko w porządku?

– Tak.

Odsunął od siebie miskę i pochylił się do przodu.

– Trzymasz się za bark.

Cholera. Szlag by to trafił. Ból był teraz prawie nieprzerwany. Temperatura wciąż rosła i spadała, ale nie tak często i nie tak mocno. Chciałam się czuć dobrze – mając nadzieję, że udowodnię, iż Tata kłamał i że naprawdę wyzdrowieję bez niczyjej pomocy.

– Tak. Spałam na złym boku. Całą noc siedziałam w fotelu w twoim pokoju.

Przez sekundę myślałam, że mnie wyśmieje, ale skinął głową.

– Znalazłaś coś w jej dzienniku?

Prychnęłam i sięgnęłam po niego na stół.

– Nic pożytecznego. – Zamachałam książką i uśmiechnęłam się. Była niedziela. Czułam się fatalnie. Może trochę czasu spędzonego z Kale'em poprawi mi nastrój. Z technicznego punktu widzenia nie mógł to być czas całowania się z Kale'em, ale na bezrybiu i rak ryba. Myślałam o tym całą noc i w końcu doszłam do tego, żeby powiedzieć mu, co się dzieje. Chciałam to zrobić, zanim stracę rezon. – Wymknijmy się gdzieś i chodźmy połazić, znajdźmy jakiś szlak za hotelem. Nie mogę usiedzieć na miejscu i chciałabym spuścić z siebie trochę pary. Możemy porozmawiać... Nie od razu odpowiedział. Kiedy się odezwał, zmarszczył brwi.

– Za kilka minut spotykam się z Jade.

– Spotykasz się z Jade? – Nie mogłam powstrzymać się od powiedzenia tego głośniej. Głupie pytanie, już wiedziałam, ale i tak je zadałam. – A po jaką cholerę spotykasz się z Jade?

– Ginger chce, żebyśmy jeszcze poćwiczyli.

– Oczywiście, że tak – odparłam. – Bo wiesz, jak na kogoś, kto zarzeka się, że nie będzie się wtrącać w życie innych ludzi, wygląda na to, że Ginger wtrąca się aż nadto.

– Przeszkadzam? – W drzwiach pojawiła się Jade wyglądająca dziś, jak postać ze snu nastolatka. Obcisła dżinsowa spódniczka, sandały z paseczków i bluzeczka, która sprawiała wrażenie, jakby należała do przedszkolaka. Ktoś tu nie sprawdził, jaka jest pogoda na dworze.

– Ty zawsze przeszkadzasz – mruknęłam pod nosem. Podeszłam do Kale'a i powiedziałam: – Powodzenia w ćwiczeniach. Spotkamy się później?

Uśmiechnął się.

– Wiesz, że tak.

Oplotłam mu ramionami plecy i przyciągnęłam blisko. Przyglądał mi się, a w jego wzroku była mieszanina głodu i lęku. Wiedział, co zamierzam zrobić. Częściowo tego chciał, częściowo się bał. Wiedziałam, bo ja czułam się dokładnie tak samo.

W tej samej chwili, kiedy nasze usta się dotknęły, poczułam ukłucie. Zaczęło się od niewielkiego – nic więcej niż mrowienie, ale z każdą sekundą, w której się od niego nie odrywałam, było silniejsze i ostrzejsze. Trudno było na nie nie zważać. Po kilku sekundach jego ramiona oplotły mnie w pasie, palce wpijały się we mnie, żeby przyciągnąć mnie do siebie.

Miałam nadzieję, że Jade to rejestruje. I rozumie, że ona tego nigdy nie będzie miała.

Kale przerwał pocałunek.

– Bolało, prawda?

Chciałam mu powiedzieć, żeby nigdzie nie szedł, że chcę porozmawiać, ale nie zdobyłam się na to. Przekonanie, które czułam jeszcze kilka chwil temu i pewność, że muszę mu powiedzieć o Able'u, już parowały. Głos gdzieś w głowie mówił mi, że nie mam racji. Nigdy nie byłam niezdecydowana, ale jeżeli chodzi o tę decyzję, odbijałam się od ściany częściej niż gumowa piłeczka.

– W ogóle – skłamałam. Żeby mu to udowodnić, powiodłam palcem od policzka do podbródka Kale'a. – Widzisz? Wszystko jest dobrze.

Uśmiechnął się kącikiem ust, ale to było wymuszone. Wiedział, że kłamię.

Kiedy odwrócił się i wyszedł z pokoju za Jade, zacisnęłam pięść i zagryzłam wargi, żeby nie wrzasnąć z bólu. Było tak, jak gdyby obecność Jade prawie w ogóle nie skutkowała. Ile czasu jeszcze minie, zanim dotknięcie Kale'a będzie oznaczało śmierć na miejscu – nawet w obecności Jade w pomieszczeniu?

21

Tamtego wieczoru już się nie spotkałam z Kale'em. Kiedy mama weszła do pokoju, powiedziała mi, żebym nie czekała, bo Ginger każe im pracować w nadgodzinach. Zaczynała mnie porządnie wkurzać.

Następnego dnia nie było wcale lepiej. Znów byłam spóźniona i obudziłam się, słysząc budzik nastawiony na głośną muzykę country. Mamy nie było nigdzie w zasięgu wzroku. Kiedy dotarłam do sali konferencyjnej, Alex, Kale i Jade już byli zatopieni w książkach, a Ginger obrzuciła mnie spojrzeniem pod tytułem: „Jeśli znów się spóźnisz, będziesz czyścić toalety".

Nastrój poprawił mi się dopiero wieczorem. Uśmiechnęłam się do dziewczyny, która patrzyła na mnie z trochę zaparowanego lustra w łazience. Jej długie blond włosy, poprzeplatane pasemkami koloru głębokiego burgunda, opadały w luźnych lokach na nagie ramiona. Sukienka, którą miała na sobie – na cienkich ramiączkach, z dopasowaną wokół tułowia koronką i lekko rozkloszowaną spódnicą, kończącą się tuż nad jej kolanami – idealnie pasowała do pasemek.

Nie mogłam założyć takiej sukienki, ale chciałam mieć chociaż chwilę na to, by ucieszyć się tym, jak mogłoby być.

Po prostu. Oszałamiająco. Tak, żeby świat docenił jakość i gładkość mojej skóry. Wkładając ramiona w prostą, bawełnianą narzutkę, którą kupiłam razem z sukienką, pomyślałam o mojej ulubionej bluzce. Czarna, satynowa rozkloszowana bluzka z haftem, którą kupiłam w zeszłym roku, kiedy zakochałam się w jej rękawach. Tej bluzki już dawno nie było. Zabrano ją Bóg wie gdzie razem z resztą moich rzeczy, ale oczami wyobraźni wciąż widziałam ją w każdym najdrobniejszym szczególe. Wzięłam głęboki oddech, zamknęłam oczy i skoncentrowałam się. Powinnam była spróbować tego wcześniej, przed dzisiejszym wieczorem, ale nie miałam ani chwil dla siebie. Ginger, żeby utrzymać mnie jak najdalej od Kale'a i Jade, zlecała mi różne prace po szkole. Przez ostatni tydzień nie pamiętałam, jak się nazywam.

Skóra na moich barkach i ramionach łaskotała, kiedy materiał bawełnianej narzutki okręcając się dotykał jej powierzchni. Kiedy w końcu odważyłam się otworzyć oczy, nie mogłam powstrzymać uśmiechu. To wprawdzie nie było idealne rozwiązanie, bo byłam przyzwyczajona do tego, że pokazuję znacznie większe połacie mojej skóry, ale wyglądało naprawdę ładnie i w pewien sposób sexy, chociaż z dużym niedopowiedzeniem.

Mój dar był teraz bardziej wizualny, niż sensoryczny. Jeśli mogłam coś zobaczyć, mogłam też to zmienić w coś innego. Dzięki temu zmieniłam ramiączka i zwykła czarna narzutka stała się przedłużeniem sukienki. Jej nieciekawe rękawy przypominały teraz te z mojej ulubionej bluzki, tylko miały kolor głębokiego burgunda.

Przykrywały ramiona, a co ważniejsze – bark. Inaczej nie byłabym w stanie wyjaśnić obecności nieładnego, agresywnego śladu, który zostawił na mojej skórze Able. Zrobił się dwa razy większy, a linie wychodzące ze środka na zewnątrz pogrubiały.

Dekolt sukienki był wciąż niebezpiecznie wykrojony, bo istniały pewne rzeczy, których nie oddałabym w imię bezpieczeństwa, sama sukienka była wciąż krótka, ale dzięki krótkim rękawom może mama poczuje się trochę lepiej. Kiedy usłyszała o imprezie z okazji naszego udawanego powrotu do szkoły, była bardzo zaniepokojona. Powiedziała bez ogródek, że to będzie nieszczęście, bo i ja, i Kale nie potrafimy utrzymać od siebie rąk z daleka. Zapewniłam ją, że wszystko będzie w porządku, ale z wyrazu twarzy Kale'a widziałam, że on też się martwi.

Wsunęłam stopy w buty na szpilkach zrobione z samych paseczków, poprawiłam włosy i otworzyłam drzwi.

Po drugiej stronie czekała mama.

– Wciąż mi się to nie podoba – powiedziała, przyglądając się sukience. Byłam ostrożna i nie pokazywałam jej sukienki, kiedy wnosiłam ją do pokoju. Tylko Kiernan powiedziałam o swoich nowych umiejętnościach zamieniania rzeczy w inne rzeczy. Pewnie za bardzo by ich to nie zmartwiło – nigdy też nie przyznałam się do spotkania z Tatą na poczcie, ani też nie zdradziłam tego, co mówił o postępach umiejętności Szóstek Supremacji, ale po co miałabym zapraszać do swojego życia kłopoty?

– Nie martw się. Będziemy ostrożni. – Okręciłam się na palcach. – I co? Rewelacja, prawda?

Zmarszczyła brwi i cofnęła się o kilka kroków.

– Jest czerwona.

– Nie. Ma kolor burgunda. To zupełnie inny odcień. – Przyjęłam sobie za misję życiową wyleczenie jej z awersji do czerwieni. To był jeden z moich ulubionych kolorów i nie miałam zamiaru się łatwo poddawać.

Usłyszałyśmy stukanie do drzwi. Chwilę później mama zapraszała Kale'a do środka. Nie odrywał ode mnie wzroku. W rękach miał bukiet róż koloru głębokiej purpury.

– Curd mówi, że te kwiaty przypieczętują nasz związek.

Wzięłam kwiaty, próbując się nie roześmiać na widok wyrazu twarzy mamy.

– Od kiedy pytasz Curda o radę dotyczącą randek? A jeszcze bardziej mnie interesuje, dlaczego pytasz o rady dotyczące randek właśnie Curda.

Zmarszczył brwi, patrząc na kwiaty.

– Coś nie tak?

Spojrzałam przez ramię, a mama wzięła ode mnie kwiaty i wycofała się. Zajęła się szukaniem czegoś, w co mogłaby je włożyć.

– Są idealne – powiedziałam z uśmiechem. – Ale dlaczego Curd?

– Rozmawialiśmy podczas przyjęcia. Zapytał, czy może sobie wziąć Jade.

Uśmiechnęłam się. To było tak podobne do Curda.

– I co powiedziałeś?

Wyglądał na nieco zdziwionego.

– Odpowiedziałem mu, że oczywiście. Jak tylko z nią skończę.

Powinnam się wściekać, ale prawdę mówiąc, nie miał pojęcia, co powiedział.

– Dałabym sobie rękę uciąć, że zyskałeś opinię największego podrywacza w Parkview.

– Wydawał się zadowolony.

Wyciągnął rękę i zobaczyłam, że ma na sobie czarne rękawiczki. – Wyglądasz naprawdę ładnie.

– Ty też.

– Curd mówił mi, żebym to też powiedział. – Znów zmarszczył brwi. – Ale nie podobało mi się, jak to mówi.

– Tak?

Zrobił gest wolną dłonią i dotknął mojego policzka palcami urękawiczonej dłoni. Satynowy materiał był chłodny i gładki, zatęskniłam za ciepłym, szorstkim dotykiem jego nagiej dłoni.

– Pięknie. Wyglądasz pięknie.

– Twój komplement bardziej mi się podoba.

Już nie marszczył brwi, uśmiechnął się zadowolony z siebie.

– To dobrze.

Jak za dotknięciem czarodziejskiej różdżki, całe napięcie związane z Jade wyparowało. Czy mogłam odgadywać jego uczucia? Ta sprawa z niedotykaniem go, to nic wielkiego. To przejściowe. Trywialne. Coś takiego nie może nas rozdzielić. A zwłaszcza nie wtedy, kiedy Kale patrzy na mnie tak, jak właśnie patrzył. Jak gdybym była jedynym promieniem światła w świecie pełnym gęstej ciemności.

Znów ktoś zapukał do drzwi. Wbrew swojej woli puściłam dłoń Kale'a i otworzyłam je. Stała w nich najmniej przeze mnie lubiana osoba na świecie, wyglądająca zdumiewająco w połyskującej na zielono sukience bez ramion, z niebezpiecznym wycięciem od uda.

– Jest Kale? – Uśmiechnęła się i zamrugała powiekami, na których było za dużo cienia. Rude włosy, zaczesane do góry, cieniutkie kosmyki artystycznie puszczone po bokach, Jade wyglądała, jak paryska modelka, a nie dziewczyna z ulic Parkview. Ja wyglądałam dobrze, ale konieczność kazała mi wystąpić w czymś znacznie bardziej konserwatywnym, niż zwykle. Pobiła mnie w kategorii facetów śliniących się na widok kobiet.

– A gdzie mógłby być?

– Mieliśmy się spotkać w holu pięć minut temu. – Wychyliła się zza moich pleców, kiedy Kale podchodził do drzwi.

– Jesteś gotowy? – Uśmiechnęła się do niego promienie.

Okręciłam się na palcach tak szybko, że zakręciło mi się w głowie.

– Co to znaczy gotowy?

Jade odpowiedziała za niego.

– Jakieś zastrzeżenia? A może jest jakiś powód, dla którego mam na sobie tę oszałamiającą sukienkę? – Po krótkim namyśle dodała: – Twoja też jest śliczna. Ramiona są bezpieczniejsze, prawda?

I wtedy to do mnie dotarło.

– Przyprowadzasz inną dziewczynę na naszą pierwszą oficjalną randkę?

Przez sekundę Kale był zdezorientowany. Później zmarszczył brwi.

– To niedobrze, prawda?

Rozumiałam, dlaczego Jade się za nami pęta. Naprawdę rozumiałam. Powinnam była to pojąć, zanim się jeszcze zjawiła. Gdyby Kale poszedł bez niej, cała eskapada mogłaby się skończyć nieszczęściem. Wystarczyłoby przypadkowe dotknięcie, albo źle postawiony krok i czyjeś życie mogłoby prysnąć, jak bańka mydlana. A jednak, nie zdając sobie z tego do końca sprawy, byłam poirytowana.

Wzięłam go za rękę i wypchnęłam za drzwi.

– Powiedzmy tylko, że to zagranie nie zapewni ci tytułu „Chłopaka Roku".

Podróż samochodem była dziwaczna. Jak coś z najgorszego koszmaru pierwszej randki w gimnazjum. Rosie zawiozła nas do restauracji swoim minivanem. Jakby tego brakowało, Jade zrobiła scenę na temat tego, kto gdzie ma usiąść. Powiedziała – w swój irytująco racjonalny sposób – że powinnam usiąść z przodu. Nie chciałam zaczynać się opierać jej aurze, zanim się zaczną tańce. Tak było bezpieczniej.

No tak. Chodziło o jej bezpieczeństwo, być może. Zanim ten wieczór się skończy, jest bardzo realna szansa, że ją zabiję, a ciało pochowam gdzieś za restauracją.

Dojechaliśmy do „Flavour" i okazało się, że nie da się tam wetknąć szpilki. Na parkiecie stały pary, kołysząc się do delikatnej muzyki tanecznej, na podwyższeniu zespół. Było elegancko, ale to wszystko nie pasowało do mojego wyobrażenia o imprezie.

Podałam nasze nazwisko kierowniczce sali i poprowadziła nas przez tłum gości na tyły, gdzie przy stoliku siedziała już Kiernan.

Zobaczyła nas i wstała.

– Posłuchaj, mogę ci zająć dwie sekundy?

Odwróciłam się przez ramię na Kale'a i Jade, którzy już siadali przy stoliku. Jedno obok drugiego.

– Chyba tak – odparłam niechętnie.

Kiernan zaprowadziła mnie do kąta. Miała zaczerwienioną twarz, wyglądała, jakby za chwilę miała zacząć świrować.

– Chcę cię prosić o przysługę.

– Dlaczego nachodzi mnie lęk, że będę musiała ci pomagać znosić jakieś meble po wąskich schodach?

– Poznałam jednego chłopaka na kampusie parę dni temu. Tak jakby flirtowaliśmy, wiesz, był nieśmiały, więc go zaprosiłam.

– Aha, to dlatego tak cię mało widać ostatnio, ty wredoto!

– To przynajmniej wyjaśniałoby, dlaczego mnie zostawiła. Wprawdzie z niczym się nie zdradzała, ale przynajmniej był jakiś powód. – Więc go zaprosiłaś... Znaczy, tutaj, dzisiaj wieczorem?

– Tak. Ginger zaprosiła mnie na to niby przyjęcie z okazji rozpoczęcia szkoły, więc pomyślałam, że to będzie dobra próba na sucho. Nie gniewasz się?

– To świetnie! A gdzie jest? Przystojny?

– Poleciał do łazienki, zanim weszliście. Powinien tu być lada chwila.

– Więc co z tą przysługą?

– Chciałabym, żeby się tu poczuł dobrze. Naprawdę go lubię. Godzinami rozmawialiśmy przez telefon, mamy ze sobą mnóstwo wspólnego. Wiesz, taka rzecz mi się zdarza po raz pierwszy od...

Od kiedy przekonaliśmy ją, żeby się wyprowadziła z domu i zostawiła wszystko, co dotąd znała. Naszła mnie fala poczucia winy. Kiernan była trochę szorstka, więc wszyscy czasami zapominaliśmy, jakie to było dla niej ciężkie. Jedyne, czego się dowiedziałam i to szybko, to fakt, że sporo ukrywa. Nie dzieliła się uczuciami, więc jak na nią zwierzenie się, że jest taki facet, to był spory krok.

Wzięłam ją za rękę i postanowiłam w duchu, że jej sympatia poczuje się tu jak gwiazda rocka, jeśli oczywiście będzie tego chciał i ruszyłam do stolika.

– Jasne. No, to mów. Jak ma na imię? Jaki jest?

Zaczerwieniła się i uśmiechnęła od ucha do ucha. Pokazując na drzwi, powiedziała – Patrz. Jest tam.

Powiodłam wzrokiem za jej spojrzeniem i wydawało mi się, że ktoś nagle wyssał cały tlen z pomieszczenia.

Pociągnęła mnie obok naszego stolika i manewrując, przeprowadziła przez gęstniejący tłum, chcąc jak najszybciej zaprowadzić mnie do swojej nowej sympatii. Kolana miękły mi coraz bardziej z każdym krokiem.

Kiedy do niego dotarłyśmy, był cały w uśmiechach. Metr osiemdziesiąt czaru i zabójczych spojrzeń.

Całkowita iluzja.

– Dez, to jest Able.

22

– Able – powtórzyłam. Miałam wrażenie, że wszyscy goście obecni na sali słyszą, jak mocno wali mi serce. Było chłodno, ale ja byłam pewna, że zaczynam się pocić.

Jego dawniej dziko rozwiane, długie włosy były teraz zaczesane gładko do tyłu, nie miał już czarnego, odpryskującego lakieru na paznokciach. Zmyty bez jednej plamki. Pod oczami nie było ciemnych smug, a dzisiaj obie tęczówki miały przeciętny, brązowy kolor. Soczewki kontaktowe. Skubaniec posunął się tak daleko, że założył soczewki kontaktowe, żeby ją zwabić. Kiernan uwielbiała facetów o słodkich, brązowych oczach.

– Bardzo mi miło, Dez.

Miał jeszcze szerszy uśmiech, jak gdyby chciał mnie całą połknąć, wyciągając do mnie rękę. Wspomnienie naszego spotkania na dachu, a później ten sen, jego chłodne usta, przesuwające się po moim ramieniu, to wszystko sprawiło, że poczułam dreszcz na plecach. Odsunęłam się gwałtownie, zanim mnie dotknął.

Zachichotał i puścił oko do Kiernan.

– Nie bój się. Nie zarażam. Chyba, że chcę, rozumiesz?

Otworzyłam usta, ale nie mogłam wydusić z siebie ani słowa. Patrzył na mnie wyzywająco, jakby czekał, co powiem.

– Cześć – powiedziałam czując, że w gardle mi zasycha. To była więcej niż bezczelność. Jak on to wyjaśni Kiernan, kiedy Kale go rozpozna i zaatakuje? Chyba sobie nie wyobraża, że ujdzie mu to płazem.

Rozejrzałam się szybko po sali. W zasięgu wzroku nie było ohydnej drugiej połówki Able'a. Tata nie mógł go tu przysłać, żeby mnie zgarnął. Chyba nie był na tyle głupi. Może to tylko taktyka zastraszania. Pogrywanie z wyobraźnią. Coś, co Tata wymyślił, żeby nas postawić na paluszkach.

– Pozwolisz? – spytała Kiernan, wzięła Able'a pod łokieć i uśmiechnęła się do mnie radośnie. – Wyjdziemy na dwór, żeby złapać trochę... – Mrugnęła okiem. – Świeżego powietrza.

Co miałam zrobić? Zatrzymać ją? To by wywołało scenę, a coś mi mówiło, że właśnie tego chciał Able.

– Dobry plan.

Odwrócili się i zaczęli się przeciskać przez tłum gości. Będzie bezpieczna. On tu nie przyszedł po nią. Przyszedł po mnie i po Kale'a. Kiedy wróciłam do stołu, Kale i Jade prowadzili ożywioną rozmowę na temat znaczenia widelców do sałatki. Uśmiechała się i kiwała głową, ale wiedziałam, że go nie słucha. A skąd? Kiedy podeszłam bliżej, pochyliła się i objęła go ramieniem. Wiedziała, że patrzę.

– Piękna piosenka. Masz ochotę zatańczyć, Kale? – spytała Jade, wstając. Zrobiła wielkie przedstawienie pod tytułem „Poprawianie sukienki", a czyniła to w taki sposób, żeby pokazać jak najwięcej tego, co było pod rozcięciem. Pociągnęła za bluzkę tak, że jej głęboki dekolt przyćmił księżyc.

Uśmiechnął się do niej, a ja poczułam, że serce mi pęka. Widzieć, że kto inny, a nie ja rozświetla go od wewnątrz, to prawie nie do zniesienia.

Zamiast jednak porwać Jade na parkiet odwrócił się do mnie. Zobaczyłam dłoń w rękawiczce i poruszające się palce.

– Będziemy blisko stolika.

Chciał powiedzieć, że blisko Jade.

Nie czekał, aż odpowiem. Splótł palce z moimi palcami i pociągnął mnie na skraj parkietu, kiedy zespół zaczął wygrywać powolne, słodkie frazy „Wild Horses" Rolling Stonesów. Objął mnie w pasie i przyciągnął do siebie.

– Wyglądasz cudownie.

Uśmiechnęłam się. A może nawet zarumieniłam. Kiedy tak stałam na parkiecie w jego ramionach, prawie zapomniałam o Able'u, który był gdzieś na dworze z Kiernan.

– Już to mówiłeś.

Wzruszył ramionami.

– Ale takie rzeczy warto powtarzać. – Odgarniając mi kosmyk włosów z czoła, powiedział – Zmieniłaś kolor.

Kiedy tak stałam blisko niego, kołysałam się na niewygodnych, wysokich obcasach, uznałam, że to idealny moment. Właśnie swoją niepewną uwagą o kolorze włosów dał mi sposobność, żebym mu opowiedziała o moim darze i o tym, jak się nasilił, ale coś mnie powstrzymało.

– Tak. Wiem, że mówiłeś, że lubisz kasztanowe, ale...

– Podobają mi się. – Uśmiechnął się. Pochylił się i pocałował mnie delikatnie w czoło. Później szepnął mi do ucha – Tęsknię za tobą.

Kiedy się odsunął, nie potrafiłam się skupić na niczym innym, jak tylko na jego oczach. Lodowato błękitne promienie porywały moje serce. Z każdą sekundą osuwałam się w niepamięć.

– Jestem tu – powiedziałam.

Drugą ręką uniósł mi twarz w górę.

– A ty?

– Oczywiście. – Powstrzymałam się, bo chciałam dodać „Jade też tu jest", ale nic nie powiedziałam. Czułam tylko jej wzrok na sobie. Jeśli spojrzenie potrafiłoby zabijać, byłabym cztery metry pod ziemią, a na moim grobie zbudowano by osiedle mieszkaniowe. Tuż obok nas tańczyła para starszych ludzi, mężczyzna okręcił swoją żonę, a później dramatycznym ruchem odchylił ją ku ziemi. Przypomniał mi się mój pierwszy taniec z Kale'em.

Zaczął się przybliżać, ale zawahał się.

– Mam ochotę...

Wstrzymałam oddech, mając nadzieję na... coś. Nie wiedziałam, na co. Może chciałam, żeby Able wszedł do środka. Może chciałam, żeby Kale mnie przejrzał i kazał powiedzieć prawdę. Krótko mówiąc, chciałam, żeby mnie zmusił do tego, żebym wyznała prawdę. Głęboko w sercu wiedziałam, że to jedyny sposób na wydobycie jej na światło dzienne.

– Masz ochotę na co?

Pokręcił głową.

– Nie wiem. Coś jest nie tak. Coś odwraca twoją uwagę.

Westchnęłam. Oczywiście, że tak. Moja nowa najlepsza koleżanka jest obecnie na parkingu, prawdopodobnie całuje się z zabójcą, ja mam przed sobą jeszcze parę miesięcy życia, później zeświruję, aha, no i trucizna przenika przez mój organizm, a wszystko to trzymam w tajemnicy po to, żeby ochronić tych, których kocham.

Czy coś odwraca moją uwagę? To był cud, że nie dostałam jeszcze zawału serca. Jeśli jakoś uda mi się przetrwać, w wieku dwudziestu lat będę siwa.

Piosenka się skończyła, później płynnie przeszła w następną. Ta była nieco szybsza.

Objęłam mocniej Kale'a i wzięłam głęboki oddech.

– Trochę się wszystko ostatnio popieprzyło.

– O czymś mi nie chcesz powiedzieć.

Tak!

Nie.

Cholera.

– Nie, naprawdę.

– Chyba jednak nie chcesz – upierał się, prowadząc nas lekko w prawo. Odsunęliśmy się daleko od stolika i przepłynęliśmy na parkiet. – Cały czas jesteś tak daleko ode mnie. Unikasz mnie. Czuję, że nie mogę cię odnaleźć.

– Może jeżeli Jade znikłaby nam z oczu, to byś mógł. – Natychmiast pożałowałam tego, co powiedziałam. Tak się odzywa pięciolatka.

– Ona próbuje tylko pomóc.

– Może sobie – powiedziałam pod nosem.

– Powinnaś dać jej szansę. Jest miła. Lubię ją. Jest moją... koleżanką.

Szczęka mi opadła i musiałam się zmusić do tego, żeby go nie puścić i nie odejść na krok. Nie mogłam się powstrzymać.

– Koleżanką? Kale, ona nie chce być twoją koleżanką. Ona chce czegoś więcej.

– Wciąż uważasz, że jej pragnę, bo mogę jej dotykać.

– Ona może być kimś, kim ja teraz nie mogę – twoją ścieżką prowadzącą w kierunku normalnego życia – a ty jesteś tylko człowiekiem. – Rozejrzałam się po parkiecie. Zobaczyłam pary objęte, w transie tańca, niczym się nie przejmujące i chwyciła mnie zazdrość.

Wyraz twarzy Kale'a się zmienił.

– Tylko człowiekiem? Tak myślisz? Że moje uczucie dla ciebie może być zagrożone czymś tak prostym, jak kontakt fizyczny?

Nie znalazłam odpowiedzi, chyba, że chciałabym zabrzmieć, jak prawdziwa suka. W pewnym sensie tak właśnie myślałam. Nie miałam zbyt wiele szczęścia, jeżeli chodzi o facetów. Alex, mój Tata – zawsze dostawałam po łbie. I wtedy poznałam Kale'a. Zakochałam się po uszy. A jednak w głębi duszy czekałam na coś nieuniknionego. Na moment, w którym zda sobie sprawę, że nie tego chce, albo że to mu nie wystarcza. Przeszłabym z kategorii Panny Właściwej do kategorii Panny Właściwej na Ten Moment.

Przyciągnął mnie bliżej do siebie, nie spuszczajc ze mnie oczu, i kołysaliśmy się w rytm muzyki.

– Ty jesteś moją ścieżką do prawdziwego życia. Ty jesteś moim normalnym życiem.

– Więc mówisz, że w ogóle nie chodzi o to, że możesz wyciągać rękę do ludzi i nie zabijać ich, kiedy ona znajduje się w pobliżu?

Uniósł brwi.

Westchnęłam.

– Lubisz dotykać ludzi, prawda?

Oderwał ode mnie wzrok i powiódł nim po sali, zastanawiając się nad czymś. Właśnie wtedy po raz pierwszy był w tłumie i nie musiał się martwić tym, że przypadkowo komuś zrobi krzywdę.

– Tak. Lubię. – Kiedy się odwrócił, uśmiechał się. – Ale nie będę jej do tego potrzebował. Nauczę się to kontrolować.

– A zastanawiałeś się nad tym, że może ci się nie udać?

– Oczywiście, że nie. – Przestał się kiwać z nogi na nogę, kiedy piosenka się skończyła. Didżej zapowiedział jakąś rocznicę, a Kale odciągnął mnie na bok. – Nie wierzysz, że mi się uda?

Nie chodziło o wyraz jego twarzy, który mówił „Właśnie przejechałaś mojego pieska, a później ukradłaś mi wszystkie cukierki", a o ton jego głosu. Był skrzywdzony. Odrzucony. Zachowałam się tak, jakbym nie miała wiary w niego, a nie o to chodziło. Miałam więcej wiary w Kale'a niż w kogokolwiek innego na całym świecie. Brakowało mi tylko wiary w naturę, we wszechświat. Może po prostu nie było sposobu na to, żeby to naprawić. W głębi serca zastanawiałam się, czy nawet jeśli on nauczy się kontrolować swój dar, wszechświat wpuści mnie z powrotem? Zaryzykowałam dlatego, by mógł żyć i wygrałam, ale trzeba jeszcze zapłacić za to swoją cenę. Zawsze była jakaś cena.

– Nie gniewaj się – powiedziałam. – Jeśli ktoś to potrafi, to właśnie ty. To wszystko jest takie skomplikowane, zawęźlone.

Wziął mnie za rękę i powoli okręcił, słysząc pierwsze takty nowej piosenki.

– Zawęźlone?

– Tak się mówi. Jestem zdezorientowana. Po prostu nie wiem, co się dzieje. – Podjęłam decyzję. Ta cała historia z Able'em zaczęła mnie naprawdę przerażać. Przedtem żyłam w przekonaniu, że to tylko taka zagrywa, żeby mnie pchnąć w kierunku Taty, ale kiedy porozmawiałam z Daun, już nie byłam taka pewna. Potrzebowałam u swojego boku Kale'a. – Posłuchaj, to się zrobiło naprawdę skompli...

– Odbijany! – usłyszałam czyjś głos zza pleców Kale'a.

Jade stała przy nas, wyglądając oszałamiająco w swojej niemal nieistniejącej, szmaragdowej sukience. – To nieuprzejmie zostawiać dziewczynę samą przy stoliku. Chyba jesteś mi winien taniec.

Kale patrzył raz na mnie, raz na Jade. Mogłam powiedzieć „nie". Wziąć go dla siebie i w końcu się do wszystkiego przyznać. Tak postąpiłaby inteligentna dziewczyna. Ale to by również znaczyło, że czuję z jej strony zagrożenie. A nie czułam.

W zasadzie nie.

Poza tym musiałam sobie jeszcze poradzić z Able'em. Im dłużej przebywał z Kiernan, tym bardziej się denerwowałam.

– Nie ma sprawy – powiedziałam z wymuszonym uśmiechem. – Prawdę mówiąc, muszę się czegoś napić.

Kale skinął głową i wziął ją za rękę, a mi zrobiło się trochę słabo. Po cichu wierzyłam, że odmówi i zostanie ze mną z własnej woli, ale to nie było fair. Powiedziałam mu, że mi wszystko jedno. Skłamałam. A tego Kale nie rozumiał, więc jak mogłam go za to winić?

Patrzyłam, jak odpływają na parkiet, przesuwają się między parami na sam środek, znacznie dalej, niż my się zapuściliśmy. Dlaczego właściwie mieliby się trzymać krawędzi parkietu? Jade owinęła się wokół niego, jak boa dusiciel, więc wszyscy byli w miarę bezpieczni.

Gdzieś za nimi zobaczyłam kilka znajomych twarzy. Barge tańczył z dziewczyną mniej więcej w jego wieku, szczupłą brunetką w purpurowej sukience koktajlowej i niewysokich obcasach. Wyglądali ślicznie. Raz po raz ona chichotała, a jemu twarz jaśniała, jak słońce. Kilka metrów dalej Panda tańczył z Sirą, która odczuwała dyskomfort z powodu całej sytuacji. Założę się, że Ginger wyznaczyła przyzwoitkę. Panda, który był dżentelmenem, pewnie poprosił ją do tańca. Tak czy owak, cała scena wołała o pomstę do nieba. Już miałam się odwrócić do drzwi – musiałam sprawdzić, co się dzieje z Kiernan – ale ktoś klepnął mnie w ramię.

– Mogę się teraz wtrącić?

Wzięłam głęboki oddech i odwróciłam się poirytowana. Kale był z Jade, kołysał się do muzyki w jak najdalszym krańcu parkietu. Ledwo co go widziałam przez tłum tańczących.

– Gdzie jest Kiernan?

Able uśmiechnął się do mnie szelmowsko.

– Pobiegła do łazienki, a później miała pójść do Aubreya i uprzyjemnić mu pobyt na tylnym siedzeniu samochodu.

– Obaj jesteście chorzy.

Wziął mnie za rękę i wyciągnął na parkiet.

– Tak, a ty jesteś słodziutka.

Jego skóra była chłodna i lepka. Jak to się stało, że Kiernan nie zauważyła, że coś jest nie tak? Tańczyłam do muzyki, byłam zdeterminowana nie robić sceny, na którą Able liczył, bo chciał zwrócić na siebie uwagę. Postanowiłam, że nie dam mu tej satysfakcji.

– Kto tańczy z twoim chłopakiem?

Nie odpowiedziałam, ale powiodłam oczami za jego wzrokiem. Kale i Jade przesuwający się po parkiecie byli niebezpiecznie blisko. Kale oglądał się przez ramię, szukając mnie, jak przypuszczałam, a ona próbowała zwrócić na siebie całą jego uwagę.

– Chyba im dobrze ze sobą.

Żga mnie i szturcha. Able szturchał mnie pod żebro, żeby uzyskać jakąś reakcję. Oni oboje grali w tę grę.

– Przestań ściemniać. Wiem wszystko o Jade. Nie jestem idiotką. Ona odwraca jego uwagę, żeby cię nie zobaczył. Zachichotał.

– Tak to sobie wykombinowałaś, co?

– Tak – odparowałam. – I wiesz, co jeszcze? Jak się skończy ten wieczór, zostawisz Kiernan w spokoju.

– Ale masz wymagania. – Zachichotał i okręcił mnie dookoła. – A może byś tak wyszła ze mną, a ja już nigdy nie zobaczę się z Kiernan? Wtedy będziesz mogła ochronić swoją koleżankę przed moim niewątpliwie fatalnym wpływem i ułatwić mojemu bratu wyleczenie cię, żebyś nie umarła w bólu i bez sensu. Wtedy wszyscy będziemy wygrani.

– A Kale?

– Nie martwię się o niego. Jak tylko będziesz pod kloszem, Cross wie, że przybiegnie w te pędy. – Przerwał i pochylił głowę w prawo. Uśmiechnął się i skinął w kierunku dalszej części sali.

Na parkiecie trochę się rozrzedziło. Jade była przyciśnięta do Kale'a. Ramionami otaczała ciasno jego szyję. Ich twarze były tak blisko, że jeżeli patrzyło się na nich z pewnego kąta, wyglądało na to, że się całują.

– A może to wcale nie początek, ani koniec jego wszechświata, co?

Nagle zmieniłam zdanie i chciałam, żeby Kale go zobaczył. *Popatrz. Obejrzyj się w tę stronę.* Piosenka się jednak skończyła i Jade poprowadziła go z parkietu z powrotem do stołu. Kelnerka stawiała drinki na blacie. Poszedł za nią, nie oglądając się za siebie. Widać z tego, że o mnie już zapomnieli. Ściskało mnie w gardle, kiedy patrzyłam, jak każde z nich bierze kieliszek i przedzierają się przez tłum gości w kierunku drzwi.

– Nie idę z tobą – powiedziałam Able'owi.

– Twój ojciec wszystko ci wyjaśnił, prawda? Byłem tam. Wiesz, co się stanie? – Powiódł palcem po mojej szyi i dźgnął lekko w ramię przez sukienkę. – No tak. Nieźle oberwałaś, maleńka, prawda? Nie masz już dużo czasu. Zaczynasz to czuć, co? Nagle chłód, a potem fala gorąca. Ból, który narasta, aż czujesz łzy w oczach? O paru rzeczach jeszcze nie powiedział. Zaczęły się już halucynacje?

– Jeżeli nie odsuniesz ręki, to ci ją wyrwę. – Próbowałam mówić spokojnym głosem, ale prawda była taka, że jego palce na mojej nagiej skórze powodowały mdłości. A jego słowa? Jeszcze gorzej. Przerażał mnie śmiertelnie. Jakie halucynacje?

– Teraz ja się tym zajmę – powiedział jakiś głos. Able puścił moją rękę i odsunął się o krok.

– Alex Bez Numeru. Jak leci, kolego?

Być może Alex nie był moim ulubionym rycerzem na białym koniu, ale w tamtym momencie nic mnie to nie obchodziło. Zgodziłabym się nawet na Sala, śmierdzącego moczem bezdomnego, który siedział zawsze na rogu Friday i Mesher.

– Mówisz, że trochę się zasiedziałem? Żaden problem. – Able odwrócił się do Alexa i mrugnął. – Zapytaj ją, czy zaczęły się już bóle. – Obrzucił mnie spojrzeniem od stóp do głów i westchnął. Zanim zdołałam się odsunąć, położył mi rękę na lewym ramieniu i mocno ścisnął. Poczułam łzy gromadzące się w kącikach oczu. – Do zobaczenia niedługo, maleńka.

Kiedy Able zniknął, odwróciłam się do Alexa. W sali wybuchły oklaski, gdy na podium instalowała się żywa orkiestra.

– Co ty tu robisz? Przecież nie mieszkasz w hotelu.

– Co ja tu robię? A co on tu robi? – Zmrużył oczy. – Wiesz, ta tendencja zaczyna mnie irytować. Dez, znów cię ratuję, a ty zachowujesz się wrednie.

– A wyglądało, że jestem w śmiertelnym niebezpieczeństwie? Tylko rozmawialiśmy.

– Był u ciebie w domu i czekał na ciebie. Jest zatrudniony przez Denazen. No tak, i prowadził tego minivana, zapomniałaś? Nie przyszedł tu na podryw.

– Jeśli chcesz wiedzieć, to umówił się tu z Kiernan.

– Z Kiernan?

– Ona nie ma pojęcia, kim on jest.

Wokalistka, chuda dziewczyna w oszałamiającej czarnej koktajlowej sukience, zapowiedziała przez mikrofon, że teraz nastąpi koncert życzeń. Wróciła na scenę, a gitarzysta zaczął pierwsze akordy nowej piosenki.

– Musisz jej powiedzieć! – rzucił Alex, przekrzykując muzykę. – Wystawiasz ją na niebezpieczeństwo, nic nie mówiąc. – Rozejrzał się po sali i zatrzymał wzrok na naszym stoliku. – A co nasz nienormalny chłopczyk na to wszystko? Jak to się stało, że on nie...

– Kale go nie widział. Ktoś robi wszystko, żeby był mocno zajęty.

Fred, ozdoba na kółku, którym Alex miał przebitą wargę, poruszył się.

– Kiernan jest twoją koleżanką! A odkąd to olewasz koleżanki, Dez?

– Tata nie jest teraz nią zainteresowany – rzuciłam. Szczerze mówiąc, Alex miał sto pięćdziesiąt procent racji. To, że nie mówię Kiernan o Able'u, było niebezpieczne. Może i Tata nastawił na mnie radary, ale jeżeli będzie miał okazję dorwać w łapy użyteczną Szóstkę, na pewno takiej okazji nie przepuści. Albo będę musiała jej wszystko powiedzieć, albo wymyślić sposób, żeby ją do Able'a zrazić.

– Po prostu powiedz jej prawdę – warknął Alex. Zrobił krok wstecz, ale nie spuszczał ze mnie oczu. Odwróciłam wzrok – to chyba było najgorsze, co mogłam zrobić. Niestety Alex znał mnie za dobrze. Może mógł próbować mnie okłamać, ale ja mu się nigdy nie potrafiłam wymknąć.

– Coś ukrywasz – powiedział. – Co to jest... – Zrobił ogromne oczy.

Powinnam się była ruszyć. Wyrwać się z zasięgu jego rąk. Odwrócić się i pobiec, jakby się paliło, między ludźmi aż do drzwi. Ale nie potrafiłam. Jego wyraz twarzy przygwoździł mnie do ziemi. Powiodłam za jego wzrokiem aż do barku. Rękaw sukienki był przesunięty tam, gdzie Able chwycił mnie palcami.

Zanim zdołałam się stamtąd ulotnić, Alex wyciągnął rękę i jeszcze trochę odsunął na bok materiał. To nie powinno być problemem. Kiedy wychodziłam z hotelu, ciemnoczerwona plama i pajęcza sieć czarnych żyłek dochodziły tylko do skraju obojczyka. Trucizna jednak się rozprzestrzeniała. Miałam wrażenie, że coraz szybciej.

Zanim zdołałam go powstrzymać, Alex chwycił mnie za rękę i przyciągnął bliżej. Za szybko. Sięgnął w górę i odsłonił mi ramię, odsuwając sukienkę. Zbladł. Czarne linie rozszerzyły się pajęczą siecią poza obojczyk.

– Kurde. Co to jest, Dez?

23

Kusiło mnie, żeby zrobić zwrot na pięcie i odejść, ale znając Alexa wiedziałam, że poleci prosto do Ginger tylko po to, żeby mnie wkurzyć.

– Pamiętasz tamten wieczór na dachu twojego starego budynku? Ten, kiedy Able mnie dotknął? To jakaś trucizna.

Alex wyglądał, jakby mu się zbierało na mdłości. Kilka razy otworzył i zamknął usta naśladując rybę najlepiej, jak potrafił.

– Daun – powiedział w końcu, kierując się ku drzwiom. – Musimy wracać do hotelu.

Odsunęłam się od niego. – Daun wyjechała. Poza tym, czy myślisz, że już z nią nie rozmawiałam? Próbowała. Nie potrafiła nic zrobić.

Kolory wróciły mu na twarz.

– Jezus, Maria! Bo tak się zachowywałaś... Przez chwilę myślałem, że nikt o tym nie wie.

– Bo nikt nie wie. Wiesz tylko ty i ja. No i jeszcze Daun, ale wyjechała, więc to bez znaczenia.

– Czy ty postradałaś rozum? Przyjrzałaś się dobrze temu czemuś?

– Wierz mi, że to nie jest proste. Istnieje antidotum.

– I oczywiście ty go nie masz.

– Nie mam, ale wiem, że istnieje. To na razie powinno wystarczyć.

Alex może i był palantem, ale ogólnie był dość bystrym.

– Antidotum ma twój ojciec, prawda?

– Zasadniczo tak.

– A co będzie, jak go nie dostaniesz?

Uniosłam oczy ku niebu.

– Nie jestem pewna.

Tupnął zdecydowanie nogą o podłogę. Zobaczyłam twarze ludzi przy stoliku obok, odwracające się w naszym kierunku. Kilkoro rozpoznałam. Wszyscy to mieszkańcy Sanktuarium.

– Nie jesteś pewna? Żartujesz sobie?

– Tata chce, żebym wierzyła, że to mnie zabije – przyznałam.

– Ale z ciebie numer. Najpierw pozwalasz, żeby Kiernan poszła w długą z jakimś gościem, który pracuje u twojego ojca, a teraz ukrywasz morderczą wysypkę? Niech zgadnę. On chce przehandlować tego dupka za antidotum. – Alex zrobił krok wstecz, nagle wszystko mu się rozjaśniło. – Jasna cholera, Dez. To dlatego nic nie powiedziałaś. Chronisz tego odmieńca. On nie wie, prawda?

– Nie wie. I lepiej niech tak zostanie. Poza tym tu już nie chodzi tylko o Kale'a. Tata powiedział, że pohandluje antidotum, jeżeli ja się sama oddam w jego ręce. Poza tym, jak mówiłam, chce, żebym uwierzyła, że to mnie zabije. A to wcale nie znaczy, że tak musi być.

Alex odwrócił się na pięcie i ruszył ku drzwiom.

– Stek bzdur – rzucił.

Popędziłam naprzód i wyskoczyłam tuż przed nim.

– To moja decyzja.

– Musisz im powiedzieć. Powiedzieć Ginger. Ona się tym zajmie.

– Co jest, do cholery? Teraz nagle ślepo uwierzyłeś w Ginger? Od kiedy to? – Wzięłam głęboki oddech i chwyciłam go za ramię, ciągnąc z powrotem z całej siły. – Alex, proszę cię – błagam cię – nic nie mów. Daj mi tylko trochę czasu. Muszę to wszystko jakoś poskładać.

Wyrwał się.

– Nie wygląda to dobrze. Nie masz za dużo czasu na rozmyślania.

– Na rozmyślania o czym? – Tuż za nami wyłoniła się Kiernan.

– Gdzie jest Able? – spytałam, zanim Alex odpowiedział.

Zmarszczyła brwi.

– Dostał telefon i musiał pryskać. Dziwne. Jakiś taki kod, którym porozumiewają się faceci, wiesz? Zadzwoń do mnie o tej to a o tej godzinie i jeżeli coś pójdzie nie tak, mam wymówkę, żeby się ulotnić.

– Może to nie takie najgorsze. Dez mówiła, że facet jest dziwaczny. – Alex odwrócił się do mnie. – Prawda?

Kiernan zmarszczyła brwi.

– Nie spodobał ci się?

Wspaniale. Rewelacja. Alex każe mi się teraz z tego tłumaczyć. To chyba jego sposób, żeby mnie zmusić do powiedzenia Kiernan. Ale nikt nie będzie mnie do niczego zmuszał. Zrobię wszystko po swojemu. W swoim czasie.

– Nie o to chodzi – powiedziałam, kładąc jej dłoń na ramieniu. – Chodzi o to, że... Prawie rzucił się na jakąś laskę przy barze, jak poleciałaś do łazienki..

Kiernan zrobiła wielkie oczy.

– Mówisz poważnie?

Skinęłam głową, unikając rozgorączkowanego spojrzenia Alexa.

– Ja to wiem. Wyszła chwilę temu. Założyłabym się, że ten telefon był wymówką i że to o nią chodziło.

– Suka jedna – zaklęła Kiernan.

Czułam się strasznie, łamiąc jej serce, ale strzeżonego Pan Bóg strzeże. Musiałam się upewnić, że nie będzie chciała się z nim skontaktować.

Oplotła Alexa ramieniem w pasie.

– Przyszedłeś sam, prawda? Będziesz moją parą przez resztę wieczoru?

W pierwszej chwili wyglądało na to, że Alex chce powiedzieć „nie". Ale z uśmiechem (a ja wiedziałam, że jest od początku do końca sztuczny) powiedział:

– To chyba mój szczęśliwy dzień.

– No, proszę. To dopiero wyznanie, Dez. – Zza naszych pleców wyłoniła się Jade. Uśmiech na jej twarzy sprawiał, że miałam ochotę wepchnąć ją pod pędzącą ciężarówkę. Oczywiście, że teraz właśnie wrócili. Able'a nie było. Na wszystkich frontach czysto. Było bezpiecznie. Kale był tuż obok niej, a ja nie mogłam nie zauważyć, że jego dłoń opierała się na jej plecach.

– No tak – powiedział Alex, rozglądając się. Wziął mnie za rękę i pociągnął w kierunku drzwi. – Chyba powinniśmy wychodzić. I to już.

Spojrzałam przez ramię na Kale'a. Był zdezorientowany i zdziwiony.

– Kiedy to zrobiłaś?

271

– Co zrobiłam? – spytałam, kiedy Alex przepychał mnie przez drzwi do korytarza. Pociągnął mnie aż do końca, wypadliśmy na schody na zewnątrz i nie zatrzymaliśmy się, dopóki nie znaleźliśmy się za rogiem budynku.

Kiernan i chłopaki patrzyli na mnie, jak gdybym miała trzy głowy, a Jade uśmiechała się, jak złośliwa dziewczynka w szkole, kiedy klasowa łamaga przewraca się na środku holu.

– Może byście mi powiedzieli, co się stało? – Omiotłam wzrokiem ich twarze. Nic. – Ktoś się odważy?

Kale sięgnął po kosmyk moich włosów, głowę przechylił w lewo.

– Zafarbowałaś włosy?

– Idiota – wtrącił się Alex, zanim miałam szansę otworzyć usta. – A jak myślisz, kiedy miała czas, żeby je zafarbować? W przerwie między tym, jak poszedłeś się migdalić z tą lalunią a ostatnią piosenką?

Nagle Kale odwrócił się ode mnie i zrobił krok w kierunku Alexa.

– Wiem dokładnie, co to oznacza i jeżeli powiesz to jeszcze raz, to cię dotknę.

– Wybacz, koleś – powiedział Alex, machając rękami. Udał, że marszczy brwi i spojrzał na Kale'a. – Nie kumam...

– Ja bardzo proszę o uwagę! – wrzasnęłam.

– Dez – powiedziała Kiernan, marszcząc brwi. Wyciągnęła rękę i sięgnęła do moich włosów, zanim zdołałam ją zatrzymać. – Masz włosy... Hm... Zielone.

– Do mojej sukienki pasują doskonale – powiedziała Jade, uśmiechając się złowieszczo. – Wiem, że już to mówiłam, ale naprawdę dobrze ci w zielonym, Dez.

Nawlokłam sobie kosmyk włosów na palec i przybliżyłam do oczu tak, żeby to zobaczyć. I oczywiście kosmyki były w pięknym szmaragdowym kolorze.

Alex nabrał wody w usta. Nie wiedział o moim nowym, ulepszonym darze, więc założę się, że myślał, że to ma coś wspólnego z trucizną Able'a. Bo to miało sens, prawda? Trucizna, która barwi włosy na zielono? Kretyn...

– To możesz wyjaśnić, jak zmieniłaś kolor włosów?

Rzuciłam błagalne spojrzenie Kiernan, prosząc ją o pomoc, ale ona tylko wzruszyła ramionami i wiedziałam, że jestem w tym sama.

– Ja...

Alex założył ramiona na piersiach.

– Mam teorię. A może... – Rozległ się nagle piskliwy, elektroniczny głos, który kazał wszystkim za nim podążać i zabić kogoś, kto trzyma w ręku telefon.

Uratowała mnie komórka Kiernan.

Kiedy wyciągała ją z torebki, Alex patrzył na mnie wzrokiem pełnym niechęci. Jeszcze sekunda, a by się wygadał. Widziałam to w jego oczach. Była to jedna z tych sytuacji, w których żałowałam, że mój dar nie jest bardziej użyteczny i że potrafię tylko zamieniać jedną rzecz w drugą.

Świetnie byłoby panować nad ludzkimi umysłami.

– Musimy stąd spadać – powiedziała Kiernan, zamykając telefon z trzaskiem. Wrzuciła go do torebki i wskazała gestem parking. – To była Rosie. Coś się dzieje w hotelu.

24

Na szczęście Alex przyjechał wynajętym samochodem – i to sam. Zaproponowałam, żeby wrócić do środka i zabrać jeszcze parę osób, ale Kiernan upierała się, że nie mamy czasu. Przestraszyła się tym, co Rosie powiedziała jej przez telefon. Przez całą drogę do hotelu strzelała oczami tu i tam, bawiąc się paskami butów. Kiedy podjechaliśmy pod główne drzwi i Alex wyłączył silnik, wszystko było pogrążone w ciemności. Coś tu nie grało.

Z samochodu niedużo widzieliśmy – jedynie czerwone światła awaryjne nad drzwiami wejściowymi.

– W hotelu nie ma prądu! – powiedziała Kiernan żałośnie, gramoląc się z tylnego siedzenia. Trzasnęła drzwiami i tupnęła nogą. – Czy to był wielki dramat Rosie?

– A co dokładnie powiedziała, kiedy zadzwoniłaś? – Celowo usiadłam z przodu. Nie ufałam sobie samej, żeby siąść obok Jade i nie udusić jej. Przez całą drogę do samochodu robiła głupawe uwagi na temat moich włosów, które wciąż były w dziwnym, zielonym odcieniu. Gdyby nie to, że wszyscy się gapili, rzuciłabym ją na ziemię i skopała tyłek, chociaż i tak nic by to nie pomogło. Spranie kogoś, kogo rany nie bolą jest bezsensowne. Ale chciałam dać z siebie wszystko. Byłam potwornie zdeterminowana.

Alex schował kluczyki do kieszeni i obszedł samochód. Stanął przy drzwiach od strony pasażera.

Kiernan położyła dłonie na biodrach i powiedziała:

– Niedużo. Mówimy o Rosie. Królowa szyfrów i wkurzania. Powiedziała, że coś jest *nie tak* i żebyśmy wracali jak najszybciej. Ale muszę przyznać, że była przestraszona.

– Coś tu nie gra. – Zdjęłam buty. Kiernan przekonywała mnie, żebym założyła szpilki, a to i tak cud, że nie padłam plackiem, bo kręciło mi się w głowie i nie mogłam złapać w nich równowagi. Teraz nie było miejsca na błąd. Szpilki spadły na chodnik z lekkim odgłosem, ja ruszyłam ku drzwiom. Alex mnie zatrzymał.

– A może powinniśmy poczekać na zewnątrz?

Rozejrzałam się. Kale przeszywał Alexa morderczymi spojrzeniami, a ten patrzył na mnie, jakbym straciła rozum. Jade natomiast patrzyła na Kale'a, jak stęskniony szczeniaczek, który wpatruje się w swojego pana, a Kiernan była gotowa skopać jej tyłek.

Powaga. Takiego dramatu jeszcze nie było.

– A dlaczego miałabym tu tkwić?

– Chyba powinniśmy się rozdzielić. Kilkoro z nas może pójść od tyłu? – Kiernan spojrzała na mnie. – Ginger dała ci klucz, który pasuje do wszystkich drzwi, tak? Ty i ja mogłybyśmy wejść tędy, a pozostali – drzwiami od tyłu.

– Tak, ale...

– Będziemy się trzymać razem – powiedział Kale, obejmując dowodzenie.

Nikt się nie spierał, nawet Alex. Trudno się kłócić z faktami. A fakty były takie, że Kale był szkolony do tego rodzaju akcji. Do włamywania się, do wślizgiwania się i atakowania.

Do tego wszystkiego, co robią ninja. Alex pamiętał nazwiska wszystkich alternatywnych zespołów z lat dziewięćdziesiątych. Kale potrafiłby im wszystkim dokopać. Właśnie tak przedstawiały się fakty. Okazało się, że drzwi wejściowe są otwarte, co gdzie indziej mogłoby wydać się po prostu dziwaczne, ale w Sanktuarium? To było przerażające. Denazen stanowił nieustanne zagrożenie, a więc Ginger do przesady dbała o bezpieczeństwo. Byłam pewna, że po tym incydencie z samochodem była podwójnie czujna. Hotel był zazwyczaj zamknięty na cztery spusty, jak skarbiec bankowy.

Kale stanął tuż za drzwiami i doskonale znieruchomiał.

– Co się dzieje? – szepnęłam.

Minęło kilka chwil, zanim odparł.

– Coś jest nie tak.

– No, no – szepnął Alex. – Sam to wymyśliłeś, czy ktoś ci pomagał?

– Gdzie są wszyscy? – Kiernan ujęła moją rękę i ścisnęła.

– Bo tu poważnie coś jest nie tak.

Ręka Kiernan. To było to!

Chociaż mnie to irytowało, chwyciłam Alexa za rękę.

– Może to zabrzmi idiotycznie, ale złapmy się wszyscy za ręce.

Alex popatrzył na moją twarz, a później na nasze splecione palce i uśmiechnął się. – Chociaż nawet mi się to podoba, teraz nie czas na uduchowione pieśni.

Kale warknął.

– Idiota. Kiernan sprawi, że wszyscy będziemy niewidzialni. Możemy przejść przez hotel, sprawdzić, co się dzieje i nikt nas nie zobaczy. – Odwróciłam się do Kiernan. – Tak? Czy to za dużo ludzi?

Puściła do mnie oko. Od dnia, kiedy zjawiła się w Sanktuarium, jej zdolności nieco się wzmogły. Kiedy się spotkałyśmy latem, potrafiła tylko wtopić się w otoczenie, jeśli stała nieruchomo albo szła powoli. Teraz miała cały zakres ruchu.

– Nie. Daję radę. – Wszyscy chwycili się za ręce, w powietrzu pojawiła się ledwie widzialna falka i Kiernan uśmiechnęła się. – Możemy iść.

Kiedy wędrowaliśmy przez hol, obchodziliśmy biurko Rosie i szliśmy dalej korytarzem. Próbowałam nie myśleć o tym, że Kale trzyma Jade za rękę. Taka była konieczność i to wszystko. Trzeba było się skupić na rzeczach naprawdę ważnych. Takich, jak na przykład całkowity brak światła i dziwaczna cisza, która dzwoniła mi w uszach.

Wtedy bardzo chciałam, żeby się okazało, że histeryzuję. Że to tylko awaria zasilania. I że Rosie zadzwoniła, żeby nam zepsuć wieczór. Znajdziemy ją w kuchni z kubkiem kawy i z kolorowym magazynem. Powie: „Przepraszam. Fałszywy alarm." To byłoby normalne. Żyła tylko po to, żeby szukać nowych sposobów na wkurzanie innych. Tak, jak ja uwielbiałam wkurzać tatę. To było coś więcej, niż hobby. To był sposób życia.

W głębi ducha wiedziałam jednak, że prawda jest inna.

Dotarliśmy do końca korytarza otwierającego się na świetlicę i zamarliśmy. Dzięki biegnącym wzdłuż sufitu światłom awaryjnym dotarł do nas obraz zniszczeń. Telewizor był na podłodze, znów roztrzaskany w drobny mak. To szaleństwo. W tym tempie jednoosobowo utrzymamy Samsunga na rynku! Stolik kawowy też był rozwalony, wszędzie leżały odpryski i kawałki drewna. Fotel przewrócony na bok, kanapę ktoś szurnął pod ścianę, poduszki walały się po podłodze, jak porzucone zabawki. Te wyglądały dziesięć razy gorzej niż wtedy, kiedy Kale i Alex rzucili się na siebie, a to sporo mówiło.

Kale westchnął.

– Dez?

Przełknęłam ślinę. Mroczna nuta w jego głosie przyprawiała mnie o nerwowe bicie serca.

– Tak?

– Wracaj. Proszę.

I wtedy rozpętało się piekło.

Kale puścił rękę Jade, co przerwało połączenie z Kiernan i zrobił się widoczny. Rzucił się po coś na podłogę – po jedną z nóg stołowych i skoczył w ciemność. W świetlicy rozległ się dźwięk łamanych kości, kiedy twarde drewno trafiło w żywą tkankę.

W kogoś.

Następny łańcuch opuścił Alex. To postawiło Jade w głupiej sytuacji, bo trzymała go za drugą rękę, a teraz, kiedy jego było widać, ją też. Wróg nie tracił czasu, sięgnął po nią z ciemności. Alex machnął ręką i kanapa skoczyła do przodu, uderzając w jakąś ciemną postać. Jade wrzasnęła i skoczyła na bok, bo facet przegrał bitwę z grawitacją i upadł na ziemię tuż przed nami. Próbował wstać na równe nogi, ale w jednej chwili znalazł się tam Kale z perfekcyjnie wymierzonym kopnięciem w głowę. Gość jęknął i upadł, jak worek kartofli.

Ktoś na drugim końcu korytarza wrzasnął. Kilka sekund później całym piętrem wstrząsnął huk, zadrżały półki przymocowane do ściany. Telefon bezprzewodowy zsunął się z blatu stołu i wylądował na drugim końcu pomieszczenia. Wszyscy się rozproszyli.

Nie wiedziałam, w którą stronę poszli Alex i Kiernan, ale Jade pobiegła w kierunku kuchni. Kale, który wciąż miał na dłoniach rękawiczki, chwycił mnie za ramię i pobiegliśmy korytarzem w kierunku recepcji.

– To Denazen – rzuciłam, przylegając plecami do ściany. Dobrze, że zostawiłam buty przy samochodzie.

Kale odwrócił się do mnie i uniósł brwi.

– Oczywiście.

– To było retoryczne – powiedziałam. Wyjrzałam zza narożnika, wyrwałam ramię z uścisku Kale'a i weszłam do głównego pomieszczenia.

– Poczekaj – szepnął.

Nie usłuchałam go i wśliznęłam się za biurko Rosie. Telefon był w rogu, tuż przy telewizorze. Niestety, kiedy przyłożyłam słuchawkę do ucha, nie usłyszałam sygnału. Odłożyłam go na podłogę, nie chciało mi się odkładać słuchawki na widełki.

– Nie działa. Wszystko odcięli.

– Taka jest procedura. To się robi na samym początku, jeszcze przed atakiem.

– Niech to jasny szlag trafi – mruknęłam. – Nasza pierwsza randka i ojciec musi wszystko schrzanić. Naprawdę nienawidzę tego gościa.

– Spróbujemy... – Kale przerwał w pół słowa. Pochylił głowę na bok, kosmyki onyksowych włosów opadły mu na oczy i odwrócił się ode mnie.

Jeszcze chwilę temu stał przy mnie jak rzeźba, nieporuszony, a teraz okręcał się, kiedy kolejna postać zaatakowała nas od tyłu. Ruchem szybkim i pełnym gracji opadł na ziemię i zamachnął się nogą stołową. Trafił faceta w kolano. Słychać było nieprzyjemny odgłos miażdżonych kości. Jednym płynnym ruchem zdjął rękawiczkę i zacisnął palce na gardle mężczyzny. Nic się jednak nie stało.

Przez chwilę myślałam. *No tak. Ktoś taki, jak ja.* Jakie są szanse? Ale później sobie przypomniałam...

– Jade – Kale postanowił walnąć głową agenta o ścianę. Gość osunął się cicho na podłogę.

Przeszukaliśmy wzrokiem pomieszczenie, ale nie było śladu Jade. Byłam pewna, że jeśli chowałaby się przerażona pod biurkiem, albo za jakąś doniczką, teraz wyskoczyłaby i objęła ramionami swojego bohatera.

– Nawet jeżeli jej nie ma, to zawsze wchodzi mi w drogę – mruknęłam.

Kale albo mnie nie usłyszał, albo postanowił zignorować tę uwagę.

– Musi być gdzieś blisko.

Pokręciłam głową i cofnęłam się parę kroków.

– To chyba byłoby nieładnie z mojej strony, gdybym powiedziała: „Zostawmy ją tutaj"?

W kącikach jego ust pojawił się maleńki cień uśmiechu. – To byłby ruch typowy dla złego człowieka.

– Zależy od punktu widzenia.

Powietrze rozdarł krzyk. Kale się już nie uśmiechał, miał mroczny wyraz twarzy.

– Jade – powiedział i ruszył biegiem do kuchni.

Pobiegłam za nim, starając się skupić na tym, jakie zniszczenia wywołała Denazen atakując naszą bazę, a nie na tym, że mój chłopak wyrwał jak opętany, żeby ratować dziewczynę, która zakochała się w nim jak pensjonarka. To nie było łatwe. Wybiegliśmy za róg i zobaczyliśmy kolejną zakapturzoną postać sunącą ku drzwiom. Na jego ramieniu była Jade, nie ruszała się. Kiedy odwrócił się, żeby stanąć z nami twarzą w twarz, zamiótł jej włosami. Jak u lalki Barbie, ramiona Jade zwisały bezwładnie na jego plecach. Jak jakaś cholerna damulka z bajki, którą porwał zły rycerz. Boże. Wkurzała mnie nawet wtedy, kiedy była nieprzytomna. Gdzieś na świecie powinno być jakieś prawo, które tego zabrania.

Kale ruszył do akcji atakując mężczyznę, jak uciekający pociąg. Facet upuścił Jade i próbował zrobić unik, ale było za późno. Kale runął na niego i obaj upadli na ziemię.

Zrobiłam dwa kroki, aby – choć niechętnie – pomóc Jade, mimo że ten uporczywy cichy głosik namawiał mnie, żeby kopnąć jej ciało pod stół z nadzieją, że Kale o niej zapomni. Wtedy ktoś złapał mnie z tyłu.

– Tęskniłaś za mną, maleńka?

Ten głos wywołał arktyczny dreszcz na moim kręgosłupie, poczułam gęsią skórkę. Able jednym ramieniem chwycił mnie w półnelsona, a wolną ręką zatkał mi usta, pociągając do cienia. Z daleka od pola widzenia Kale'a. Chcieli odciągnąć jego uwagę. Jade udawała nieżywą, żeby odciągnąć ode mnie Kale'a. Kolejny dowód.

I udało im się cudownie.

– Tatuś przesyła całuski – szepnął mi Able prosto do ucha. Jechało od niego zapachem lemoniady Mountain Dew, a ja musiałam się zmuszać, żeby nie zwymiotować. Zapachu Mountain Dew nie znoszę organicznie. Jest jeszcze gorszy niż spalony popcorn.

– Może ty też mu poślesz całuski? – Każde wypowiedziane przez niego słowo wywoływało poruszenie kosmyka moich włosów, który fruwał tam i z powrotem, łaskocząc mnie w skórę. Able trzymał mnie w silnym uścisku. Jak gdyby w reakcji na jego bliskość, bark znów zaczął boleć. Czułam uderzenia jak młotem, nierówne, bolesne, które rozchodziły się po całym ciele. Nagłe wzmożenie bólu spowodowało zawrót głowy, serce zaczęło mi bić coraz szybciej. Chociaż nie mam certyfikatu ninja tak, jak Kale, nie byłam całkowicie bezbronna. Wzięłam powietrze w płuca i przywaliłam mocno piętą w stopę Able'a. Nic mu nie zrobiłam, bo miał na sobie grube buty, a ja byłam bosa, ale przestał się ze mnie śmiać. I to był jego błąd. Kiedy był zajęty prychaniem i wyszydzaniem mojej śmiesznej próby odzyskania wolności, rzuciłam się naprzód i wytrąciłam go z równowagi. Wypuścił mnie na tyle z rąk, że wyślizgnęłam się i ruszyłam przez salę w kierunku Kale'a.

Kale był jak tornado, kręcił się od ściany do ściany, niszcząc wszystko na swojej drodze. Śmiercionośny – nie chciałoby się stanąć z nim twarzą w twarz w walce – ale zdumiewający do tego stopnia, że trudno było oderwać od niego oczy. Nawet jeden z agentów zatrzymał się, żeby popatrzeć.

Kiedy ostatni z nich już leżał, Kale przeszedł przez kuchnię, żeby zobaczyć, co się dzieje z Jade, która wciąż udawała martwą. Bardzo chciałam, żeby wypadła z gry, ale teraz nie czas na to.

Zarzucił ją sobie na ramię i skinął głową w kierunku drzwi.

– Musimy znaleźć resztę.

Nie miałam żadnych argumentów. Im mniej czasu spędziliśmy w ciemności ze stosem śmieci z Denazen u naszych stóp, tym lepiej. Obejrzałam się przez ramię. Able'a już od dawna nie było.

Przemknęliśmy przez poczekalnię do holu, gdzie stało biurko Rosie. Przez drzwi i na klatkę schodową. Wszędzie panowała cisza.

– Nie możemy przeszukiwać całego hotelu, kiedy Panna Słoneczko zwisa ci z ramienia – szepnęłam. Oparłam się o poręcz, podniosłam głowę i nasłuchiwałam. Można było usłyszeć, jak piórko uderza o podłogę. Zły znak. W budynku byli ludzie Denazen. Powinniśmy słyszeć odgłosy walki. Czy udało się już wszystkich wypędzić? Miałam koszmary, oczami wyobraźni widziałam facetów w uniformach Denazen, wyprowadzających Szóstki przez tylne drzwi do czekających półciężarówek. Aż zadrżałam.

Wstrzymałam oddech i znów nasłuchiwałam. Wokół panowała dziwaczna cisza, więc odepchnęłam się od poręczy i odwróciłam do Kale'a. Sadzał właśnie Jade na półpiętrze, ostrożnie, żeby nie uderzyła głową w ścianę.

– Mogłabym ją uderzyć parę razy otwartą dłonią – powiedziałam, poruszając palcami. To taki żart. No dobrze, może nie do końca żart.

– Żeby ją obudzić?

Ukląkł na jedno kolano, pochylił się blisko nad jej twarzą. Przez jeden niewiarygodny, przedłużający się jak w zwolnionym tempie moment wyglądało to niemal tak, jakby miał zamiar ją pocałować. Nie wiedziałam, czy śmiać się, czy płakać. Mój książę z bajki chce obudzić jakąś inną księżniczkę.

– Chyba się budzi – powiedział.

Założyłam ramiona na piersi i oparłam się o ścianę.

– Może dlatego, że cały czas nie spała?

Oczy koloru płynnej czekolady, otoczone irytująco długimi rzęsami, otworzyły się z trzepotem. Głowa potoczyła się na bok na tyle daleko, żeby kilka sprężystych loków opadło jej na policzek. – Co... Co się stało?

– Uciekłaś, żeby ocalić własny tyłek, pamiętasz? Daleko nie pobiegłaś. Potem cię złapali.

Przysięgłabym, że Kale uniósł oczy ku niebu i westchnął ciężko. Wstał i wyciągnął rękę, żeby pomóc jej podnieść się na równe nogi.

– Co pamiętasz?

Odepchnęłam go na bok.

– Założę się, że pamięta ostatni telefon, w którym mówi Tacie, żeby przysłał posiłki.

Jak najlepiej potrafiła, udawała zdziwioną, ale ja tego nie kupiłam.

– Co ty pleciesz?

– Hotel jest zabezpieczony lepiej niż pas cnoty przełożonej zakonu. I nikt się nie dostanie do środka bez pomocy z wewnątrz.

Zrobiła wielkie oczy, a potem krok w moim kierunku.

– Próbujesz powiedzieć, że uważasz, że to ja? Mnie tu nawet nie było! Byłam z wami.

Przez ułamek sekundy jej uwierzyłam. Cała ta gra pod tytułem „Szeroko otwarte oczy, jestem niewinna", mogła być przekonująca, ale ja wiedziałam swoje. Miałam swoje informacje. Coś, co Tata powiedział na poczcie, odbijało się echem w mojej głowie.

– Ktoś przeżył?

*– W zasadzie tak. Jedna. Bardzo wyjątkowa dziewczyna,
która ma dar, jaki tobie by się na pewno bardzo spodobał.
A zwłaszcza w twojej obecnej sytuacji.*

Jade była szpiegiem Taty. I nie takim sobie zwyczajnym
szpiegiem. To ona przeżyła jako jedyna z Supremacji. Teraz
wszystko się złożyło, kawałki układanki weszły na swoje
miejsce. To, że jest niezwyciężona, to, że jest odporna na
Kale'a. Tato powiedział, że ten dar mi się spodoba. Więc
jaki miała plan? Oczarować Kale'a, a później dostarczyć go
Tacie na tacy? To takie dziewczęce! Uwieść i podbić. Już
nie wiedziałam, czy to, że się tak ślini na jego widok, jest
lepsze, czy gorsze.

Ja też zrobiłam krok w jej kierunku, pięści miałam zaciśnięte.

– Ja nie próbuję niczego powiedzieć. To byłaś ty. Jesteś
z Supremacji.

– Supremacja? Czy to jakiś slang deskorolkarzy? – popchnęła mnie. –Przecież mówiłam, że mnie tu nie było. Byłam z Kale'em.

– Ustawiłaś to wszystko przed balem.

– Niezły z ciebie numer, wiesz? Myślisz, że to, że rzucasz
na mnie oskarżenia, pomoże ci się mnie pozbyć? Tylko ty
wierzysz w te bzdury!

Kale klepnął mnie w ramię.

– Dez...

– Czy tylko dlatego, że ja jako jedyna to dostrzegam, znaczy, że nie mam racji? Wiesz, kim jesteś.

– Jade... – Kale spróbował jeszcze raz. Kątem oka widziałem, że patrzy w górę, na schody. Chociaż raz Jade nie

zachowała się, jak fanka solisty i oderwała wzrok od jego ust.

– Kim jestem? – pisnęła. – Tak. Jestem dziewczyną, która jest zmęczona tobą i kretyństwami, które wygadujesz. Nigdy nie przyszło ci do głowy, że ktoś inny puścił farbę? Może to jeden z twoich kumpli jest zdrajcą? I naprawdę jesteś tak niepewna siebie, że musisz mnie tym obciążać?

Niepewna siebie? Puściły mi nerwy, chociaż palce miałam zesztywniałe. Zrobiłam jej przysługę, coś, na co nigdy wcześniej nie było mnie stać. Uderzyłam ją otwartą dłonią w twarz. Już kopałam, gryzłam, gniotłam, nawet dawałam z byka, ale z liścia? Nie. To za bardzo dziewczęcy ruch.

Nawet nie drgnęła.

No tak. Jest niezwyciężona.

– Dziwko jedna! – warknęłam i rozpuściłam ręce. Dostałam pięścią w lewy bark, wrzasnęłam z bólu i poleciałam na plecy. W tamtym momencie naprawdę żałowałam, że nie umarłam. Spazm bólu, który rozszedł się od trafienia przez całe ciało, był nie do wytrzymania. Poczułam łzy w oczach, łzy, których wcale nie chciałam, kiedy wstawałam na równe nogi.

To było bezsensowne, ale rzuciłabym się na nią, gdyby nie opętańczy śmiech, który rozległ się na schodach. Odwróciliśmy się wszyscy w tym samym momencie. U szczytu schodów stał Fin. Schodził w dół stopień po stopniu.

Widziałam już różne szaleństwa, odkąd moje życie weszło na tor surrealizmu, ale to pobiło wszystko. Z każdym krokiem Fin zostawiał za sobą dymiącą, zwęgloną ścieżkę. Spod jego stóp wypływały kłęby szarości, a był bosy, linoleum po obu stronach kurczyło się i zbiegało.

Złapał moje spojrzenie i znowu się zaśmiał.

– Patrzysz na moje bose stópki? Buty już mnie nie kochają. Powietrze gryzie i kąsa, krwawi, aż uciekają z wrzaskiem. – Zeskoczył z ostatniego stopnia, okręcił się i zatańczył. Klepnął się w skroń, skoczył do przodu na jednej nodze i powiedział: – Bum. Bum. Bum! Ale sajgon. Ogień i płonące kamienie, jakieś pełzacze i owady, które biją się o większy kęs.

– Jezus, Maria, Fin... – Widać było, że przeszedł już przez etap „wyraźnych objawów" i jest teraz na etapie całkowitego opętania. Wiedziałam, że powinniśmy uciekać, ale nogi nie chciały mnie słuchać. Byłam zahipnotyzowana jego widokiem. Czy ja też tak będę wyglądać? Zagubiona we mgle mocy i szaleństwa?

Czy w takim kierunku zmierzała Layne Phillips? Gdzieś w głowie powstała mi myśl, czy czasem Denazen nie wyrządziła jej przysługi? Jeżeli po dotarciu do tego punktu nie ma już powrotu i nie ma lekarstwa, okrucieństwem byłoby zostawiać takich ludzi samym sobie. Tak, czy nie?

– Jezus nie kupuje takich odmieńców, jak my, Dez. Nie patrzy w tę stronę. Ty najlepiej powinnaś o tym wiedzieć. Kto jak kto, ale ty, z twoimi dziwacznymi włosami i kremową skórą. A teraz ja jestem w świetle reflektorów. Trzeba ugryźć kawałek nieśmiertelności i dobrze ją przeżuć. – Fin uniósł prawą rękę i pomachał nią w naszym kierunku. Nagle ożyły małe płomyczki, zawirowały i utworzyły ciasną kulę. Strzelił z palca i kula poleciała w naszym kierunku, roztrącając nas jak kręgle.

Kale pchnął mnie barkiem na bok, a Jade skoczyła szczupakiem w lewo.

– Padnij!

Niewielką przestrzeń wypełnił kwaśny zapach dymu i płonących włosów. Jade wrzasnęła i opętańczo przyklepywała ręką ramiączka sukienki. Zgasiła maleńki płomień.

Fin znów zachichotał i zrobił kilka kroków naprzód.

– Miałem kiedyś na ciebie ochotę, Dez, ale teraz raczej bym wolał, żebyś spłonęła w ślicznym ogniu. – Stanął w pół kroku i tupnął nogą. Z jego ust wydobywały się fale histerycznego śmiechu. – Gorąca z ciebie dziewczyna, jakby nie patrzeć.

Znajdował się na środku półpiętra, a tam, gdzie stał, zaczynało potężnieć jasne światło. Pulsowało między jego otwartymi dłońmi, żyło własnym życiem i było coraz potężniejsze. Byliśmy od niego co najmniej półtora metra, ale temperatura rosła tak szybko, że zaczęłam się kulić.

– Mam dla ciebie prezent, Dez. Opali cię dookoła, a później połknie w całości. – Wyciągnął rękę z płonącą kulą. – Nie zbawi cię teraz to, że masz dziewięć wcieleń, suko, ale będziesz wyglądała interesująco z opalonymi bokami!

Jakich szkód narobiłaby ta płonąca kula, jeśli byśmy stali jak przygwożdżeni do podłogi, kiedy ją wypuścił?

Kale pociągnął mnie za rękaw sukienki, drugą dłoń zacisnął na ręce Jade. Byliśmy już za progiem drzwi prowadzących na klatkę schodową, kiedy kula wylądowała. Ziemia się zatrzęsła, ściana za nami eksplodowała. Nie było czasu oglądać się za siebie. Korytarzem i za róg. Do holu. Znów wybuch i zdecydowany wzrost temperatury powietrza. Pękające szkło i ogłuszających ryk. Później przez kilka minut cisza. Jak gdyby ktoś w trakcie oglądania filmu wyłączył głos.

Pięć kroków naprzód i znów zatrzęsła się podłoga, wytrącając nas wszystkich z równowagi. Już nie czułam palców Kale'a na ramieniu. Wyrzuciłam ręce w górę prosto w dym, żeby go znaleźć, ale to było bez sensu. Byłam sama. Tak jak na lekcjach w szkole, kiedy pokazują ci film, jak się zachowywać w czasie pożaru, klęknęłam i na czworakach ruszyłam do ściany, przy której miało znajdować się najbliższe wyjście. Kilka metrów dalej dotarłam za róg i znalazłam się niedaleko recepcji. Dym był wszędzie, dławił świeże powietrze, pełzał duszącą, palącą chmurą. Widziałam, że krawędzie biurka Rosie płoną. Stosy papierów, które tak pracowicie układała i porządkowała, kurczyły się i eksplodowały jak ognie piekielne. Płomienie zbliżały się do czajnika na kawę, który stał zawsze na jej biurku. Usłyszałam odgłos miniwybuchu i szklany dzbanek rozprysnął się na tysiąc kawałków.

– Kale? – krzyknęłam, ale słowa nie chciały mi przejść przez usta. Rozkaszlałam się. Za mocno kaszlałam. Ogarnął mnie nieustający spazm, zaczęłam się trząść, mój organizm buntował się przeciwko zatrutemu powietrzu. Nie wiem, dlaczego, ale przypomniał mi się pierwszy w życiu drink. Przypomniałam sobie palenie w gardle, kiedy alkohol przepływał mi do przełyku. To było jak połykanie papieru ściernego. Pamiętam, że to był kieliszek Goldschlagera na jakimś zaimprowizowanym przyjęciu w magazynie. Tuż zanim Alex i ja zostaliśmy oficjalnie ogłoszeni parą. On mnie do tego namówił, powiedział, że tego na pewno nie wytrzymam. A ja nigdy nie odwracałam się plecami od tego rodzaju wyzwań.

Zagubiona w gęstej mgle gdzieś przede mną, wrzasnęła jakaś dziewczyna. Inny głos – na pewno Kale'a – zawołał mnie głośno po imieniu, ale był zbyt daleko. Nie mogłam go odnaleźć. Instynktownie próbowałam wziąć głęboki oddech. Duży błąd. Znowu się rozkaszlałam, dym szarpał mi płuca i całe ciało. Szczypały oczy, bolała klatka piersiowa. Płonęłam, byłam blisko śmierci. Czy jest gorszy sposób oddania ducha? Nie mogłam w ten sposób odejść. To było słabe. Żałosne.

Cholera, na pewno nie.

Oparłam się dłońmi o ścianę i podciągnęłam się do pozycji stojącej. Postanowiłam, że się nie poddam. Odepchnęłam się od podłogi i zaczęłam biec. Drzwi. Byłam na środku pomieszczenia. Bezpieczeństwo tylko o kilka metrów stąd. Znalazłabym te drzwi z zamkniętymi oczami. Cóż to jest trochę dymu? Gdzieś za mną ryczały płomienie i, jak pędząca szarańcza, pożerały wszystko, na swojej drodze.

Już mnie nie było. Przepadłam. Połknięta przez szary dym.

Ktoś wrzasnął. Gardłowy, zduszony głos, który nie był ani męski, ani kobiecy. Coś chłodnego owinęło mi się wokół ramion i znów byłam w ruchu. Szybciej. Na ulicę przez rozwalone, szklane drzwi, prosto w powietrze nocy.

Czyste powietrze nocy.

– Niech pani się uspokoi – powiedział łagodny głos, którego nie rozpoznawałam.

– Niech pani nie oddycha panicznie. Spokojnie i głęboko. Właśnie tak.

Dopiero po kilku próbach przestało mi płonąć w płucach. Głębokie, odmierzone oddechy powoli zastąpiły trujące powietrze świeżym.

– Dez! – Kale zatrzymał się przede mną, wyhamowując w biegu. Już chciał po mnie sięgnąć, ale Jade, która – cholera – zawsze stawała nam na drodze – odepchnęła mu rękę. Miał na tyle inteligencji, żeby przynajmniej tym razem spojrzeć na nią niechętnie.

– Z tobą wszystko dobrze?

Próbowałam odpowiedzieć, ale nie mogłam, bo tak mnie paliło w gardle, więc tylko skinęłam głową.

Gdzieś za mną Ginger, Kiernan, Alex i niewielka grupka pozostałych przyglądali się, jak strażacy walczą z płomieniem, który niszczył nasz dom. Cieszyłam się, że Daun już wyjechała. Czy utknęłaby w środku? Ilu pozostałym się nie udało? Wciąż jeszcze nie mogliśmy się doliczyć tylu twarzy. Tylu zaginionych...

O, Boże.

Powiodłam oczami po zgromadzonych na ulicy uratowanych. Nie było jej tam.

– Mamo!

25

O mało co nie pobiegłabym z powrotem do płonącego budynku, gdyby nie złapał mnie jeden ze strażaków. Okręcił mnie dookoła tak, żebym patrzyła na stojących na ulicy i powiedział

– Tej pani szukasz, mała?

Wprost na nas biegła straszliwie podenerwowana mama. Zderzyłyśmy się w połowie drogi, Oplotła mnie ramionami tak ciasno, że wydawało mi się, że łatwiej mi się oddychało w dymie, ale nic mnie to nie obchodziło. Jej się nic nie stało. Mnie się nic nie stało. Nie straciłyśmy siebie. Dołączyłyśmy do tłumu gapiów i patrzyłyśmy na roztaczającą się przed nami scenę w ponurym milczeniu. Hotel Sanktuarium zamienił się w kupę dymiącego popiołu i mokry tuman szarego dymu, kiedy strażacy skończyli dogaszać zgliszcza. Ze środka wyniesiono dwa ciała. Rosie i jeszcze jedna kobieta, której imienia nie pamiętam. Widywałam ją. Potrafiła się zmieniać w tygrysa.

Czterech osób wciąż się nie doliczono. Strażacy zapewniali nas, że nikogo innego nie było w budynku, mówili, że w takich wypadkach ludzie panikują i uciekają, że bardzo często pojawiają się później. My wiedzieliśmy swoje. Nie pojawią się później. Zostali porwani przez Denazen.

– To był Fin. Na pewno on – powiedziała mama, stając za moimi plecami. Wozy strażackie wyjeżdżały, a Ginger załatwiała nam miejsce do spania, zanim się wszystko poukłada.

– To był on – szepnęłam, przypominając sobie wyraz jego twarzy. Był kompletnie niezborny. Postradał zmysły. Niedługo „przeniosą go na emeryturę", nawet jeżeli uszedł żywcem z budynku. Teraz nic mu już nie pomoże.

– Skąd wiesz? – mama zamrugała powiekami i wycofała się o krok. – I dlaczego masz zielone włosy?

Postanowiłam zignorować pytania na temat włosów – prawdę mówiąc nie miałam pojęcia, co powiedzieć – i skupiłam się na Finie.

– Widzieliśmy go. On jest...

– Dez? – Kale pojawił się u boku mamy.

Wystarczyło jedno spojrzenie, a ona szybko się wycofała, dając nam sposobność do porozmawiania na osobności.

– Puściłaś mnie. W środku. Zgubiłem cię.

Cofnęłam się o krok w tył.

– Technicznie rzecz biorąc, to ty mnie puściłeś.

Patrzył na mnie dziwnie. Nie był wściekły, ani smutny, ale coś pomiędzy.

– Uderzyłaś się w bark?

– Nie, dlaczego?

– Bo go pocierasz.

Zamarłam.

– Swędzi mnie. A gdzie twój cień?

Puścił moje pytanie mimo uszu. Powiedział z naciskiem – Już nie możesz mnie dotykać, jak kiedyś, ale wciąż możesz ze mną rozmawiać. – Zbliżył się o krok. – Musisz ze mną porozmawiać, Dez.

Nie mogłam oddychać. Każdą komórką swojego ciała chciałam się przyznać do wszystkiego.

– Kale...

– Coś jest nie tak. Z tobą. I nie rozumiem, dlaczego nie chcesz mi powiedzieć. Coś ukrywasz.

Ale nie mogłam. To by tylko wszystko pogorszyło.

– Ja... Czasami są takie rzeczy, których nie można powiedzieć drugiej osobie.

Założył ramiona na piersiach. To, co usłyszał w ogóle go nie przekonało.

– Jesteśmy drużyną. Tworzymy zespół. Ty i ja. Wszystko razem. Sama to powiedziałaś. Musisz mi powiedzieć. Tak to właśnie działa.

– To jest... – Rozejrzałam się pośród tłumu gapiów i znalazłam Jade, stojącą przy jednej z karetek. Gapiła się na nas, usta miała wygięte w podkowę, w oczach wściekłość. Tą wściekłością mój ojciec łatwo mógł manipulować. Wściekłość, która zniszczyła hotel i zabiła naszych przyjaciół. Zabiła Rosie... Było widać, że chce wkroczyć i przerwać nam rozmowę, ale ratownik medyczny, który się nią zajmował, nie pozwalał się jej ruszyć z miejsca.

Musiałam odwrócić jego uwagę. – Wiem, że uważasz, że Jade jest dobrą dziewczyną i lubisz ją, ale ona jest zła, Kale. – Pokazałam palcem na zgliszcza. – To jej wina. Ja wiem. I nie mówię tego tylko dlatego, że chce mi podkraść chłopaka.

§

– Jak tam? – Kiernan padła na podłogę tuż przy mnie.

Wzięłam głęboki oddech przez zaciśnięte zęby i rozejrzałam się dookoła. Były tu Ginger, Kiernan i mama – byłyśmy w domu jej koleżanki, Meeli. Mama i Ginger zainstalowały się w pokoju gościnnym, a Kiernan i ja rozbiłyśmy się obozem we frontowym.

– Trochę się boję. Fin był...

– To ten chłopak, z którym chodziłaś do szkoły, tak? Kale opowiedział mi, co się stało, kiedy rozmawiałaś z mamą. Było tak źle?

– Było gorzej niż źle. – Spojrzałam na nią przez włosy opadające mi na czoło. – A jeżeli nie muszę się martwić o Jade, która ciągnie się za Kale'em jak smród za wojskiem, mam lekkie obawy co do swojej własnej przyszłości.

Kiernan podniosła pożyczoną poduszkę i westchnęła.

– Jak chcesz, mogę jej skopać tyłek. Pomoże ci to?

Zmusiłam się do śmiechu.

– To zrobiłabym osobiście z wielką chęcią. Najpierw jednak muszę znaleźć dowód na to, że to ona jest odpowiedzialna za wpuszczenie agentów Denazen do hotelu. Kale musi mieć mocny argument.

Kiernan zmarszczyła brwi.

– Dez, nie znoszę tej dziewczyny. Wiesz przecież, prawda? Ale ona była z nami na dansingu.

– To wszystko było ustawione.

– Nie obrażaj się, ale myślę, że przesadnie reagujesz. Chcesz, żeby to była ona, ale słoneczko... To chyba nie ona.

– A właśnie, że ona – upierałam się. – Wszystko się zgadza. Tylko ona wiedziała, że idę na pocztę.

– Dez, ja też wiedziałam. Zadzwoniłaś do mnie, pamiętasz?

Zamrugałam oczami. Całkiem zapomniałam.

– Więc co, ty zadzwoniłaś do Taty?

Uderzyła mnie lekko pięścią, a później podniosła ręce do góry udając, że się poddaje.

– No, to mnie nakryłaś. – Westchnęła i oparła się o kanapę.

– Mówię tylko, że może jeszcze ktoś wiedział. Ktoś, o kim nie masz pojęcia. Może ktoś usłyszał, jak Ginger każe ci jechać.

– Nie. Byłam tylko ja, Kale i ona. Nie wiem jeszcze, jak to zaplanowała, ale wiem, że mam rację.

– W porządku – powiedziała powoli Kiernan. – Ale Dez, ona była z Kale'em przez cały dansing. I to daje jej alibi. Nie mogła być w dwóch miejscach naraz.

– A kiedy Kale i ja tańczyliśmy?

Kiernan pokręciła głową.

– Siedziała przy stoliku. Gadała z Alexem. Więc jak to zrobiła? Posłała...

– Kto wie? – Rozejrzałam się wokół siebie. Pokój przypominał mi obraz koszmaru Marthy Stewart. Pod wszystkim stały laleczki. W pokoju było tyle sztucznych kwiatów, że mogło się nimi zadławić stado koni.

Meela była Szóstką, która straciła syna, przejętego przez Denazen. Skorzystała z szansy, żeby nam pomóc, kiedy usłyszała, co się stało. Dostarczyła nam ubrania – wszystkie niemodne i nie pasujące, ale czyste – i otworzyła przed nami dom na tak długo, jak potrzebowaliśmy.

Kale'a i Jade posłano razem z Paulem i Pandą do mieszkających niedaleko krewnych Daun. Alex zabrał pozostałych do mieszkania Daxa, które znajdowało się w centrum miasta. Na szczęście nie było go w hotelu, ale oddał nam do dyspozycji swoje mieszkanie, jeśli będziemy potrzebować więcej miejsca.

Nie wiem, gdzie podziała się reszta, ale Ginger zapewniała nas, że są bezpieczni.

Wzięłam głęboki oddech i próbowałam się nie zadławić. Albo Meela czymś spryskała kwiaty, albo odświeżacz powietrza pachniał tak, jak perfumy Rosie. Ta myśl zabolała. Nasz związek był od pierwszego dnia pełen kolców, ale Rosie była moją koleżanką, chociaż żadna z nas się do tego głośno nie przyznała. A teraz jej nie ma.

Odepchnęłam od siebie żal i skupiłam się na faktach. Jade nie ujdzie to na sucho.

– Uważam, że Jade jest z Supremacji. Tak, jak ja – prawdę mówiąc, jestem tego pewna. A to znaczy, że ma jakieś bardzo poważne umiejętności.

Kiernan była sceptyczna.

– No, nie wiem, Dez. Fale mózgowe? Wątpię. Wydaje mi się, że po prostu chcesz, żeby to była ona.

– Chcę przygwoździć osobę, która jest za to odpowiedzialna. A tą osobą jest Jade.

Kiernan wzruszyła ramionami, ale nie odpowiedziała. Zamiast tego sięgnęła po drugi koc z kanapy – biało-różową ohydę w kwiaty – i rozciągnęła go na swojej leżance. – Jestem po twojej stronie, Dez, ale uważam, że tu akurat się mylisz.

Odczekałam, aż wczołga się pod kołdrę, wstałam i wyszłam na podwórze za domem.

Rześkie, nocne powietrze było jak policzek w twarz. Za kilka godzin wstanie słońce, a ja wciąż nie będę mogła spać. Będę myśleć, martwić się, knuć. Jade już przegrała. Prędzej zdechnę niż pozwolę, żeby zaciągnęła Kale'a do Denazen. A w tym momencie czasu i przestrzeni jest to całkiem realna możliwość.

Znów poczułam kłucie w barku. To dziwne, zawsze mocniej mnie bolało, kiedy myślałam o Jade. To był jakiś znak. Rękę bym sobie dała za to uciąć. Odsunęłam pożyczoną podkoszulkę – różowiutką, jak pupcia niemowlęcia, z napisem „Hello Kitty cię kocha" – była to koszula nocna dla dorosłego – patrzyłam na znamię, które zostawił mi na pamiątkę Able. Trudno było teraz zobaczyć to pierwsze miejsce, którego dotknął, ciemny środek rozrastał się we wszystkich kierunkach.

Linie, jak sieć pajęcza, rozchodzące się od środka, dotarły już poza obojczyk. Jeżeli będą się rozchodzić dalej w takim tempie, pod koniec dnia dojdą do łokcia i przedramienia. Nie mówiąc już o bocznej powierzchni szyi. Czas uciekał. Trucizna już niedługo wyleje się z fiolki. Będę musiała się przyznać, a to znaczy, że będę musiała podjąć jakąś decyzję. I to teraz, natychmiast.

Drzwi z plastikową siatką, rozciągniętą na ramie, zaskrzypiały i ktoś, kuśtykając, wyszedł na ganek.

– Późno już. Jeszcze nie śpisz? – spytała gdzieś spoza mnie Ginger.

Nie odwracałam się. Jeśli nie będę zwracała na nią uwagi, może zrozumie, odwróci się na pięcie i wróci do środka. Nie potrzebowałam kolejnego wykładu na temat tego, jak to rzeczy idą swoim torem.

– Nie powinnaś spać?

– A ty nie powinnaś? Ile masz lat, dziewięćdziesiąt? Tacy starzy ludzie powinni się porządnie wysypiać.

Prychnęła.

– Żałosne. To tylko cień twojej naturalnej złośliwości. Coś cię gryzie, Deznee?

Westchnęłam ciężko.

– Dlaczego pytasz? Przecież już znasz odpowiedź. Pewnie znasz i godzinę, i dzień, kiedy kupię twoją filozofię, prawda? Przynajmniej powiedz mi, że umrę w płomieniach. Będę robić coś szalonego. Że nie umrę w butach. Nie we śnie. Ławka za moimi plecami zaskrzypiała w proteście, kiedy Ginger usiadła.

– Wiesz, że to tak nie działa.

Tym razem ja się odwróciłam.

– A ja się domyślam, że wiesz, co się tu dzieje. – Nie mogłam znieść desperacji we własnym głosie, ale też nie potrafiłam jej ukryć. – Powiedz mi. Powiedz, czy on musi skończyć w Denazen.

Powiedz, czy ja muszę zginąć...

Przez sekundę myślałam, że odpowie. Wyraz jej twarzy złagodniał, brwi uniosły się współczująco. Jej spojrzenie omiotło mój bark, później Ginger popatrzyła na bok. No, tak. Ona z pewnością wie. Wie i najgorsze jest to, że jest jedyną osobą, której mogę się spokojnie wygadać. Nie dlatego, że mogę jej zaufać, ale dlatego, że jeżeli mam umrzeć, ona nie ruszy palcem, żeby moją śmierć powstrzymać.

Po chwili pokręciła głową.

– Znam jego cel i ścieżkę. Droga życiowa Kale'a, tak, jak i twoja, nigdy nie była łatwa.

A Kiernan uważała, że to Rosie mówi tajemniczo?

– Wiesz, kto jest odpowiedzialny za to, że hotel spłonął, prawda? To ktoś, kto wpuścił do środka ludzi Taty.

– Wiem.

To mnie wkurzyło. To znaczy, wiedziałam, że wie – przynajmniej tak sobie wyobrażałam – ale to, że przyznała, naprawdę mnie zdenerwowało. Skoczyłam na równe nogi i podeszłam do niej, wściekła.

– Wiem, że masz te swoje głupie reguły, ale ludzie stracili życie. Dobrzy ludzie. Twoi przyjaciele. Pozwolisz, żeby ona nas rozdarła od środka?

– W takie rzeczy nie ma się co wtrącać. Zdarzają się, bo los tak chce. Gdybyśmy pozwolili na zmiany, doprowadzilibyśmy do chaosu. Tyle razy już o tym mówiłyśmy, Deznee.

– Nie, chaos to jest to, co widzieliśmy wszyscy tej nocy. Płonący budynek. A wewnątrz ludzie, którzy nie mogli się wydostać. To coś, do czego ty mogłaś nie dopuścić. To właśnie jest chaos. Tam były dzieci, Ginger, małe dzieci.

– Taki los.

– Gówno prawda.

Nie odpowiedziała.

– Wiesz, że to Jade i dlatego posłałaś z nią Kale'a.

Zamyśliła się, uniosła głowę ku niebu i westchnęła.

– Jade jest... w wyjątkowej sytuacji.

– W wyjątkowej sytuacji? I to jej daje prawo, żeby nas zniszczyć?

– Mogłabyś się zastanowić nad tym, że być może ty i Kale nie macie być razem. To kurczowe trzymanie się jedno drugiego może was oboje zniszczyć.

Mało się nie przewróciłam.

– Co takiego?

Nie odpowiedziała.

– A, chrzań się – rzuciłam. Zrobiło się nagle chłodniej.

– Tu właśnie jest granica. Czy to o to chodzi z tą całą idiotyczną historią z Jade? Naprawdę próbujesz ich ze sobą połączyć? Bo masz jakieś chore wyobrażenie, że Kale i ja nie jesteśmy sobie przeznaczeni? I wpychanie go z powrotem do Denazen to twoja odpowiedź? Rzeczywistość zaczęła mi się wymykać z rąk. Czułam, jakby gdzieś w głębi mózgu wybuchła bomba. Wszystko, od palców u stóp do krawędzi nosa... Wszystko zamarło. Wszystko, to znaczy oprócz mojego barku. Bo tam ból nagle wybuchł wielkim płomieniem.

– Mylisz się... – Wstałam chwiejnie, walcząc o utrzymanie równowagi. Mój głos brzmiał dziwnie, był niezborny, nie potrafiłam kontrolować tego, co mówię. – ...Jeżeli myślisz, że Kale i ja nie zostaniemy z sobą, to się bardzo mylisz.

Wstała na równe nogi, mocno ściskając dłońmi laskę. Miała smutne oczy, kiedy powiedziała:

– Przykro mi. Wiem, że to trudne, że prawdopodobnie myślisz, że nie jestem lepsza od twojego ojca.

– Ta myśl parę razy przeszła mi przez głowę – przyznałam gorzko.

– Jestem po twojej stronie, Deznee. Wiem, że to może tak nie wygląda i uważasz, że nie kocham swojego wnuka, ani że ci ludzie w ogóle mnie nie obchodzą, ale jesteś daleka od prawdy. – Przez chwilę milczała. Powiało chłodnym wrześniowym powietrzem, bryza poruszyła brzegi jej jasnoniebieskiego szlafroka. – Wszystko się dzieje tak, jak miało się stać. I niestety, kiedy wszystko zostanie już powiedziane i zrobione, boję się, że to ty i Alex zapłacicie najwyższą cenę.

26

Miałam rację. Ta noc będzie bezsenna. Kiedy Ginger w końcu weszła do środka, resztę nocy spędziłam na ganku. Właściwie większość nocy. Przez godzinę chodziłam tam i z powrotem po trawniku, mokra trawa łaskotała mnie w stopy, a ja wysilałam mózg, żeby wymyślić, jak dowieść, że za tym wszystkim stoi Jade. A ta cała historia o mnie i o Kale'u? Nie mam zamiaru się tym przejmować. Jeszcze nigdy nie słyszałam bardziej nieprawdziwego stwierdzenia. Niekiedy jedynie Kale utrzymywał mnie przy zdrowych zmysłach. Nic, co ma związek z nim, nie mogłoby mnie zniszczyć. Nigdy. A jeżeli chodzi o Alexa, no, to cóż... Postanowiłam spojrzeć na to inaczej. Alex dokonywał własnych wyborów, które przeważnie były nietrafione. To jego zakres odpowiedzialności.

Często się ostatnio w ten sposób zachowywałam. Nie zwracałam uwagi na różne rzeczy. Maleńki głosik w mojej głowie mówił, że to niedobrze, że to do mnie niepodobne, ale i jego nie słuchałam.

Kiedy słońce oświetliło góry za domem Meeli, wśliznęłam się do środka i miałam pomysł, jak ślicznie oszkalować Jade.

– Jesteś na mnie wkurzona – w drzwiach pojawiła się Kiernan. W ręce miała dymiącą ofertę pokoju. Kawę. Wzięłam od niej kubek i próbowałam się nie roześmiać. Miała na sobie pomarańczową, prostą sukienkę i różową bluzkę z falbanką przy kołnierzu. Boże, Meela ma obsesję na punkcie różu.

– Tak sobie właśnie pomyślałam – mówiła dalej, gestykulując. – I właśnie dlatego zrobiłam coś, co zrobiłaby tylko prawdziwa przyjaciółka. Oszczędziłam ci tego.

– Tego...

– Nie da się opisać. Tak, wiem. – Wycofała się do kuchni i wyciągnęła krzesło. – Meela? Na pewno się nie pokaże w najbliższej przyszłości na wybiegu. Ten ciuch nie zapewni ci randki, ale nie jest tak fatalny, jak mój.

Usiadłam na krześle na wprost niej.

– I może mi wybaczysz, ale mogłabyś coś z tym zrobić?

– Chciałabym, ale jak to wyjaśnimy? Nikt jeszcze nie wie o tym, że moje zdolności się zmieniły.

Zmarszczyła brwi, ale kiwnęła głową.

– To prawda. Widzę, że znów jesteś blondynką, a jak tańczyłyśmy, miałaś czerwone pasemka? A teraz są niebieskie.

Sięgnęłam ręką i pomacałam kosmyk włosów. Blond z niebieskimi pasemkami. W tym całym chaosie zupełnie o tym zapomniałam. Nie zmieniłam koloru świadomie. Jednak z drugiej strony, również świadomie nie zmieniłam koloru na zielony. Będę musiała się tym zająć jak najszybciej.

– No tak, ale to lepsze niż zielony.

Kiernan pociągnęła za brzeg swojej bluzki.

– A jeżeli chodzi o wczorajszy wieczór... Nie chciałam tego tak przedstawić, że według mnie Jade jest czysta jak łza, tylko pomyślałam...

– Dobra, zapomnijmy o tym. Już ci zostało wybaczone.

Spojrzała na mnie i uśmiechnęła się.

– Tak?

– Potrzebuję cię.

– Nie obraź się, ale nie gustuję w blondynkach. Poza tym – powiedziała, machając do mnie swoim kubkiem kawy – jak dla mnie, troszkę brakuje ci umięśnienia.

– Chodzi o twój dar. Chciałabym, żebyś trochę poszperała.

– Chcesz, żebym szpiegowała Kale'a i Jade?

– Nie Kale'a. Tylko Jade. Wiem, że ona jest na usługach Taty, Kiernan. Po prostu wiem. Muszę tylko znaleźć taki dowód, żeby Kale i reszta mnie posłuchali.

– Ale ona nigdy nie zostawia Kale'a nawet na chwilę. Naprawdę uważasz, że będzie go ze sobą ciągnąć, jak pójdzie pogadać z twoim Tatą?

– Nie może być z nim przez cały czas. Musi w którymś momencie go zostawić. A założę się, że jak go zostawi, nawet jeżeli po to, żeby wykonać telefon, otrzymam dowód, który jest mi potrzebny.

Kiedy skończyłam kawę, poszłam zobaczyć, co Meela dla mnie wygrzebała. Kiernan miała rację. Drugi zestaw ciuchów nie był tak zły, jak pierwszy. Zwykłe, czarne spodnie od dresu i bluza z kapturem Marist College. Dopiero co skończyłam się przebierać, kiedy ktoś zapukał do drzwi. Wyłoniłam się z łazienki i zobaczyłam Kale'a i Jade w kuchni z Kiernan i Paulem, a w korytarzu Alexa i Daxa rozmawiających cicho z mamą.

– No, no – zachichotała Jade. – Dziewczyny, wyglądacie...
bosko.

Cholerny wszechświat. Zawsze ktoś z chorym poczuciem humoru. Jade miała na sobie pobłyskującą zielenią sukienkę z dansingu. Można było się spodziewać, że po ucieczce z płonącego budynku i prawdopodobnie po nocy spędzonej w kiecce, pokaże się światu wyglądając, jak kupa nieszczęść. No, jak ktoś normalny. Nie. Zaczesała włosy w kucyk, a sukienka, choć trochę pomarszczona i ze śladami popiołu, wciąż robiła z niej królową balu. Wyglądała jak jakaś supermodelka podczas sesji zdjęciowej na miejscu katastrofy humanitarnej.

Kale się wgapiał. Nie wypowiedział słowa od chwili, kiedy weszłam do kuchni, ale nie spuszczał ze mnie wzroku. Kilka dni temu to by wszystko w moim świecie porządkowało. A dziś rano? Bolało bardziej niż ramię, a to i tak dość mocno mi doskwierało.

Byłam w rozsypce. Świat dookoła mnie się walił, a ja pragnęłam tylko jednego – wszystko mu wyznać. Ale nie mogłam. Nie było sposobu na to, żeby powiedzieć o tym, że odwiedził mnie Tata i nie rzucić go od razu na głęboką wodę. I nie było sposobu zdradzić wszystkiego o nowych informacjach z Supremacji bez przyznania się do odwiedzin Taty. A ta cała historia z Able'em? No, tak. Gdybym mu o tym opowiedziała, to pewnie chciałby się zamienić z Tatą na antidotum. Zwykle byłam dumna z tego, że daję sobie radę sama, ale po raz pierwszy w życiu załatwianie wszystkiego na własną rękę zaczęło mnie naprawdę wkurzać.

– Musimy dzisiaj bardzo dużo zrobić – powiedziała Ginger, postukując laską o kafelki na podłodze w kuchni.

– Podczas dzisiejszej imprezy zarządzam zebranie. Z uwagi na wydarzenia ostatniej nocy miejsce spotkania będzie utajnione.

Szczęka mi opadła.

– Naprawdę? Mamy imprezę? Przecież, cholera, właśnie się spalił hotel. Ludzie zginęli. Rosie nie żyje. A ty chcesz organizować imprezę?

– Co wieczór jest impreza Szóstek, Deznee. Jeśli nagle odejdziemy od rutynowych zachowań, ludzie zaczną się robić nerwowi. A nie chcemy fali paniki. Wszystko będzie szło normalnym torem, skorzystamy z tej sposobności, żeby się przegrupować i zaplanować ruchy na przyszłość.

Sięgnęła do kieszeni swojego niebieskiego szlafroka. Zobaczyliśmy kilka małych kolorowych karteczek.

– Będziecie zawiadamiać wszystkich osobiście. Nikt nie pójdzie sam. Podzieliłam was na zespoły. Nie możecie ze swoim partnerem rozstawać się ani na ułamek sekundy. Nie podawajcie listy ani instrukcji nikomu oprócz partnera, łącznie z tymi, którzy znajdują się w tym pomieszczeniu.

Odwróciła się do mamy.

– Sue, ty pójdziesz z Daxem.

Mama skinęła głową i wzięła niebieską karteczkę. Czy to moja wyobraźnia, czy się uśmiechała? Ginger zwróciła się następnie do Paula, który stał w drzwiach. Podała mu małą, pomarańczową karteczkę i powiedziała:

– Ty i Barge bierzecie to.

Rozdawała karteczkę po karteczce, aż zostaliśmy tylko ja, Kale, Kiernan, Jade i Alex. Liczba nieparzysta.

– Jade – powiedziała Ginger, podając jej różową karteczkę. – Ty pójdziesz z Kiernan. – Odwróciła się do mnie i powiedziała – Ty jesteś w parze z Kale'em.

Jade popatrzyła najpierw na swoją karteczkę, a później na Kale'a i zmarszczyła brwi.

– Czy to dobry pomysł? Kale może komuś przypadkowo zrobić krzywdę, jeśli nie będzie mnie przy nim. Może zrobić krzywdę Dez.

Ginger chwyciła rudą za ramiona i odwróciła ją w kierunku drzwi.

– Całe lata dawał sobie radę bez twojego towarzystwa. Tym razem chyba też sobie poradzi.

– To dobrze! Będę miała na nią oko – szepnęła Kiernan.

Zrobiła do mnie minę i wyszła za zrozpaczoną Jade z kuchni. Kilka sekund później usłyszeliśmy zatrzaskujące się drzwi wejściowe.

– A ja? – spytał Alex.

Ginger uśmiechnęła się do niego uszminkowanymi na czerwono ustami. Znów piła poncz owocowy Mobola. Tylko ten poncz barwił usta.

– Ty idziesz ze mną, Alex.

Wyszli bez słowa i zostawili mnie i Kale'a naprawdę samych po raz pierwszy od wielu dni.

– Nie chcesz być ze mną – Kale zrobił krok w moim kierunku.

Nie chcę być z nim? Tylko tego chciałam.

– Nie o to chodzi.

– Ale nie chcesz, żebym był z Jade?

– Oczywiście.

– Jesteś na mnie zła?

– Dlaczego miałabym być zła?

Wyglądał na prawdziwie zdezorientowanego.

– Nie wiem. Dlatego pytam.

– Powinniśmy już ruszać i odhaczać jedno po drugim na liście – zrobiłam krok wstecz i rozłożyłam karteczkę. Jeszcze kilka sekund i wszystko mu wychlapię. Okłamywanie Kale'a to jedna z najtrudniejszych rzeczy, które musiałam robić, nie wspominając już o tym, że robiłam to nieudolnie.

– W porządku – powiedział powoli. – Ale my jeszcze nie skończyliśmy.

– My nie skończyliśmy. I nigdy nie skończymy. – Naciągnęłam rękaw bluzy na dłoń i ścisnęłam go za rękę. – Tu jest napisane, że po pierwsze powinniśmy powiadomić Prias Sheen o tym, gdzie jest dzisiaj impreza.

– A gdzie jest impreza?

– Hm – powiodłam oczami po karteczce. – Wygląda na to, że w Rockies.

– Rockies?

– Tam kiedyś była ściana wspinaczkowa wewnątrz budynku. Kilka miesięcy temu wszystko zamknęli. Na obrzeżach miasta.

– Jak się ludzie wspinają po skałach, jeżeli to jest pod dachem?

– To tak naprawdę nie są skały, tylko plastik. Zakładają ci uprząż i jeden z instruktorów cię pilnuje.

Wyglądał na przerażonego.

– Plastikowe skały?

– No, dobra, zapomnij.

§

Podaliśmy informację o imprezie Prias, kobiecie, która potrafiła manipulować roślinnością i szliśmy dalej wzdłuż listy. Siedem imion. Zrobiła się pierwsza po południu, a ja byłam potwornie głodna.

– Jest coś na tej liście o przekąskach?

Kale wcisnął karteczkę do kieszeni spodni.

– Jesteś głodna?

– Jestem gotowa zjeść konia z kopytami.

Przez chwilę wyglądał na zaniepokojonego, a potem kiwnął głową.

– To takie wyrażenie?

Uśmiechnęłam się.

– Tak. Wyrażenie.

– Ginger powiedziała, żeby nie odchodzić od listy.

Właśnie wysiedliśmy z autobusu – był to ulubiony sposób poruszania się Kale'a – i staliśmy na rogu Main Street, tuż przed pizzerią Shaker's.

W kilku miejscach mogliśmy pójść na coś szybkiego do jedzenia. Wejść i wyjść, z powrotem do pracy w mgnieniu oka. Na liście były jeszcze tylko dwie rzeczy do załatwienia. Sprawdzenie skrytki pocztowej Ginger i zawiadomienie jeszcze jednej osoby. Mieliśmy czas, żeby coś zjeść.

– Na pewno nie chciała, żebyśmy umarli z głodu. Na co masz ochotę?

– Paluszki serowe – powiedział, pochylając się nade mną.

W jego oczach były iskierki głodu – był nie tylko głodny smażonego sera. Jeżeli miałabym zgadywać, przypomniał sobie ostatni raz, kiedy je jedliśmy. Tuż, zanim to wszystko się zaczęło. On gryzł na jednym końcu, a ja na drugim. To było słodkie. Jak z filmu „Zakochany kundel", lecz ten moment nie doprowadził do sceny, jak z Disneya. A ciągnęła się ta scena mniej więcej przez godzinę.

Zabiło mi szybciej serce i musiałam cofnąć się o krok, żeby go nie dotknąć. Nie potrafiłam rozsądnie myśleć, kiedy tak na mnie patrzył.

– Chyba lepiej będzie coś zjeść na szybko i wrócić do listy. On zrobił jeszcze jeden krok w moim kierunku, a ja się cofnęłam. Szliśmy tak tańcząc, dopóki nie oparłam się plecami o ścianę budynku.

– To gorsze niż wszystko, co zrobiła mi Denazen. Być tak blisko, a jednocześnie tak daleko. Wiedzieć, że mogę cię skrzywdzić, ale tak strasznie chcieć cię dotknąć.

– Wiem, co czujesz.

Był teraz tylko o centymetry ode mnie. Jego ciepły oddech delikatnie omiatał mi twarz.

– Wiem, że jest coś, czego mi nie mówisz. To... mnie niepokoi.

Nie mogłam temu zaprzeczyć, nie teraz, kiedy tak na mnie patrzył. Kiedy był tak blisko.

– Są pewne rzeczy, o których ty mi też nie mówisz – odparłam, próbując złapać powietrze.

Zmarszczył brwi.

– To nie to samo.

– Nie?

– Nie. Nie mówię ci o rzeczach, które dotyczą mojej przeszłości. Są bardzo nieprzyjemne.

– W przeszłości, czy nie, wciąż mają na ciebie wpływ. Wciąż są częścią twojego życia.

Stał teraz nade mną z otwartymi ramionami, oparł dłonie po obu stronach mojej głowy płasko o ścianę.

– Nie chcę, żebyś myślała o mnie, kiedy tam byłem. O tym, co robili. O tym, co ja musiałem robić. Nie mówię ci dlatego, żeby cię przed tym ochronić. – Na wypadek, gdybyś dotąd tego nie zauważył, nie jestem dziewczyną, która potrzebuje ochrony. – Chwyciłam go za ramiona przez materiał bluzy i odepchnęłam o kilka centymetrów. – A to, o czym ci nie mówię? To coś właśnie tego rodzaju. Nie chcę ci powiedzieć, żebym cię mogła ochronić.

– Nie podoba mi się to.

– Przykro mi – odparłam. – A może by tak pójść na kompromis? Powiem ci połowę?

Miał sceptyczny wyraz twarzy, ale skinął głową.

– W porządku.

Pociągnęłam go wokół budynku. Na szczęście tego dnia wywożono śmieci i Dumpster był pusty. Kiedy sprawdziłam, że jesteśmy sami, przeczesałam dłońmi moje włosy, wyobrażając sobie, że są brązowe tak, jak w dniach po Sumrun.

Kale sięgnął do nich i nawinął sobie na palec lok.

– To dlatego wczoraj wieczorem zmieniłaś kolor na zielony. Teraz też potrafisz zmienić kolor włosów.

– Nie wyglądasz na zdziwionego.

Zmarszczył brwi.

– Były zielone, kiedy wczoraj wieczorem wyszłaś. Dzisiaj rano miały kolor blond z niebieskimi kosmykami. I jak Alex był łaskaw wczoraj wieczorem wspomnieć, nie miałabyś czasu ich ufarbować.

No, tak. Oczywiście, że zauważył. Nasuwało się następne pytanie – kto jeszcze zauważył? Oczywiście, że wszyscy. A dlaczego nie? Mama zadała mi to pytanie przed hotelem wczoraj w nocy. Nie odpowiedziałam, a pytanie zawisło w powietrzu, ale na pewno nie była jedyną osobą, która to zauważyła. Włosy były zielone, na Boga. Naprawdę, co jest ze mną nie tak? Nigdy nie brakowało mi zdrowego rozsądku. Oczywiście bywało tak, że zachowywałam się dziwacznie, ale zważywszy na to, co się wczoraj działo, zmiana koloru moich włosów nie była dla nich najważniejsza.

– To mi się trochę wymyka spod kontroli, stąd zielony. Nie zrobiłam tego celowo – po prostu tak się stało. – Przeczesałam raz jeszcze włosy dłońmi. Znów blond z niebieskimi kosmykami. – To już się nie ogranicza do dotyku. Wzrokiem też potrafię. Jeżeli coś zobaczę, mogę to zmienić w coś innego.

– I nie potrafisz nad tym zapanować?

Po drugiej stronie alejki ulicą przejechała wielka ciężarówka i musiałam poczekać, aż dojedzie do końca drogi, żeby Kale mnie usłyszał. – Potrafię, jeżeli chcę, tak było do teraz, ale czasami pewne rzeczy się zdarzają nawet, jeżeli nie próbuję.

– To się może źle skończyć.

– Jakbym sama nie wiedziała.

Przez chwilę milczał, później zmarszczył brwi.

– Możesz zmieniać tylko części siebie?

– Wyglądasz na zmartwionego – powiedziałam, przekrzykując dzwonek nad drzwiami do pizzerii. Chociaż byliśmy za rogiem, za każdym razem, kiedy ktoś otwierał drzwi, owiewał nas zapach pizzy. Zaczęłam się od tego ślinić.

– Podobasz mi się taka, jaka jesteś.

Ta uwaga wywołała uśmiech na mojej twarzy. Kale starej daty. Mówił po prostu i do rzeczy.

– Przyrzekam ci, że się nie zmienię. Choć z drugiej strony, ciuchy... – Sprawdziłam, żeby zobaczyć, czy wciąż nikt nie patrzy. Przed alejką przechodziła para, w dłoniach pudełko z pizzą. Poczekałam, aż przejdą, później chwyciłam w rękę pożyczone czarne spodnie. Materiał zesztywniał i był teraz opięty wokół uda. To para dżinsów, które przymierzałam na początku lata. Tyłek fantastycznie w nich wyglądał. – Znacznie ładniej, prawda? Potrafię zmieniać nie tylko siebie. Tak sądzę.

Położyłam mu płasko dłoń na piersi. Dobrze było go dotykać, mimo tego, że między nami była warstwa ubrań. Zamknęłam oczy i wyobraziłam sobie głęboką purpurę. Nie wiedziałam, czy to zadziała, ale było warto. Kiedy otworzyłam oczy, podkoszulek Kale'a z długimi rękawami zmienił kolor. Był też trochę bardziej miękki w dotyku. A to się mogło przydać.

– Oprócz tego duży punkt na plus – migreny i ogłupiające mdłości minęły.

Uśmiechnął się, ale później znów spoważniał.

– Nie chcesz mi chyba powiedzieć, że twoje umiejętności wzrosły? A co to ma wspólnego z tym drugim chłopcem? Z Able'em?

– Nic – powiedziałam. Powoli zaczynałam wierzyć, że Tata mówił prawdę o truciźnie Able'a – tak jakby – a to tym bardziej skłaniało mnie, żeby nie powiedzieć nic Kale'owi. Wiedziałam, co będzie i jak on na to zareaguje. Wiedziałam, co będzie chciał zrobić.

– W takim razie nie powiedziałaś mi tego, co tak bardzo chciałem wiedzieć. Coś się dzieje i to ma związek właśnie z nim.

– To jeszcze jeden fagas Denazen, który pracuje pod rozkazami Taty. Nic się nie dzieje.

– Dez...

– Będziesz musiał mi zaufać, Kale. Panuję nad wszystkim.

Wycofał się i westchnął. Nie kupił tego, ale na razie zaakceptował.

A ja czułam się jak najgorsza narzeczona w historii świata.

27

Kiedy odhaczyliśmy ostatnią pozycję na liście Ginger, zauważyliśmy notatkę na dole. Instruowano nas, żebyśmy się zjawili u Belli, w nowo otwartej włoskiej piekarni dokładnie pięć po piątej. Mieliśmy usiąść przy czwartym stoliku od drzwi i zamówić kawę. Dziesięć minut później mama i Dax usiedli po drugiej stronie naszego stolika.

– Były jakieś problemy? – spytała, patrząc raz na Kale'a, raz na mnie.

– Żadnych – odpowiedziałam. Sięgnęłam po cukier lewą ręką i skrzywiłam twarz.

Kale to zauważył. Jego uwadze nic nie umykało.

– Wiem, że wczoraj wieczorem miałaś jakiś uraz barku. – Odwrócił się na swoim krześle i przyglądał mi się.

– Tylko nadwyrężyłam mięsień. Nie trzeba wzywać pogotowia.

Kale chciał się spierać, widziałam to po upartym zaciśnięciu szczęki, ale ratunek przyszedł z najbardziej nieprawdopodobnego źródła. Jade.

– Więc co mnie ominęło? – Przyciągnęła sobie krzesło od sąsiedniego stolika i wcisnęła je między Kale'a, a Daxa. Kiernan usiadła obok mamy. Obie były już w innych ciuchach.

– Właśnie mieliśmy przegłosować, żebyś wyszła z programu i opuściła wyspę – zakomunikowałam, mieszając kawę.

– Mój głos macie na pewno – powiedziała Kiernan entuzjastycznie, spoglądając niechętnie na Jade.

Dax wyjął niebieską karteczkę. Przesunął ją po blacie stołu do Kale'a i powiedział:

– Ty i Jade pójdziecie pod ten adres. Pracuj nad panowaniem nad sobą. Ktoś przyjdzie was zgarnąć, kiedy będzie pora iść na imprezę.

Uśmiechnięta od ucha do ucha Jade wstała, zaplotła rękę pod łokciem Kale'a i praktycznie wyrwała go z krzesła.

Nie mogłam się nie uśmiechnąć, kiedy Kale uwolnił się z jej uchwytu i pochylił nad moim krzesłem.

– A co z Dez?

– Dez i Kiernan mają wracać do Meeli i przyczaić się do czasu imprezy. Shanna i ja jedziemy się spotkać z Alexem i Barge.

Kiernan spojrzała niechętnie na Jade.

– A dlaczego Dez i ja nie możemy przyczaić się razem z Jade i Kale'em?

Mama pokazała palcem na Jade i później na mnie.

– Nie możecie wytrzymać pod jednym dachem przez dłużej niż pięć minut, nie atakując siebie nawzajem. A cały wieczór? Nie. Będziemy postępować zgodnie z instrukcjami Ginger.

– Tylko byś się pętała pod nogami – powiedziała Jade. – Wszystkie te szczenięce spojrzenia, pełne miłości i tęsknoty, które mu cały czas rzucasz... Dziwię się, że chłopak się jeszcze nie udusił.

– Dez nie rzuca mi szczenięcych spojrzeń – powiedział Kale, przychodząc mi na ratunek. – Po prostu lubi na mnie patrzeć. – Odwrócił się i przygwoździł mnie spojrzeniem, które zapierało dech w piersiach. – A ja lubię patrzeć na nią.

Jade prychnęła.

– Dlaczego? – mruknęła pod nosem.

Już zaczęłam wstawać, ale mama chwyciła mnie za ramię.

– I tym sympatycznym akcentem zakończymy. Wszyscy się rozchodzą. Czekajcie w wyznaczonych miejscach, aż ktoś po was przyjdzie.

– Pani pozwoli? – Dax, siedzący obok mamy, wstał i wyciągnął do niej rękę. Przyjęła tę rękę bez wahania. No, tak. Widać, że coś tu się dzieje.

Ostatnio zauważyłam niewielką zmianę. Zaczęłam myśleć, że Dax macza w tym palce. Między nimi była niewielka różnica wieku, ale jeżeli są ze sobą szczęśliwi, to kto ma ich oceniać?

Zmrużył oczy, patrząc na mnie.

– Nie będziesz lazła w szkodę?

Skinęłam głową.

– Powiedz to.

Patrząc mu prosto w oczy, uśmiechnęłam się słodko. Wiedział, że ściemniam, ale miałam nadzieję, że mi nic nie zrobi. Wiedziałam, że nie lubił Jade, chociaż ja nie lubiłam jej jeszcze bardziej. Wiedziałam również, że jej nie ufa.

– Oczywiście. Nie będę.

Zawahał się przez chwilę, a ja wstrzymałam oddech. W końcu jednak skinął głową i wyszedł razem z mamą.

Kale westchnął ciężko.

– Proszę, idźcie prosto do Meeli.

317

Rzuciłam mu uśmiech niewiniątka.

– Oczywiście, bo właśnie tam mi kazali iść.

Przez chwilę się wahał, a później wziął moją twarz w dłonie. Minęło dość dużo czasu. Jade była tuż obok, więc ból nie był straszny, ale był. Kiedy nie protestowałam, ani – co bardziej prawdopodobne – nie oderwałam się od niego, wrzeszcząc, poczułam jego usta na swoich. Przez chwilę zapomniałam o kwaśnej kuli, która obraca się w moim żołądku i rosnącym cieple, które emanuje z jego palców na moją skórę. Usta zaczęły mi cierpnąć, bolała szczęka. Pojawiły się igiełki i mrowienie – a właściwie gwoździe – tuż pod powierzchnią, chciały nas rozdzielić. Zasługiwałam na Oskara, udając, że w ogóle mnie to nie dotyczy.

Uniosłam rękę i przeczesałam palcami jego włosy. Jeżeli Kiernan by mnie nie kopnęła, Pan Bóg jedyny wie, jak daleko bym się posunęła, żeby mu pokazać – a właściwie pokazać Jade – że potrafię.

Próbowałam się oderwać, ale Kale mnie zatrzymał, zanim odsunęłam się za daleko.

– Wszystko w porządku?

Serce waliło mi jak młotem, czułam każdy pulsujący z bólu mięsień w ciele, ale zmusiłam się do uśmiechu.

– Żartujesz? Po takim pocałunku? Jestem w siódmym niebie.

Nie uśmiechnął się.

– Proszę, bądź ostrożna. – Odwrócił się do Jade i powiedział: – Chodźmy.

Kiedy tylko znaleźli się poza zasięgiem wzroku, spojrzałam na Kiernan w szalonym piruecie.

– Coś podejrzanego?

Wywróciła oczami.

– Tak. Kazała mi czekać za rogiem, żeby mogła porozmawiać w cztery oczy z twoim Tatą.

– Mówię poważnie.

– Nic podejrzanego. – Kiernan mrugnęła i skinęła głową w kierunku ulicy. – Ale zobaczę, może coś się jeszcze da wykopać.

– Czytasz w moich myślach.

§

Łatwo dogoniłyśmy Kale'a i Jade, bo ona koniecznie chciała się zatrzymać przy lodziarni. Co ona sobie, do cholery, myślała? Że jest z nim na randce? Przyglądałyśmy się, jak wchodzi do lodziarni przy Harbor Drive i ciągnie za sobą Kale'a, który miał niechętny wyraz twarzy. Zaczaiłyśmy się, czekając, aż złożą zamówienie.

– Czas na przedstawienie – powiedziałam, chwytając Kiernan za rękę i ciągnąc ją w kierunku lodziarni.

Siedzieli całkiem z tyłu. Na szczęście stolik za przepierzeniem tuż obok nich był wolny. Korzystając z umiejętności Kiernan, będziemy mogły się zakraść i podsłuchać ich rozmowę siedząc tuż za ich plecami.

– Ale Dez, co będzie, jeżeli ktoś tam usiądzie? Nikt nas nie usłyszy, ani nie zobaczy, ale jeżeli ktoś na nas usiądzie, uwierz mi, że się zorientuje.

Pokazałam gestem rząd pustych krzeseł.

– Tam też jest miejsce. Jaka jest szansa, że ktoś usiądzie akurat tutaj? A teraz cicho, chcę usłyszeć, co ona mówi.

– Nikt się nie dowie, jeżeli zafundujemy sobie taką szybką przyjemność – powiedziała Jade, chichocząc.

– Tam, skąd ja pochodzę, niesłuchanie rozkazów nikomu nie wyszło na dobre – rzucił Kale zdawkowo. Siedział oparty plecami na ścianę i patrzył raz na Jade, a raz na drzwi wejściowe. Sporo osób wchodziło z ulicy po lody, ale niewielu zostawało przy stolikach.

– Masz na myśli Denazen? – Sięgając przez stolik, wzięła w ręce jego dłoń. – Jak tam jest?

Jak tam jest? Kto pyta jeńca wojennego, jakie jest wyżywienie w obozie jenieckim? Ta dziewczyna to naprawdę niezłe ziółko.

Kale posmutniał.

– Dez często mnie o to pyta.

– I co jej mówisz? – Jade oparła się na krześle, kiedy kelnerka podeszła i postawiła przed nią wielki, metalowy pucharek, położyła łyżeczkę i długą słomkę. Przed Kale'em postawiła lemoniadę.

– Niewiele. Nie lubię z nią rozmawiać o Denazen.

– Dlaczego nie?

Kale uniósł nad stół swoją rękę, do której wciąż była przyklejona dłoń Jade.

– Masz mniejsze ręce niż ona. Inne w dotyku.

– Inne? To dobrze, czy źle?

Kale uśmiechnął się Był to uśmiech, którego energia mogłaby ożywić akumulator ciężarówki. Poczułam ciepło w brzuchu, aż nie zdałam sobie sprawy, że on się nie uśmiecha do mnie, tylko do Jade.

– To dobrze – powiedział, puszczając ją, żeby móc rozpakować swoją słomkę.

Nie musiałam widzieć twarzy Jade, żeby się zorientować, że promienieje.

– Cholera...

– Ciii – syknęła Kiernan, szturchając mnie pod żebro. –
Nic nie słyszę.

– To co, było rzeczywiście tak źle? W Denazen? – spytała
Jade pociągając łyk koktajlu lodowego. – O, Boże. Pyszne.
Musisz tego spróbować!

Kale, jak zwykle uprzejmy, odmówił, kiedy niemal rzuciła
mu w twarz łyżeczkę lodów.

– Dlaczego chcesz wiedzieć, co się dzieje w Denazen?
No, wreszcie, odrobina zdrowego rozsądku. Może teraz
się zorientuje, że dziewczyna łowi informacje.

Jade westchnęła i wsadziła sobie łyżeczkę lodów do ust.

– Mój tata u nich pracował. Nie w tym mieście. Był w Seattle.

Kale zamarł.

– Nie żyje?

– Oczywiście, że nie. Zrezygnował.

Kale zmrużył oczy.

– Nikt nie rezygnuje. Ich się likwiduje. Ja osobiście zli-
kwidowałem czterech byłych pracowników.

– Przyjechał w środku nocy, wyciągnął mamę, mnie i sio-
strę z łóżka i wyjechaliśmy. Nie pakowaliśmy się. Z nikim
się nie żegnaliśmy. Po prostu wyjechaliśmy. I nie chciał powiedzieć dlaczego. Nie wiedziałam, co robi Denazen, zanim
Ginger mi nie powiedziała.

– Mamy cię! – szepnęłam, kiedy jakieś dziecko zaczęło
wrzeszczeć w niebogłosy przy kontuarze z lodami. Okazuje
się, że jego lody waniliowe były zbyt waniliowe. – Widzisz?
Mówiłam ci.

Kiernan wzniosła oczy ku niebu.

– Co mi mówiłaś? To żaden dowód.

– Jeśli byłby w Seattle, twój ojciec nie wyszedłby z tego żywy – powiedział Kale bez ogródek.

Może Jade zrobiła żałosną minę. Może łza jej się zakręciła w oku. Cokolwiek by to było, Kale zmarszczył brwi.

– Przepraszam. To było... niepotrzebne. Dez mówi, że nie wolno mi mówić wszystkiego wprost.

– Wygląda mi na to, że Dez chce cię zmienić.

– Zmienić?

– Nie podobasz jej się taki, jaki jesteś. Chce, żebyś się zachowywał inaczej. Żebyś był kimś, kim nie jesteś. To, o czym mi opowiadałeś? To liczenie? To idealny przykład.

Kale wypił łyk lemoniady i zmarszczył brwi.

– To niedobrze?

– Nie, jeżeli nie chcesz, żeby ona nad tobą zapanowała. – Pochyliła się do przodu, z pewnością po to, żeby pokazać mu, jak głęboki ma dekolt.

– Nikt mnie nie kontroluje. Już nigdy więcej. – Mówił spokojnym głosem, ale pod powierzchnią tych słów słyszałam mrok. Niebezpieczeństwo. – Dez próbuje mi pomóc się dostosować do tego świata. A nie zapanować nade mną.

– Ja tylko mówię, że jesteś OK taki, jaki jesteś. – Machnęła łyżeczką w jego kierunku. – To, że próbujesz opanować emocje. Taki właśnie jesteś.

– Nie. Nieprawda. Takim chciała mnie stworzyć Denazen.

– To nic złego, że facet ma trochę temperamentu. Moim zdaniem to nawet sexy.

– No, nie wierzę. Ona go normalnie liże – syknęła Kiernan. Poprawiła się na siedzeniu, żeby lepiej widzieć.

Jade odchyliła się.

– Tego nigdy nie mówiłeś. Dlaczego nie rozmawiasz z Dez o Denazen?

– Nie chcę, żeby zmieniła opinię na mój temat.

Łyżeczka irytująco zazgrzytała o dno metalowego pucharka.

– A dlaczego myślisz, że mogłaby się zmienić?

Pochyliłam się do przodu i wstrzymałam oddech. Nie powinnam była czuć się winna temu, że szpieguję – byłam tu po to, żeby dowiedzieć się prawdy o Jade, a nie grzebać w życiu Kale'a – ale wcale tak się nie czułam.

– Byłem potworem. Nie mogę wymazać tego, co zrobiłem, więc wciąż pewnie jestem potworem. Dez mówi, że to nieprawda, ale się myli. Ona nie wie wszystkiego.

Jade wyskrobała resztki lodów z dna pucharka, odsunęła go na bok i nachyliła się nad stołem.

– Dlaczego uważasz, że jesteś potworem?

Kale spojrzał najpierw na nią, a później na pucharek. Kiedy stawiał go na boku, miał szeroko otwarte oczy.

– Skończyłaś?

Wzruszyła ramionami i zatrzymała się irytująco.

– Było pyszne! Poza tym zdrowy apetyt jest sexy, prawda?

Kale skinął głową.

– Latem Dez rzuciła mi wyzwanie i stanęliśmy do konkursu jedzenia hamburgerów. Ona wygrała.

Irytacja Jade na wzmiankę mojego imienia była oczywista. Opadła z sił, a później zesztywniały jej ramiona.

– A więc, potworze?

– Odkąd skończyłem dwanaście lat, ukarałem pięćdziesiąt dwie osoby. Czterdziestu trzech mężczyzn. Osiem kobiet. Jedno dziecko.

– Ukarałem?

– Zabiłem.

Zapanowała długa chwila ciszy. Jade pewnie próbowała podnieść szczękę, która opadła jej na podłogę.

– Ale, Kale. Nie obwiniaj się za to, co się stało. Nie obwiniaj się? Poza tym, że była irytującą pindą, zachowywała się, jak głupia blondynka. On jej mówi, że zamordował pięćdziesiąt dwie osoby, a co ona na to? Nie obwiniaj się?

– Zmusili cię do tego, prawda?

– Ich metody nakłaniania do współpracy są... dość przekonujące.

– Cholera, cholera – zaśpiewała Kiernan i wepchnęła mnie do narożnika przepierzenia między stolikami.

W lodziarni było mnóstwo pustych stolików, a facet rozmiarów volvo musiał się wcisnąć akurat do tego? Zwalił się ciężko na ławkę stojącą tyłem do Jade – na tę, na której siedziałyśmy ja i Kiernan – a jego dwa bachory wczołgały się na ławkę na wprost niego. Chłopiec miał w ręce puszkę napoju gazowanego, a dziewczynka machała w powietrzu lalką Barbie bez głowy, która wyglądała tak, jak gdyby ktoś ją przeciągnął przez bagna.

Byłyśmy ściśnięte pod ścianą, od wielkogabarytowego gościa oddzielało nas tylko kilka centymetrów.

– I co teraz?

Waląc o blat i kopiąc ławkę, dzieciaki wrzeszczały, domagając się lodów na gorąco.

– Co to za smród? – Kiernan zatkała sobie nos.

Jak gdyby udzielając odpowiedzi, mężczyzna siedzący obok nas pochylił się nieco nad stołem i puścił najbardziej smrodliwego bąka, jakiego kiedykolwiek miałam okazję doświadczyć.

– Tylko nie to – prawie się zakrztusiłam. Nerwowo machając dłonią przed nosem, żeby oczyścić powietrze, próbowałam nachylić się nad przepierzeniem, żeby usłyszeć, co mówi Kale. Dzieciaki waliły w stół i wszystko zagłuszały. Widziałam, że porusza ustami, ale nie mogłam rozróżnić słów.

– Ruszaj! – Kiernan wepchnęła mnie na blat stołu. – Facet za chwilę puści drugą serię. Sama się przepchnęła obok mnie, przewróciła w pośpiechu puszkę z napojem gazowanym chłopca siedzącego przy stole. Puszka poturlała się po blacie i spadła na kolana młodszego dziecka, co wywołało kolejną falę wrzasków.

– Szybko! Ona idzie do łazienki. – Kiernan popchnęła mnie do przodu, zanim jeszcze zdążyłam zejść ze stołu. Poślizgnęłam się na rozlanej lemoniadzie i przywaliłam o podłogę, pociągając ją za sobą.

Oczywiście chaos na tym się nie skończył.

Kiernan i ja, które odgrywałyśmy, chcąc nie chcąc, szóstkową wersję odcinka z Flipem i Flapem, leżałyśmy rozciągnięte jak długie na podłodze, nie mając czasu, żeby się ruszyć. Jakaś kobieta w minispódniczce i kiczowatej bluzce – Mercy, lizuska taty mogłaby coś takiego założyć – ruszyła pędem przez przejście między stolikami. Próbowałam odsunąć nogę, ale przejście było zbyt wąskie, nie było miejsca, żeby umknąć. Jakoś udawało nam się nie przerwać kontaktu i wciąż byłyśmy niewidzialne dzięki umiejętności Kiernan. Kobieta zahaczyła mnie stopą pod kolano i runęła jak długa – wprost na Kale'a, który właśnie wstał od stołu.

Próbując się ratować, kobieta chciała się go przytrzymać, ale Kale skoczył z powrotem na ławkę, ustępując jej pola. Walnęła o podłogę, wrzeszcząc, minispódniczka pękła na bocznym szwie.

Nie traciłam czasu. Podniosłam Kiernan z ziemi, obeszłyśmy przeklinającą kobietę i ruszyłyśmy do łazienki.

– Hm. Nie rozumiem tego – usłyszałyśmy powarkiwanie Jade. – Już powinnam była to dawno zakończyć.

Uśmiechnęłam się do Kiernan znacząco i kucnęłam, żeby zobaczyć, w której toalecie siedzi pełna pretensji Jade. Ostatnie drzwi po prawej.

– Chodźmy.

Wciąż za drzwiami, Jade mruknęła coś pod nosem, zbyt cicho, żebym mogła usłyszeć, a potem powiedziała

– Przysięgam. Dopadnę ich.

Wśliznęłam się przez drzwi do toalety obok niej i ostrożnie zamknęłam je za sobą.

– Dobra. – Oparłam się dłonią o ściankę działową. Jedną nogę położyłam na skraju ubikacji i powiedziałam: – Chwyć mnie za nogę.

– Chwycić cię za nogę? Co, chcesz się przyglądać, jak robi kupę?

Wzniosłam oczy ku niebu. – Ona rozmawia przez telefon.

Kiernan westchnęła ciężko i chwyciła mnie za kostkę. Podciągnęłam się i uniosłam na palcach.

– Cholera. Brakuje mi paru centymetrów. Poczekaj. – Okręciłam się, prawą nogą oparłam się o obudowę rolki papieru toaletowego i podskoczyłam w górę.

– Przestań się wiercić – rzuciła Kiernan. – Mało co się nie wyrwałaś!

Puściłam to mimo uszu i zacisnęłam palce na krawędzi ścianki działowej, podciągajc się do przodu.

– Gdybym znała sztuczki parkuru, to nie byłoby tak cholernie skomplikowane – mruknęłam. Już miałam w zasięgu wzroku rudą głowę Jade. Wychyliłam się nad górną krawędź ścianki, kiedy coś pękło.

– Dez? Co to...

Pod moją prawą stopą złamała się obudowa rolek papieru toaletowego i poleciała na ziemię. A ja razem z nią. Z całej siły walnęłam w podłogę, po drodze uderzając czołem w ubikację. Coś mi przywaliło w twarz. Palce. Au!

– Boże – pisnęła Kiernan. – Chyba siedzę w sikach.

– Jezus, Maria! – z drugiej strony ścianki usłyszałyśmy głos Jade. Kilka razy uderzyła w metalowe przepierzenie, a później westchnęła ciężko. – Co wy tam robicie?

Sięgnęłam do haka na płaszcze, aby się podciągnąć.

– Uspokój się. To chyba tylko woda.

– Akurat teraz tak bardzo cię nie kocham – sapnęła Kiernan, podciągając się. Otworzyła zasuwkę drzwi i pchnęła je.

– Przestań się wiercić. Usłyszała nas, bo straciłam kontakt, już dwa razy!

W ubikacji obok nas usłyszałyśmy odgłos spuszczanej wody i drzwi Jade otworzyły się gwałtownie. Poprawiła podkoszulek i podeszła do umywalek. Obrzuciła spojrzeniem kabinę, w której byłyśmy – jej drzwi były otwarte – później same drzwi i wzruszyła ramionami.

– Może on jest dziwaczny – powiedziała, obracając się do lustra – ale to materiał na zakończenie gry. – Odkręciła kurek i namydliła sobie ręce.

Mój chłopak nie jest dziwaczny. Jest idealny. Pociągnęłam Kiernan za sobą przez łazienkę i kopnęłam trzy razy w rurę pod zlewem. Wystarczyły trzy solidne uderzenia, rura pękła i woda bryznęła we wszystkich kierunkach.

Zostawiłyśmy Jade walczącą z wodą i piszczącą jak pięciolatka.

28

– Wszystko w porządku? – usłyszałam głos Kale'a, kiedy Jade w końcu wyłoniła się z łazienki. Włosy miała zaczesane gładko do tyłu, podkoszulkę mokrą.

Mruknęła coś, zapłaciła rachunek i wyszła za nim na ulicę. Miejsce, do którego Ginger kazała im iść, nie było daleko, więc poczułam ulgę, kiedy postanowili całą resztę drogi przejść piechotą. Dało mi to wolność podążania tuż za Kale'em i przysłuchiwania się temu, co naprawdę się dzieje. Nie, żeby się wiele działo.

Jade próbowała go wciągnąć w rozmowę, ale Kale, będąc sobą, dawał jej proste odpowiedzi nie przekraczające jednego słowa. Nie próbował być niemiły ani jej zbywać, po prostu był sobą. Jeśli wiedziałaby o nim cokolwiek, zorientowałaby się, że jest naprawdę rozmowny i musiałaby tylko zacząć mówić o rzeczach bardzo prostych. O takich, które ludzie, jak ona, przyjmują takimi, jakie są. O burzach i śnieżycach. O wycieczkach rowerowych i zwierzętach w zoo.

Jedną z osób na liście Brandta była Andrea Durham, pracownica zoo, znajdującego się na Bronxie. Poznaliśmy ją właśnie tam latem i ostrzegaliśmy przed Denazen. I chociaż na początku Kale'owi nie podobało się to, że zwierzęta są pozamykane w klatkach, w końcu na swój sposób zakochał się w zoo. Od tamtego dnia byliśmy tam jeszcze cztery razy. A jego ulubiona część? Oczywiście niedźwiedzie. Kiedy dotarli do domu, Jade wyglądała tak, jakby była gotowa za chwilę wybuchnąć. Sięgnęła pod maleńką, porcelanową żabę, wyciągnęła srebrny klucz, otworzyła drzwi i puściła Kale'a przodem. Mieszkanie było puste. Żadnych mebli, a sądząc po zapachu, od dłuższego czasu nikt tam nie mieszkał. Zastanawiałam się, czy Ginger zna właścicieli, czy też będziemy nielegalnymi lokatorami.

Czas biegł wolno. Dwie godziny przyglądania się, jak Kale pracuje nad samokontrolą i słuchania, jak Jade próbuje sprowokować jakąś reakcję – jakąkolwiek reakcję. Próbowała być sexy – trzepotała rzęsami i ocierała się o niego. Zareagował mówiąc jej, że żałuje, że mnie tam nie ma. Nie spodobało jej się to, od razu zrobiła obrażoną minę i zaczęła się dąsać, jak dziecko. Próbowała wyrażać zaniepokojenie – rozwijała swoją teorię, że ja tylko chcę nad nim zapanować tak, jak mój ojciec. Kale tylko podziękował jej za niepokój, ale zapewnił, że jeśli mnie lepiej pozna, przekona się, iż nie ma racji.

Próbowała jątrzyć – powiedziała, że Kale powinien otworzyć wreszcie oczy i pójść dalej. Próbowała mu nawet wmówić, że jego niezdolność do dotyku to znak od wszechświata. To wywołało u niego lekkie zmieszanie, co z kolei i ją zmieszało. Głupia lala, nie miała pojęcia, jak działa umysł Kale'a.

O ósmej, kiedy wszystkie roślinki w doniczkach, które ktoś uprzejmie dostarczył, były już ustawione rzędem pod ścianą, wyschnięte i poszarzałe, okazało się, że oni nie posunęli się ani o krok do przodu.

– Chodźmy do tyłu, na podwórko – powiedziała Jade, biorąc Kale'a za rękę. – Jest piękny wieczór, a tam jest mnóstwo zieleni. Był sfrustrowany. Widziałam, jak sztywno chodzi. Widziałam napięcie. Kiernan i ja poszłyśmy za nimi przez tylne drzwi na patio.

– Ona nie mówi mi prawdy – warknął Kale, chodząc tam i z powrotem. Jade pochyliła się i zerwała liść klonu z nisko zwisającej gałęzi. Podała go Kale'owi i spytała – Kto? Wziął liść i zmiażdżył go w dłoni, pył opadł między jego rozpostartymi palcami.

– Dez. O czymś mi nie mówi. A wcześniej mówiła mi wszystko.

Jade westchnęła z teatralną przesadą.

– To dlatego nie robisz żadnych postępów. Mówiłam ci, to wszystko jest powiązane z emocjami. Musisz oczyścić umysł. Zapomnieć o wszystkim.

– Mówiła, że to dlatego, żeby mnie chronić – kontynuował, jak gdyby Jade w ogóle się nie odzywała.

Jade wywróciła oczami.

– Chronić cię? Nie wierzę. Ktoś taki, jak ty, nie potrzebuje ochrony. Osobiście uważam, że chodzi o coś innego.

To przyciągnęło jego uwagę.

– O coś innego?

– Byłabym złą koleżanką, jeśli bym ci na to nie zwróciła uwagi, Kale. Nie widzisz, jak ona patrzy na Alexa? Przecież kiedyś byli parą. On oczywiście wciąż o niej pamięta, a ja widziałam, jak ona na niego patrzy. Na pewno też ją ciągnie do Alexa.

– Mylisz się. On jej zrobił krzywdę.

Teraz Jade miała łagodniejszy wyraz twarzy.

– Ty też. Mało jej nie zabiłeś.

Wyglądał, jakby dostał prosto w punkt i w tamtym momencie już myślałam, że zareaguję.

– Ja nie... Przecież to nie była moja wina. Ja bym nigdy... Wzięła go za rękę. Czekałam, aż ją wyszarpnie, ale tego nie zrobił.

– Przecież on nie kupi tych bzdur – syknęłam. Nie puszczając dłoni Kiernan, zrobiłam krok w ich kierunku. Byłyśmy teraz od nich nieco ponad metr. Każde słowo, każdy wyraz twarzy widziałam jasno, jak na dłoni.

– Wiem, że tego nie chciałeś – mówiła dalej Jade. – Ale Dez jedzie na czystych emocjach. To dziewczyna, która chce wszystkiego, albo niczego. Nie może cię dotykać i kto wie, czy to dla niej nie za wiele. Alex jest tuż obok, zainteresowany i jego może dotykać.

– Chyba ją, kurwa, zabiję. – Próbowałam puścić dłoń Kiernan, ale trzymała mnie mocno. Jak dotąd wszystko, co mówiła Jade, było jak cios poniżej pasa, ale szczucie Kale'a Alexem? Tego naprawdę już za wiele.

– Poczekaj – szepnęła. – Chcę zobaczyć, jak daleko ta suka się posunie. Później skopiemy jej tyłek.

Kale pokręcił głową.

– Nie znasz jej.

– Uratowała cię od Denazen. Rozumiem. To naturalne, że czujesz się z nią związany.

– Ja kocham Dez – powiedział. To, jak to powiedział, sprawiło, że jednocześnie poczułam dreszcz na plecach i zwolniło mi się napięcie mięśniowe w ramionach.

– Jesteś pewien? Może powinieneś zrobić sobie przerwę i wyjść na świat. Poznać sam siebie. Opuścić tę piwnicę. Nie próbuję ci namieszać w głowie, ale jeśli byłeś tylko z nią, skąd wiesz, że nie ma kogoś innego?

Kale cofnął się o krok, a mnie coś chwyciło za gardło. Już to widziałam. W jego oczach rodziło się zrozumienie.

– Dez raz mi to powiedziała.

Kiedy zobaczyłam wyraz twarzy Jade, pełen samozadowolenia, zrobiło mi się niedobrze.

– Widzisz? Ona też zdaje sobie z tego sprawę.

Kale nie odpowiedział. A zamiast tego odchylił głowę i spojrzał w niebo. Całe napięcie minęło. Jego barki, które przedtem były naprężone, rozluźniły się, palce przestały się wyprężać i kurczyć. Był jak ilustracja stanu relaksacji. Akceptacji tego, co nadchodzi.

Czułam się, jakbym przyglądała się katastrofie kolejowej w zwolnionym tempie. Widzisz, że pociąg zbliża się do ciebie. Masz mnóstwo czasu, żeby odwrócić się i odejść. Ale nie możesz. Jesteś jak przyklejona do ziemi. Czekasz na pędzącą lokomotywę.

Jade znów chwyciła go za rękę.

– Uważam, że powinieneś się zastanowić...

– Mogę cię pocałować?

No właśnie. Ten pociąg.

– Dez, chodźmy – powiedziała cicho Kiernan. Próbowała mnie pociągnąć w tył, ale nie ruszałam się z miejsca. Nie mogłam. Czułam, jak gdyby ktoś mnie przykuł łańcuchami, jakby żelazne kule nie dawały mi się ruszyć z miejsca. Czułam, że serce przestaje mi bić. Musiałam zobaczyć to do końca.

W głębi ducha śmiałam się z lęku, który paraliżuje mi mózg. To był Kale. Nigdy tego nie zrobi. Nigdy nie pocałował nikogo innego. Z drugiej strony jakaś przewrotna część mnie samej prowokowała go. *Udowodnij, że mam rację* – słyszałam w głowie wrzask. *Wiedziałam, że tak będzie. Mówiłam ci. Cholera, przecież ci mówiłam.*

– Co takiego? – Jade zrobiła wielkie oczy. Puściła jego dłoń i cofnęła się o krok.

– Czy mogę cię pocałować? – powtórzył.

– Dez – Kiernan znów spróbowała. – Nie musisz tego oglądać.

Nie potrafiłam wydobyć z siebie słowa, bo gdybym potrafiła, powiedziałabym, że muszę. Nie uwierzyłabym, nie zaakceptowałabym, gdybym nie zobaczyła tego na własne oczy.

Kale podszedł do niej i objął ją. Nie czekał na dramatyczny efekt, ani nie pieścił jej skóry. Zachował się, jak sokół, który rzuca się na ofiarę, a ja zobaczyłam, że pociąg pędzi na mnie z pełną prędkością.

Umarłam. Byłam nieżywa. Pusta w środku. Zimna. Słyszałam tylko swój własny głos. Powtarzający w kółko to samo. *Mówiłam ci. Mówiłam ci. Mówiłam ci.*

Chwilę to potrwało, ale Jade poszła w to natychmiast. Chichocząc jak pensjonarka, objęła go ramionami i przyciągnęła do siebie.

Już go miała. Teraz go nie wypuści. Na patio za domem panowała dziwaczna cisza. Cykady, samochody przejeżdżające ulicą przed domem, nawet dźwięk mojego własnego serca, który słyszałam w uszach – to wszystko znikło. Jedynym dźwiękiem we wszechświecie była Jade i Kale.

Jest mnóstwo romantycznych przesądów na temat całowania. W kinach w tle słychać słodką muzykę skrzypiec, światło przygasa. W rzeczywistości jest ślina, zasysanie i odgłosy siorbania. A Jade albo naprawdę nie potrafiła całować, albo udawała.

Słyszałam z tyłu głowy taki cichutki głosik, który wołał o uwagę. Próbował zmusić mnie do logicznego myślenia. Jade wcale nie chodziło o niego. W rzeczywistości w ogóle nie chodziło o niego. Była na usługach Denazen. Na usługach Taty. To część intrygi, w którą miała wciągnąć Kale'a.

A chociaż to było moim pocieszeniem za każdym razem, kiedy widziałam, jak posyła mu słodkie spojrzenia, nie zmieniało to faktu, że Kale dał się na to złapać. Naprawdę ją pocałował.

Nie miałam zamiaru tego robić. Tak się po prostu stało. Jeszcze przed chwilą trzymałam Kiernan za rękę, a teraz już nie.

Początkowo niczego nie zauważyli. Byli zbyt zajęci sobą. Pierwsza zobaczyła mnie Jade.

– No, no, to wpadka – szepnęła, odsuwając się od Kale'a.

29

Jade otarła usta wierzchem dłoni i miała przynajmniej na tyle przyzwoitości, żeby się trochę odsunąć. Zanim odwróciła się w drugą stronę, zobaczyłam ledwie dostrzegalny cień uśmiechu.

Zaśmiałam się, a ten straszliwy odgłos rozdzwonił mi się w uszach. To był bardziej charkot, niż śmiech. Coś było z nim nie tak. Jakby złamany.

– Ale z ciebie ninja, co? Stałam tu całe dwadzieścia sekund. Kale najpierw nic nie mówił. Nie wyglądał nawet na zdziwionego. Ani nie wyglądało na to, że jest mu przykro. I wtedy pewnie zrozumiał.

– Dez, ja...

Wyciągnęłam ręce. Musiał się zatrzymać. Nie mogłam słuchać tego głosu. Głosu, który, jak sama sobie przyrzekałam, nigdy nie skłamie. Nigdy nie zdradzi. To ja postawiłam go na piedestał i prawdę mówiąc, to nie było uczciwe, a on z niego spadł.

– Nie, powaga. Wszystko w porządku, rozumiemy się? Świetnie do siebie pasujecie. Wiesz, możecie się obmacywać bez bólu, śmierci i tak dalej.

Cofnęłam się o krok, a Kale zrobił krok naprzód.

– Poczekaj. Dez. To...

Znów się roześmiałam. Nawet jeszcze głośniej. I dłużej. Prawdę mówiąc, nie potrafiłam przestać. Coś we mnie pękło. To pewnie trauma, której świrusy z Supremacji doświadczają pięć miesięcy wcześniej, bo nie ma innego sposobu na wyjaśnienie tego, że wywaliło mi wszystkie bezpieczniki. To nie Dez Cross. To nie dziewczyna, która ma wszystko pod kontrolą. Cała ta historia przypomniała mi trochę scenę z Finem, który zeskoczył z ostatniego stopnia, chichocząc, jakby postradał zmysły i plotąc trzy po trzy.

Nie prowadzę życia zgodnie z regułami, ale mam kilka zasad. Nikomu nie wolno widzieć, jak płaczesz i nigdy, przenigdy, jak się rozpadasz na kawałki. Próbowałam, ale nie potrafiłam powstrzymać łez. A skoro złamałam regułę numer jeden, złamanie tej drugiej nie było takie trudne.

– To nie jest to, na co wygląda? To mi chcesz wcisnąć? A wiedziałeś, że Alex próbował mi to powiedzieć? A może to ty mi chciałeś powiedzieć, że to zmowa? Jakaś gra, która ma być tarczą, osłaniającą mnie przed czymś wielkim i niedobrym? I wiesz co? Alex też mi to mówił. Prawdę powiedziawszy, mimo to, że szczerzycie na siebie zęby, macie nagle ze sobą wiele wspólnego. Obaj mnie wystawiliście dla jakiejś taniej dziwki.

Jade uśmiechnęła się złośliwie.

– Widzisz? Zauważyłeś, że wciąż opowiada o Alexie?

Zrobiło mi się czerwono przed oczami. Ruszyłam do przodu i uderzyłam, wkładając w cios całą siłę. Jade straciła równowagę i upadła na mokrą trawę, aż huknęło. Nie wiem, czy coś poczuła, ale ja poczułam niewielką satysfakcję. Przyglądałam jej się przez chwilę, spotkałyśmy się wzrokiem, obie byłyśmy wściekłe.

Wtedy odwróciłam się i zaczęłam biec. Gdzieś za plecami słyszałam głos Kiernan, ale puściłam go mimo uszu. Odległość. Przestrzeń. Kilometry. Pragnęłam, żeby odległość między mną a Kale'em była jak największa. Całych miast, planet. Do diabła, to i tak za mało.

Przebiegłam jakieś półtora kilometra od tamtego domu i zatrzymałam się, żeby złapać oddech. Tym razem żadnych głupich ruchów. Ostatnio, kiedy uciekłam, wpadłam na Aubreya i Able'a. Nie, żebym miała teraz wpaść po uszy w bagno, ale po co ryzykować?

Znalazłam więc jakiś ciemny kąt i zaczęłam wypłakiwać oczy. Pięć miesięcy temu moje życie nie było idealne zgodnie z każdą definicją, ale moim zdaniem było bombowe. Przygotowywałam się do matury, moim hobby było podnoszenie ciśnienia krwi Taty na niespotykane poziomy i imprezowanie do świtu. Miałam przyjaciół, znajomych, facetów i wolność. I wtedy spotkałam Kale'a. Nigdy wcześniej nikomu bezgranicznie nie ufałam. I niczemu. To zaufanie było czyste. Niezmienne. Lojalność, której uosobieniem był Kale. Dzięki niemu czułam się wyjątkowa. Byłam pełnym człowiekiem.

Teraz siedziałam po drugiej stronie płotu. Zagubiona i samotna. Trucizna szalała. Trudno było mi się skupić, tak doskwierał nieustający ból barku. Znienacka przychodziły fale zawrotów głowy, które były silniejsze niż grawitacja. A jedzenie? Mogłam zapomnieć.

Nadchodził mój czas. Będę musiała wszystko ujawnić – jeśli nie z innego powodu, to dlatego, że rano trudno już będzie cokolwiek ukryć. Od momentu, kiedy zobaczyłam Kale'a i Jade do chwili, kiedy ukryłam się w alejce, trucizna dotarła prawie do łokcia. Byłam pewna, że podeszła już do podstawy szyi. Kale mógł to zauważyć, jeżeli na podwórku w tamtym domu nie byłoby tak ciemno. No i jeżeli nie byłby tak zajęty obściskiwaniem Jade. Poczułam chłodny lęk. Przedtem miałam się na czym skupić, miałam czym zająć myśli. Dowieść, że Jade jest na usługach Taty. Teraz już miałam dowód, wprawdzie nie widziałam, jak rozmawia przez telefon, ale tak czy inaczej słyszałyśmy tę rozmowę – teraz mogłam myśleć tylko o truciźnie i o tym, jak strasznie chcę wrócić do Kale'a. To było jednak niemożliwe. On trzymał się Jade, a trucizna rozprzestrzeniała się coraz szybciej. W tym wszystkim było tylko jedno światełko w tunelu. Wariaci z Supremacji mnie nie dorwą. Tak długo nie pożyję. Była jednak i inna opcja. Ta, którą na początku zupełnie wykluczałam. Dać Tacie to, czego chciał. Oddać siebie samą za antidotum. Teraz to było możliwe, prawda? Z jednej strony z definicji nie chciałam podać się Denazen na widelcu – wiedziałam, co robią z ludźmi takimi, jak ja – ale z drugiej strony nie było już jednej z głównych przeszkód stojących na mojej drodze. Jeżeli Kale zakochiwał się w Jade, może po mnie nie przyjdzie.

Jakiś podszept z tyłu głowy mówił mi raz jeszcze, że coś tu jest nie tak, ale go zdusiłam. Nie mogłam zapomnieć o tym pocałunku. Obraz ich dwojga wrył mi się na stałe w pamięć. Te dźwięki, zapachy. Wyraz oczu Kale'a. Żal. W jego głosie był żal. Wszystko teraz zaczynało się składać. Kale zaczął się odkochiwać we mnie w momencie, kiedy pojawiła się Jade. Ginger miała rację. Nie mieliśmy być razem, bo on miał być z Jade i tak było zapisane.

Znów usłyszałam ten podszept – źle, źle, źle – ale fakty wyglądały brutalnie. Trudno było im zaprzeczyć. Najlepiej zadzwonię do Taty. Tuż po imprezie. Powiem mu, że jestem gotowa pójść na układ. To może nie rozwiązanie idealne, ale chyba najlepsze przed osiemnastką. A może jedyne przed zbliżającą się osiemnastką.

Zostawiłam wiadomość w skrzynce mamy i Ginger, że rozstałyśmy się z Kiernan i że spotkamy się wszyscy na imprezie. Później ruszyłam do miasta.

Trzy przecznice dalej weszłam ostrożnie do McDonalda przy ulicy Czwartej. Stanęłam przed pękniętym lustrem i umyłam twarz. Oczy miałam czerwone i napuchnięte, policzki – niezdrowo zarumienione. To z pewnością nie był idealny materiał na balangę. Wzięłam głęboki oddech, wyciągnęłam przed siebie rękę i poruszyłam palcami. Musiałam się nadawać na imprezę. To był mój ostatni zryw.

„Zobaczymy, co ta mała naprawdę potrafi."

Dotknęłam skóry pod prawym okiem i skupiłam się kolorowym magazynie, który ktoś oparł o brzeg umywalki. Reklama Cover Girl z Drew Barrymore – jej rozświetlone oczy i szeroki uśmiech. Jej gładka skóra. Kremowa, nienagannie równa, a może nawet zbyt blada. Kiedy się temu przyglądałam, opuchlizna pod okiem zeszła, czerwony odcień się rozmył, a w jego miejsce pojawiła się normalna, zdrowa świetlistość. Później spróbowałam czegoś bardziej eksperymentalnego. Makijaż.

To nie było tak proste, jak się spodziewałam.

Przeglądałam magazyn strona po stronie szukając czegoś dramatycznego. Oczywiście, mogłam wyczarować tę samą, dawną twarz, którą widziałam już z tysiąc razy, ale to była specjalna okazja. Przyjęcie pożegnalne, chociaż może reszta o tym jeszcze nie wie. To musiało być perfekcyjne. Znalazłam to, co mi się naprawdę spodobało. Modelka miała oczy podkreślone grubą kreską, dramatyczne, nieco przydymione powieki, a w kącikach oczu fantastyczną, siatkowaną kreskę. Obraz nieco gotycki, ale bardzo mi się podobał. Na pewno zrobię furorę.

Eksperyment zaczął się od nieszczęścia. Za pierwszym razem zamiast kreski zabarwiłam całą powiekę na czarno. Chociaż na imprezie czysto gotyckiej to by się spodobało, ja nie tego szukałam.

Następna próba była trochę bardziej udana, ale to wciąż nie było to. Źrenica prawego oka. Na Halloween by się nadawało, ale nie na dzisiejszy wieczór.

Kiedy w końcu udało mi się dopracować makijaż powiek i brwi, przeniosłam się na usta. Górna warga zrobiła się krwistoczerwona, a dolna biała. Następna próba przyniosła jeszcze dziwaczniejsze rezultaty. Niemal idealny efekt opalenizny w odcieniach brązu i złota. Cyrkowe usta. Tylko zmienić kolor i dodać czerwony nos, a mogłabym występować jako klaun.

Kiedy skończyłam już z makijażem, przyszedł czas na ciuchy. Czarne dżinsy musiały odejść w niepamięć. Były super, ale nie takiego efektu chciałam. Modelka, z której brałam przykład, robiąc makijaż, miała na sobie zabójczą spódniczkę z czerwonej skóry i buty, na których widok każda dziewczyna zaczęłaby się ślinić, ale ja byłam w nastroju do spodni. Łatwiej się poruszać i nie trzeba się martwić o to, że człowieka spotka pech taki, jak Paris Hilton, która za dużo pokazała pod spódniczką.

Przerzuciłam strony aż do końca, byłam rozczarowana. Zamknęłam kolorowy magazyn. Już miałam się decydować na coś ze swojej starej garderoby, kiedy to zobaczyłam. Dziewczyna na tylnej okładce. Idealny strój na imprezę. Występowała w reklamie czegoś, co nazywało się „Zaszokujmy dom". Oparłam dłonie na biodrach i zaczęłam się wpatrywać w strony. Spodnie miały dwa kolory – czarny i brązowy. Skupiłam się na brązie. Ciasne wokół ud i kolan, później prosto krojone aż do dołu, z delikatnym szwem. Zamykały się czernią – delikatną koronką nad okrągłością mojego tyłka, były spięte w pasie wymyślną kokardą, która zwisała kilka centymetrów w dół. Z przodu tworzyły głęboką literę V, która schodziła kilka centymetrów poniżej pępka. Z następną częścią miałam kłopot. Zazwyczaj szłabym w kierunku modelu łamacza serc. Coś ciasnego, co pokazuje niebezpiecznie duże połacie skóry – gorset, który modelka miała na sobie, był idealny, ale teraz trucizna była zbyt łatwa do zauważenia. Miałam pewien pomysł, ale nie wiedziałam, czy uda mi się go zrealizować. Jeśli by się udało, miałabym zapewnioną przyszłość w świecie mody.

Wyobraziłam sobie moją ulubioną czerwoną jedwabną bluzkę i wspominałam uczucie delikatnego dotyku materiału na skórze. Gładkie i śliskie. Przypomniałam sobie, jak się układa na moich ramionach i delikatnie trzepocze, kiedy się poruszam. Z tyłu miałam cienką wstążkę, którą można było zawiązać i wtedy bluzka była dopasowana. Ta wstążka najbardziej mi się podobała. A teraz, jeżeli będę miała szczęście, uda mi się nawet lepiej.

Skupiłam się na gorsecie modelki, wyobraziłam sobie tę wstążkę, związaną cienkim sznurkiem na moim nadgarstku i okręcającą się – coraz grubszą – w górę lewego ramienia. Robiła się znów cieńsza przy szyi, owijała ją, jak obroża, a później nurkowała w dół, schodząc ukosem przez klatkę piersiową pod idealnym kątem, wycinającym półdekolt. Po prawej stronie wstążka robiła się cienka, jak sznurówka do butów, okręcała się artystycznie subtelnym wzorem wokół ramienia i wiązała tak, by pasować do drugiej strony. Przód koszuli łączył się gładko ze wstążką i kończył tuż nad pasem. Przestrzeń między skrajem koszuli, a paskiem biodrówek mieściła na tyle bladej skóry, by wyglądać seksownie, ale nie na tyle, by wyglądać kiczowato. Uśmiechnęłam się do swojego odbicia w lustrze. Jeszcze ostatnia rzecz. Dotknęłam końcówek włosów i zamknęłam oczy. Kiedy je otworzyłam, nie mogłam powstrzymać zdziwienia. Zobaczyłam coś wręcz przeciwnego do siebie z okresu, gdy poznałam Kale'a. Brunetka z blond pasemkami. Jedynie wtedy, kiedy miałam kasztanowe włosy w Sumrun, zafarbowałam całą głowę na jeden kolor. Zawsze byłam blondynką z jakimś kolorowym dodatkiem. Zmiana była drastyczna, nieco mnie zszokowała, ale to, co widziałam, bardzo mi się spodobało. Dramatyczne, z lekkim wydźwiękiem cierpienia. Mroczne.

To wszystko pasowało do mojego nastroju i odzwierciedlało moją przyszłość.

§

Po drodze sięgnęłam po papierowe chusteczki, żeby wyprodukować trochę szybkiej gotówki. Rockies było niedaleko, ale postanowiłam pokazać się na mniejszym obcasie – nie w takich butach, jakie miałam na sobie podczas imprezy z okazji powrotu do szkoły – doszłam do wniosku, że moje stopy docenią podróż autobusem. Poza tym ból barku się rozprzestrzenił i teraz bolało mnie wszystko. Ten nieustający ból wysysał ze mnie całą energię, a czynności takie, jak chodzenie, były trudniejsze niż powinny.

– Ginger nie jest z ciebie za bardzo zadowolona – powiedział Paul, kiedy podchodziłam do budynku. Fasada była pokryta imitacją skał, po obu stronach zobaczyłam manekiny, niby to wspinające się po skałach, i szyld reklamujący „The Rockies". Byłam tu już parę razy z Alexem i zawsze bałam się różnych głupich rzeczy, które mogłyby na mnie spaść, kiedy wchodziłam do budynku.

Wzruszyłam ramionami.

– A to coś nowego? Wszyscy już są?

– Sue i Ginger przyszły pięć minut temu. Twój chłopak jest tu już od jakiegoś czasu.

Nie poprawiałam go. Kale nie był już moim chłopakiem, prawda?

Paul chwycił mnie za ramię, kiedy przechodziłam. Wpił się palcami w moją skórę, a ja musiałam przygryźć język, żeby nie krzyknąć z bólu.

– Pokroją cię na kawałki, żeby zobaczyć, co cię naprawdę rusza.

Czułam, że serce przestaje mi bić.

– Co takiego?

Paul wstał i szarpnął mnie, przyciągając do siebie.

– Denazen. Zamkną cię, a później pokroją na paseczki. Wyciągną ci wnętrzności i będą pokazywać na wystawie.

Szarpnęłam się, żeby się uwolnić z jego uchwytu i potknęłam się, robiąc krok w tył.

344

– Co, do cholery?

Zamrugał oczami. Siedział na schodach, ręce miał przy sobie, daleko od mojego ciała. – Pytam, czy wszystko w porządku?

Poczułam, że coś mnie ściska w gardle, przełknęłam z trudnością i zmusiłam się do uśmiechu. Zaczęły się już halucynacje.

– Oczywiście. A dlaczego?

Wzruszył ramionami.

– Po prostu jesteś trochę bledsza niż zwykle. To pewnie te włosy. – Mrugnął do mnie. – Ale wyglądasz super.

Posłałam mu ostatni uśmiech i wepchnęłam się do środka. Jak zawsze, impreza była niebiańska. Pobłyskujące światła tańczyły na ścianach, parkiet był pełen ludzi, którzy kiwali się, kręcili i kołysali do rytmu. Nigdy nie pytałam, ale zastanawiałam się, kto to wszystko załatwiał. Każdego wieczoru impreza była w innym miejscu, ale następna wcale nie była gorsza od poprzedniej.

– Ty nigdy nie słuchasz, prawda? – powiedział Alex, zachodząc mi drogę. Potem pewnie się dobrze przyjrzał. Szczęka mu opadła, spojrzenie jego migdałowych oczu przesuwało się po moim ciele od stóp do końcówek włosów.

– Wyglądasz...

– Zdumiewająco? Oczywiście. Żałujesz, że jesteś sobą, co? Brakuje ci tego zadziwiającego wyglądu?

– Chciałem powiedzieć, że okropnie. – Jeszcze przez chwilę omiatał mnie wzrokiem, a później zrobił krok wstecz i pokręcił głową. Parkiet za jego plecami był pełen tańczących. Większość z nich znałam, niektórych lepiej niż innych.

– Ginger jest wkurzona na maksa.

– Przesadna reakcja? Muszę być chwilę sama. Spływaj.

Przez chwilę wyglądało na to, że będzie chciał się kłócić, ale podniósł ręce do góry w geście kapitulacji.

– Gdzie ona jest? Chciałam jej powiedzieć, czego z Kiernan się dowiedziałyśmy. Jade jest na usługach mojego Taty. Podsłuchałam, jak gada z nim przez telefon.

– Kiedy?

– Kilka godzin temu.

– Jej komórka została w hotelu. Słyszałem, jak się użalała.

– No, to w takim razie ma inną. Słyszałam, jak rozmawia z Tatą. Potem powiedziała, że Kale jest materiałem na koniec gry. Już prawie go miała.

– Cholera – mruknął zdziwiony. Wziął mnie za ramię i ruszył w kierunku schodów. – Musimy powiedzieć Ginger, zanim zacznie to spotkanie.

Skinęłam głową i ruszyłam za nim, ale akurat w tym momencie sala postanowiła zawirować. Wszystko wokół mnie było mgłą zmieszanych kolorów i dźwięków, a ja upadłam na kolana. Alex podniósł mnie na równe nogi, popchnął nas do kąta i oparł mnie o ścianę. Wszystko wokół traciło ostrość, a później ją odzyskiwało. Był wkurzony.

Chwycił mnie za lewe ramię i podciągnął materiał do łokcia.

– No, ładnie.

– Wygląda gorzej, niż w rzeczywistości – spróbowałam negocjować.

– Wątpię. – Teraz już nie był zły, tylko wściekły. – Co jest z tobą, do cholery? Miałaś szansę. Czas ucieka. Ja sam zadzwonię do Crossa.

Na pewno się przesłyszałam. Próbowałam go odepchnąć, ale ramiona miałam jak z waty.

– Co takiego?

Jego palce brutalnie wbiły się w miękką tkankę mięśniową pod moim ramieniem. Metr dalej ktoś zachichotał. Ta dziewczyna z Roudeya. To ta, z którą mnie zdradził. Podeszła tanecznym krokiem, kołysząc biodrami i oblizując wargi. Puściła do mnie oko i objęła Alexa ramieniem gestem właścicielki, a później skinęła głową.

– Tylko Cross może ci pomóc. Tylko jemu na tyle zależy, żeby cię uratować.

– Chcesz, żebym ja...

Zacisnął palce dookoła mojego nadgarstka, odciągnął mnie od ściany i pchnął w kierunku schodów. Pomieszczenie przestało wirować, a kiedy doszliśmy na górę, wszystko było już na swoim miejscu. Lalunia z Roudeya sobie poszła.

Kiedy wpadliśmy przez drzwi, Ginger właśnie pytała, jak się wszystkim udało wypełnić polecenia zapisane na listach. Mama znajdowała się z drugiej strony pomieszczenia. Stała podejrzanie blisko Daxa. Kale był pod inną ścianą, ramiona miał założone na piersi, usta zaciśnięte. Zauważyłam, że Jade stała po drugiej stronie pokoju, tuż przy drzwiach. Patrzyła na niego, a w jej wzroku była wściekłość i lęk. Kiedy do środka wpadł Alex, a ja razem z nim, przypięta do jego ramienia, wszyscy odwrócili się w naszym kierunku.

– Jak to miło, że w końcu udało ci się dotrzeć, Deznee – powiedziała Ginger, patrząc na mnie niechętnie. – Tak, jak mówiłam, odkryliśmy nowy problem na froncie Denazen.

Alex, stojący przy moim boku, zesztywniał.

– Dez – powiedział, próbując mnie wypchnąć na środek.

Ginger mówiła dalej.

– Oprócz tego, że zaatakowali nasz dom i porwali przyjaciół, wiem z dobrego źródła, że zaczęli pracować nad nowym projektem. Nowe badanie Supremacji.

– Dez – znów, tym razem głośniej.

Pokręciłam głową, prosząc go wzrokiem, żeby się uspokoił. Już podjęłam decyzję, że oddam się w ich ręce, nie byłam tylko gotowa, żeby o tym opowiedzieć. Chciałam odczekać. A teraz Alex wszystko zepsuje.

– Dez! – wrzasnął. Jego krzyk odbijał się od ścian niewielkiego pomieszczenia, jak piłka tenisowa. – Powiedz im. I to już.

Kiedy wciąż nie ruszałam się z miejsca, chwycił mnie za ramię i pchnął na środek pomieszczenia. Kątem oka widziałam, że Kale rzuca się w jego kierunku, ale Alex uniósł rękę.

– Cofnij się, dupku. Wyrządzam jej przysługę. – Materiał na moim ramieniu rozdarł się, kiedy Alex szarpnął go aż nad łokieć. – Ona umiera.

30

Rzuciłam na Alexa niechętne spojrzenie, w którym – jak miałam nadzieję – dało się odczytać „Zabiję cię" i westchnęłam ciężko. Chociaż to było kłamstwo, powiedziałam:

– „Umiera" to trochę zbyt dramatyczne określenie.

– Co to jest? – powiedziała mama stłumionym głosem.

Fakt, że miałam na sobie coś czerwonego, chyba umknął jej uwadze. Odepchnęła Alexa i chwyciła mnie za ramię. Kości zostały rzucone. W takim razie chyba lepiej się do wszystkiego przyznać. I to by było na tyle, jeżeli chodzi o moje szczęśliwe ostatnie przyjęcie.

– Trucizna.

– Trucizna? – powtórzyła, blednąc. – Jaka trucizna? Skąd się wzięła?

Stojący tuż za jej plecami Kale przyglądał mi się szeroko otwartymi oczami. Lodowaty błękit pełen niepokoju. Trudno mi było złapać oddech.

On wciąż mnie chciał.

Oczywiście, że wciąż mnie chciał. Dlaczego myślałam, że tak łatwo mnie odda? Przypomniałam sobie chwile po tym jego pocałunku, kiedy płakałam w alejce, stałam przed lustrem w łazience, ale miałam wrażenie, że to nie moje, tylko czyjeś wspomnienia. Jakbym to oglądała na powtórkach z drugiej strony ekranu.

Odpowiedziałam mamie, ale nie spuszczałam wzroku z Kalc'a. To jego obecność dała mi siłę i dzięki niemu mogłam to powiedzieć głośno. Dziwne uczucie, bo zaledwie godzinę temu postanowiłam go zostawić. Byłam przekonana, że z chęcią pozwoli mi się rzucić w ramiona Denazen. Ta myśl była śmieszna. Wiedziałam, że jest śmieszna, ale jednak w to wierzyłam. Wierzyłam tak, jak wierzę w to, że niebo jest niebieskie, a koty miauczą.

– Tej nocy, kiedy spadłam z dźwigu, wróciłam do naszego starego domu. Było tam dwóch ludzi Taty. Szóstki. Jeden z nich mnie dotknął.

– Ten z busa – powiedział Kale. Mówił cichym głosem, widziałam poruszające się palce.

Odwróciłam wzrok.

– Tak. Able.

– Musimy się skontaktować z Daun – powiedział Dax, obejmując mamę ramieniem. Odciągnął ją w tył kilka kroków, żeby zrobić mi trochę miejsca.

Alex pokręcił głową.

– Dez widziała się z Daun, zanim ta wyjechała. Daun nie mogła nic zrobić.

Przełknęłam ślinę. Równie dobrze mogę już wszystko powiedzieć.

– Jest coś jeszcze. Kiedy tamtego dnia poszłam na pocztę, czekał na mnie Tata.

Obrzuciłam niechętnym spojrzeniem Jade. Odwróciła wzrok. Dlaczego nie ma nad głową świecącego neonu z napisem „To moje dzieło"?

– Ktoś mu na pewno wygadał, że tam będę. Powiedział, że jest na to lekarstwo. – Wstałam niepewnie i powiedziałam

– Jest antidotum na truciznę i na efekty uboczne Supremacji.

Wszyscy zaczęli mówić naraz. Przyglądałam im się, jak się ze sobą kłócą i zauważyłam dwie rzeczy. Kiernan jeszcze nie było, a Jade stała w rogu pokoju i małymi kroczkami przesuwała się w kierunku drzwi.

– Zamknijcie się wszyscy – huknęła Ginger po kilku minutach. – Nie mogę zebrać myśli, kiedy kłapiecie dziobami. – Odwróciła się do mnie. – Więc Cross ma antidotum. Rozumiem, że zaoferował ci jakąś wymianę?

Jedynie Ginger z nich wszystkich nie szalała na punkcie moich rewelacji, bo od dawna wiedziała o truciźnie.

– Jeśli oddam się w jego ręce, da mi antidotum.

Ginger skinęła głową. Tego się spodziewała.

– Efekt uboczny Supremacji? Jest na to jakieś lekarstwo?

W zasadzie miałam ochotę w tym momencie przywalić tej starej kobiecie. Po co zadaje pytania, jeśli pewnie już zna odpowiedzi? Ale zamiast się odszczeknąć, odwróciłam się do Jade. Już sięgała klamki drzwi.

– A co ty sądzisz, Jade? Czy jest naprawdę jakieś lekarstwo na efekty uboczne Supremacji?

Zamarła.

– Ja? Dlaczego właśnie mnie pytasz?

Podeszłam sztywno do drzwi, próbując stłumić falę mdłości i odepchnęłam ją.

– Bo jedynie ty przeżyłaś. – Szturchnęłam ją w ramię i powiedziałam – Jade jest na usługach Taty. On mówi, że ona jest z Supremacji. Skończyła osiemnaście lat i żyje. Jest jedyną z nas, która dostała lek.

Z ust Jade wydobył się zduszony pisk.

– Tak powiedział? W życiu go nie widziałam!

– Słyszałam, co mówisz. W lodziarni. Byłaś w łazience i gadałaś przez komórkę.

Przerażenie przekształciło się w coś innego. W gniew.

– Ty. To byłaś ty i Kiernan, prawda? Jak śmiesz mnie szpiegować?

Podniosła rękę, a ja się uśmiechnęłam.

– Zapraszam. Zniszczę cię. Neutralizujesz szkodliwe umiejętności, a moja nie jest szkodliwa. Zamienię cię w tego grubego, ohydnego karła, który mieszka na ulicy Piątej, jeżeli tylko przesuniesz w moim kierunku dłonią powietrze.

– Dosyć tego – rzuciła Ginger. – Odpowiedz na moje pytanie, Deznee. Czego Cross chciał w zamian za ten drugi lek?

Otworzyłam usta, ale nie mogłam wydobyć z siebie ani słowa.

Kale chyba nie miał tego problemu. Przestał poruszać palcami.

– Mnie. Kiedyś jej powiedział. że jak wrócę do Denazen, da jej lek.

Odwrócił się do mnie, szukając potwierdzenia, ale ja popatrzyłam w przeciwną stronę.

– Ten drugi lek nie istnieje – wtrącił się Alex. – Cross powie wam wszystko, żeby dostać to, czego chce. Może Jade i jest człowiekiem Crossa, ale na pewno nie jest z Supremacji. Zapomnij.

– Ale pierwszy lek przecież istnieje, prawda? – spytał Kale.

Alex skinął głową.

– Więc zadzwońcie do niego. Powiedzcie, że wrócę w zamian za antidotum.

Ginger skinęła głową i odwróciła się do Daxa.

– Czy mógłbyś zacząć przygotowania...

Oni wszyscy postradali zmysły.

– Czy ty już do końca ogłupiałaś? Całkowicie poddałaś się starczej demencji? On tam nie wraca.

– To moja decyzja, Dez – powiedział Kale cicho.

– Prawdę mówiąc, nie. To moje życie. I ja mam coś do powiedzenia, i mówię, że nigdy, przenigdy się na to nie zgodzę.

– Podejdź do tego logicznie, Kale – Jade wyszła parę kroków do przodu, wciskając się między nas. – Powiedz mu, że wrócisz, a ten facet – Cross – dotrzyma obietnicy. Da jej antidotum. I co wtedy? Parę miesięcy później i tak wykituje, bo lek Supremacji nie istnieje? Ona będzie martwa, a ty z powrotem w piekle.

– Lek Supremacji naprawdę istnieje – powiedziałam, chwytając ją za włosy. Okręciłam ją tak, że patrzyłyśmy sobie teraz prosto w oczy. – On dał go tobie!

Wrzasnęła, Alex wyskoczył, żeby nas rozdzielić.

– To mój wybór – warczałam. – Już go dokonałam. Mam zamiar oddać się w ich ręce. W tym akurat momencie nie mam nic do stracenia.

Kilka sekund milczenia, a później chaos.

Mama i Dax wrzeszczeli, Jade się uśmiechała, a Kale zbliżył twarz do mojej twarzy.

– Nigdzie nie idziesz – powtarzał. Raz po raz.

– Co ci, do cholery, strzeliło do tego głupiego łba? – wrzeszczał Alex, odpychając na bok Jade.

Wyciągnął do mnie rękę, ale ją odtrąciłam.

– Co takiego? Przed chwilą powiedziałeś, że powinnam zadzwonić do mojego Taty!

Zrobił wielkie oczy, jak postać z kreskówki, którą spotyka niespodzianka życia.

– Nigdy bym tego nie powiedział...

– Ale powiedziałeś – upierałam się. Poczułam ostry ból w skroniach, zacisnęłam palce na włosach, żeby ustąpił. – Przed chwilą! Byliśmy na dole. Powiedziałeś, że tylko Cross może mi pomóc.

Nie mógł uwierzyć własnym uszom.

– Dez, ja bym nigdy...

Ciszę przerwało gwałtowne, głośne gwizdnięcie.

– Zamknijcie się wszyscy. To moja impreza i ja teraz mówię.

W pomieszczeniu zapanowała pełna zdziwienia cisza. Ginger, która była zadowolona, że znów jest w centrum uwagi, zwróciła się do mnie.

– Deznee, mówisz nam, że Alex radził ci przyjąć ofertę Crossa? Powiedz mi, proszę, jakie są efekty uboczne tej trucizny.

Alex na pewno nigdy by mi nie zasugerował, żebym poszła do Taty. Wyobraziłam sobie tę całą historię.

– Intensywny ból i... halucynacje – odparłam trochę niepewnie.

To właśnie Able powiedział w restauracji. Co jeszcze nie było realne? Jade już potwierdziła lodziarnię, ale czy rzeczywiście widziałam ten pocałunek?

Oczywiście, że nigdy nie miał miejsca. Kale by mi tego nie zrobił. To wszystko nagle zaczęło się składać w całość. Dziwne uczucie rozmycia krawędzi rzeczywistości, które czułam, zanim to wszystko się zdarzyło. Było podobne do tego, jak wszystko się rozmywało w czasie mojej rozmowy z Alexem. Ta cała historia była jedną, wielką, okropną halucynacją.

Ginger skinęła głową i wskazała na drzwi.

– Wszyscy na korytarz. Zostaje Kale, Deznee i Sue.

Kiedy drzwi się zamknęły, zwróciła się do Kale'a.

– Nie wrócisz w tamto miejsce.

Zaczął się spierać, ale strzeliła z palców i odwróciła się do mnie.

– Ani ty.

Kale głośno wypuścił powietrze z płuc i oparł się o ścianę.

– Zaaranżujemy wymianę. Deznee powie Crossowi, że będzie chciała z nim pójść, jeśli ją wyleczy, ale musi antidotum przynieść ze sobą. A my zastawimy na nich pułapkę.

– Antidotum to osoba – brat Able'a, Aubrey. Able zatruwa, a Aubrey leczy.

– To nawet lepiej. Znacznie łatwiej będzie go znaleźć niż maleńką fiolkę.

– A co z lekiem Supremacji? – spytał Kale, kiedy Ginger odwróciła się i ruszyła ku drzwiom.

– Musimy iść krok po kroku, Kale. Jeżeli Deznee nie przeżyje zatrucia, to efekty uboczne Supremacji nie będą miały znaczenia.

I wyszła, za nią mama, a ja zostałam sama z Kale'em.

Kale wziął w rękę moje ramię, najpierw wsunąwszy materiał na swoje miejsce tak, żeby zakrywał skórę.

– On o tym wiedział, a ja nie.

Miał na myśli Alexa.

– Tak.

– Bo cię zraniłem. Bo wiesz, że to by mnie zraniło?

– Tak jakby. To znaczy, prawdę mówiąc nie... To skomplikowane.

Patrzył na mnie niechętnie.

Wtedy naprawdę zrozumiałam, co powiedział. Czułam, jakby się urwał dzban, a moja nowo uformowana, tak strasznie krucha i delikatna mgiełka nadziei rozpłynęła się i znikła.

– Poczekaj... Zraniłeś?

– Kiedy całowałem Jade. Zraniłem cię.

Nie odpowiedziałam od razu, bo nie potrafiłam. Język miałam ciężki, wyschło mi w gardle. To było tak, jakbym patrzyła na to wszystko raz jeszcze. W zwolnionym tempie. Zrozumiał moje wahanie. Widziałam ból na jego twarzy, kiedy mówił:

– Myślałaś, że to halucynacja.

– A jednak nie. – Wzięłam głęboki oddech i odpowiedziałam mu na pytanie. – Tak, skrzywdziłeś mnie, ale ja nie powiedziałam Alexowi po to, żeby ciebie skrzywdzić. Prawdę mówiąc, w ogóle mu tego nie mówiłam. Sam się domyślił. Zobaczył to kilka dni temu, zanim jeszcze zrobiło się tak źle.

Twarz Kale'a pociemniała.

– Zobaczył? Jak to – zobaczył? Czy ty...

Dopiero po chwili zorientowałam się, o czym on mówi.

– O, Boże! Nie. Jak możesz w ogóle o to pytać... – A później naprawdę do mnie doszło. – Ale, zaraz... Taka reakcja? Niewłaściwa na tylu poziomach po tym, co stało się z Jade, Kale. No, wiesz, ta rzecz, która nie była halucynacją?

Przez minutę nic nie mówił, więc ja postanowiłam gadać, zanim się zlęknę.

– Jedno albo drugie. – Przełknęłam ślinę. Ból narastał, poczułam, że kręci mi się w głowie. Fala gorąca, później fala elektrycznego chłodu, a następnie omdlewający ból. – Próbowałam cię ostrzec, że do tego może dojść. Że kiedy będziesz mógł dotykać...

Warknął i zrobił krok wstecz.

– Przez ciebie mam ochotę wrzeszczeć. To bardzo dziwne.

– Przydałoby ci się.

Wyraz jego twarzy złagodniał.

– Nic nie czuję do Jade.

– Pocałowałeś ją. A nawet sam poprosiłeś. A w lodziarni? Ręka Jade. Powiedziałeś, że jest inna. Bardzo inna.

Uśmiechnął się.

– Bo była. Nie daje mi takiego odczucia, które mam, gdy trzymam ciebie za rękę. Pocałowałem Jade, żeby się przestała martwić. O mnie. O nas. O nią. Nie miałem zamiaru tego przed tobą ukrywać.

Czas stanął. Powietrze znieruchomiało, muzyka na dole ucichła.

– Ty...

Bardzo ostrożnie sięgnął po moją dłoń i położył ją na swoim sercu.

– Moje serce bije tak tylko dla ciebie. Żadne dotykanie, żadna inna dziewczyna, nic tego nie zmieni. Wiem, że mi nie wierzyłaś. Po tym, co stało się na dźwigu, kiedy Jade wzięła mnie za rękę w sali konferencyjnej, widziałem to w twoich oczach. Wątpliwości. Trudno mi było z tym sobie poradzić, czułem, że jesteś taka niepewna. Chciałem, żebyś się czuła tak pewna mnie, jak ja się czuję pewny ciebie.

Miałam wrażenie, że usta zatyka mi paczka waty.

– Więc pomyślałeś, że pocałowanie jej skreśli moje wątpliwości.

Kale zrobił krok wstecz.

– Oczywiście. Pocałowałem ją i nie mam zamiaru ani ochoty tego powtarzać. To wszystko załatwia.

– Więc mówisz, że to był zły pocałunek?

– Zły – zastanawiał się przez chwilę nad tym z uśmiechem. – Nie był zły. Nawet dość przyjemny. Chociaż ona jest dosyć uparta. Poprzedniego wieczoru próbowała ściągać bluzkę.

– Ten akurat argument mnie nie przekonuje...

– Pocałowałem ją, żeby ci udowodnić, że nikt inny nie ma dla mnie znaczenia. Spędziłem z nią dużo czasu. Trzymałem ją za rękę. Miałem porównanie, a to nic nie zmieniło. Logika Kale'a. Wyjątkowa i całkowicie niewinna. Zachowywałam się, jak oślica, bo od razu tego nie pojęłam.

– Więc nie chcesz jej?

– A myślałaś, że chcę? Dlatego mnie unikasz?

– Straciłam odporność na ciebie i wszystko się pochrzaniło. Tamtego wieczoru uciekłam, jak idiotka i schowałam się w mysiej dziurze, ale na początku nie zdawałam sobie z tego sprawy. Później zjawiła się tu Jade, która, oczywiście, miała na ciebie ochotę. Zanim sobie zdałam sprawę, że mam poważne kłopoty, ty i Jade wyglądaliście tak ślicznie. Uwierz mi, że chciałam ci powiedzieć. Chciałam bardziej niż czegokolwiek na świecie, objąć cię i słyszeć twój głos, który mówi, że wszystko będzie dobrze, ale ty tego nie mogłeś zrobić. Ja biegałam jak kurczak bez głowy, przerażona i samotna.

Rozpiął bluzę i ściągnął ją. Ułożył kaptur na mojej głowie, owinął mi bluzą plecy i objął ciasno.

– Wszystko będzie dobrze – szepnął, a jego oddech łaskotał mi ucho. – Przyrzekałem, że nic mnie nie zapędzi tam z powrotem, ale kłamałem. Dopilnuję, żebyś się poczuła lepiej i nieważne, ile to będzie kosztowało. Nieważne, co będę musiał zrobić.

31

Kiedy w końcu wyłoniliśmy się z pokoju, Jade czekała na końcu holu.

Zmierzyła mnie spojrzeniem od stóp do głów, zatrzymała wzrok na bluzie Kale'a i rzuciła:

– Co tak długo?

Wysunęłam ramiona przez rękawy i podciągnęłam ciaśniej materiał. Wiedziałam, że jest tam ponad dwadzieścia pięć stopni, ale na moim termometrze było najwyżej dziesięć. – Nie wiedziałam, że gdzieś się spieszymy. Jest piątek, mamy imprezę. Do szkoły idziemy dopiero w poniedziałek.

– Niech ci będzie. – Zwróciła się do Kale'a.

– No, to?

Patrzył na nią przez dłuższą chwilę.

– No, to co?

Jade była zdezorientowana.

– Idziemy? Myślałam, że zejdziemy na dół. Może wypijemy drinka i trochę potańczymy, a później wrócimy tam, gdzie mamy dzisiaj spać.

– Dzisiaj nie ćwiczę. Zostaję z Dez.

– Zostajesz... Nie rozumiem.

Jeśli nie czułabym się tak podle, to zaczęłabym się z niej śmiać.

Kręciłabym tyłkiem w tych niesamowitych, skórzanych biodrówach, zarzuciłabym rękę na szyję mojemu facetowi i zniknłabym za horyzontem, a ona mogłaby się tylko ślinić.

Cholera, byłam już prawie na łożu śmierci, ale wciąż wyglądałam ekstra. Tylko tak się nie czułam i to mnie wkurzało.

– Poważnie? Myślałaś, że chciał ze mną zerwać?

Kale odwrócił się i spojrzał na drzwi, zza których wyszliśmy.

– Zerwać?

– To znaczy powiedzieć, że chcesz ją, a nie mnie – podsunęłam mu myśl. – Że na stałe opuszczasz związek.

Kale pokręcił głową. Miał trochę przepraszającą minę. – Nie. Nigdy nie opuszczę Dez.

– Ale... W lodziarni... Wziąłeś mnie za rękę. Mówiłeś mi rzeczy, których nigdy jej nie opowiadałeś! Zaufałeś mi. Pocałowałeś mnie!

Kale przechylił głowę i był trochę zdezorientowany.

– Powiedziałbym każdemu, kto by spytał, to, co mówiłem tobie. To dlatego, że nie obchodziło mnie, co o mnie myślisz. A pocałunek nie był dla ciebie, był dla Dez.

Jade opadła szczęka.

– Aha, tu jesteście. – Mama wyłoniła się zza rogu w chwili, kiedy Jade okręcała się na pięcie, żeby wyjść. Przyglądała jej się przez chwilę, próbując ukryć uśmiech. – Rozumiem, że wy dwoje się jakoś dogadaliście?

– Tak, a naszej Pannie Gwieździe Porno pokazaliśmy, gdzie jej miejsce.

– Dobrze. Kale, możesz odprowadzić Dez do Meeli. Dziewczyna nie wygląda za dobrze. Ginger uważa, że stres pomaga rozprzestrzeniać się truciźnie.

Kale skinął głową, a ja nie mogłam się powstrzymać i roześmiałam się głośno.

– Bardzo dobrze! Tak właśnie powiedziałaby prawdziwa mama! Widzisz? Uczysz się.

Zawahała się, a później uśmiechnęła.

– Tu trzeba jeszcze zrobić parę rzeczy. Jak skończymy, Dax podrzuci mnie po drodze do domu.

– A więc Dax? – powiedziałam, kiedy tylko mama zniknęła z zasięgu wzroku.

– Trzymał ją za rękę. Uśmiechała się.

– No cóż, niech im będzie dobrze. A czy ty – czy ty też nocujesz u Meeli?

Uśmiech na jego twarzy zgasł.

– A chcesz, żebym nocował gdzie indziej?

– Nie – wypaliłam. – Chodzi tylko o to, że... Przez ostatnie parę dni nie nalegałeś, żeby być blisko...

– Na początku Ginger uważała, że to niebezpieczne. Uważała, że nie będziemy potrafili trzymać rąk przy sobie.

Skrzywiłam się.

– Punkt dla niej.

– Później powiedziała, że chce, bym był blisko Jade po to, żebym mógł bezpiecznie poruszać się wśród ludzi. – Wzruszył ramionami. – Powiedziała, że spędzanie czasu z tobą nie nauczy mnie odpowiedniej interakcji z innymi i że nabiorę złych nawyków.

Prychnęłam.

Objął mnie ramieniem i pokierował ku schodom.

– Sue ma rację. Musisz odpoczywać. Jak się czujesz? – Przycisnął dłoń do mojego barku i zmarszczył brwi. – Wydaje mi się, że jesteś gorąca. Masz gorączkę.

– Teraz?

– Tak.

– To są fale gorąca i zimna, które uderzają raz po raz.

Schodziliśmy po schodach, a ludzie cofali się na bok,
żeby zrobić Kale'owi przejście. Kiedy doszliśmy do stóp
schodów, ruszyliśmy wzdłuż ściany sali. Parkiet był pełen
tańczących, wszyscy doskonale się bawili. Gdzieś w narożniku kilku chłopaków wchodziło na skalną ścianę. Ktoś
zamienił jej powierzchnię w lód i wspinający się byli zmu-
szeni do korzystania ze swoich specjalnych zdolności i da-
rów, żeby dotrzeć na szczyt. Wiedziałam, że powinniśmy
iść, ale nie mogłam się powstrzymać i przyglądałam się im
przez chwilę.

Jednemu poszło łatwo. Nie pamiętam, jak się nazywał, ale
wiem, że potrafił się częściowo zmieniać w zwierzę, potrafił
też zmieniać części swojego ciała. Zmienił dłonie w szpony
i bez trudu prowadził.

Tego drugiego nie pamiętam. Szedł tuż za facetem od
zmieniania części ciała i był bardzo umięśniony. Wywalał
pięściami dziury w lodzie i robił sobie uchwyty na dłonie
i stopy.

A ten trzeci – cóż, nie mam pojęcia. Jego dar widocznie
nie pomagał w takich sytuacjach, bo wciąż tkwił na ziemi
i podnosząc głowę, przyglądał się dwóm pozostałym. Od
czasu do czasu próbował złapać stopą jakiś uchwyt, ale ze-
ślizgiwała się, a on upadał na ziemię, wzbudzając salwy
śmiechu.

Już miałam się odwrócić i ruszać ku drzwiom, kiedy zobaczyłam Alexa, przedzierającego się przez tłum. Przyspie-
szyłam kroku, ale okazało się, że było za późno.

– Wychodzisz?

– Tak wygląda, prawda?

Machnął na Kale'a ręką.

– Z nim? Nie widziałaś, że chciał wyssać migdałki naszej laleczce Barbie?

Trochę mnie to wkurzało, że wiadomość o pocałunku już się rozeszła.

– Szóstki świetnie sobie radziły z grą w głuchy telefon, ale tylko wzniosłam oczy ku niebu.

Alex wzruszył ramionami.

– Niech ci będzie. Wciąż zapominam, w jakie bagno się wpakowałaś. Poczekaj, sięgnę tylko po kurtkę.

Wstrzymałam go.

– Ale dlaczego?

– Bo idę z wami.

– Nie, nie idziesz.

Uśmiechnął się półgębkiem i zrobił głupią minę.

– Tak, właśnie, że idę. Ginger nalega.

– Akurat!

Uśmiech znikł mu z twarzy.

– Posłuchaj, nie próbuję za tobą łazić, ani za tym oszustem, chociaż lubię go powkurzać. Denazen chce was oboje, będzie więc bezpieczniej, jeśli będziemy we trójkę. Wiesz, na wszelki wypadek.

Kale nie próbował ukryć pogardy w glosie.

– Chcesz z nami iść, żeby zapewnić nam obojgu bezpieczeństwo?

Alex wyprostował się i wyprężył ramiona. Podszedł krok do Kale'a i uśmiechnął się. – Nie. Chcę jej zapewnić bezpieczeństwo. A ty, kolego, gówno mnie obchodzisz.

Kale wyprostował się na całą wysokość.

– Ja jej daję całą ochronę, której potrzebuje.

– A kto ją ochroni przed tobą? A może już wiesz, jak głaskać małe szczeniaczki, nie mordując ich przy okazji?

– Podejdź bliżej – warknął Kale. – Przekonamy się.

Odepchnęłam Alexa i chwyciłam Kale'a za koszulę.

– Jeśli chce się pętać za nami, niech idzie. Ale ruszajmy.

Z tymi słowami na ustach wyszłam z imprezy, wciśnięta niezbyt wygodnie między mojego aktualnego i byłego chłopaka.

§

Nie odpuszczali całą drogę do domu Meeli. Nie zatrzymywali się, żeby zaczerpnąć powietrza. Zanim jeszcze zeszliśmy z przecznicy, zastanawiałam się, czy nie dotknąć Kale'a, żeby mieć trochę spokoju.

– Jeśli będziesz mnie prowokować, Alex, to cię dotknę. Już liczyłem do trzystu. Dwa razy.

Alex zachichotał.

– Liczyłeś do trzystu? A co to ma znaczyć?

– To znaczy, że masz odpuścić. – Popatrzyłam niechętnie na Kale'a. – I ty też.

– Fakty są takie: ja wiedziałem, co się dzieje. A ty nie. Ona ci nie powiedziała, kolego. I jak to rozumieć?

Kale zatrzymał się w miejscu. Staliśmy teraz przed domem Meeli. Światła w środku były zgaszone, ale ktoś zostawił zapaloną lampę na zewnątrz.

– To znaczy – Kale powiedział w ten charakterystyczny dla siebie, podejrzanie spokojny sposób – że jesteś, jak wrzód na tyłku. A takie wrzody zupełnie mi się nie podobają. Jest na to prosta rada. Nikt nie będzie za tobą płakał. Jesteś, jak robactwo. Robactwo jest wszędzie.

– Nie zgadzam się. Dez chyba będzie za mną tęsknić. – Alex mrugnął. – Bardzo. Robactwo? Kolego, jesteśmy z tej samej gliny.

Kale z zaciśniętymi pięściami pochylił się w jego kierunku.

– Nie mamy ze sobą nic wspólnego.

Alex przestał się uśmiechać. Zacisnął szczęki i skinął głową w moim kierunku. – Jesteśmy dokładnie tacy sami. Obaj ją krzywdzimy.

– No, nie! Zaraz się posikam. – Odwróciłam się od nich i ruszyłam ścieżką.

Udało mi się włożyć klucz do zamka i nacisnąć klamkę, nie udusiwszy ani jednego, ani drugiego. Kiedy weszłam do środka, usłyszałam stłumiony głos.

– Nic mnie to nie obchodzi. To tylko kwestia czasu. Ja tu skończyłam. Wyciągnijcie mnie stąd.

– To brzmi tak, jak...

Alex zakrył mi usta dłonią. Miał szeroko otwarte oczy, pokręcił głową i wskazał gestem na korytarz. Przesuwaliśmy się w milczeniu pod ścianą i zatrzymaliśmy się tuż przed pokojem. Na kanapie siedziała Kiernan, nogi wystawiła na stół i rozmawiała przez komórkę.

– A czy to ważne, kogo najpierw dostaniecie? Jedno gwarantuje drugie – wierz mi. To dość żałosne.

– To nie to, co słychać... – szepnęłam.

Poczułam na barku dłoń Kale'a, która przytrzymywała mnie w miejscu.

Kiernan mówiła dalej, nieświadoma naszej obecności.

– Nie. Dzisiaj wieczorem nie było żadnej imprezy. Stara powiedziała, że jest odwołana. To dlatego nie była w klubie Rockies. Nie wiedziała o tym, że jest impreza, bo Ginger ją przejrzała. Zgadywałam, że ona i Jade nie dostały listy ludzi do zawiadomienia. To właśnie Jade mówiła o traceniu czasu. Przypadkowo, na posyłki. Ginger znalazła im zajęcie tak, żeby się nie plątały pod nogami.

– Dobrze, w porządku. Jeszcze jedna noc. – Chwila ciszy.

– W porządku. Jedna noc.

Alex stuknął mnie w ramię i pokazał palcem na drzwi. Pokręciłam głową i wskazałam na pokój frontowy.

– *Żadnej szansy* – powiedział bezgłośnie. – *Trzeba iść.*

Podniosłam w górę ręce w geście poddania. Obróciłam się tak, jakbym miała ruszyć w kierunku drzwi frontowych i szepnęłam:

– Najpierw muszę coś załatwić.

Zanim któryś z nich zdołał mnie zatrzymać, przefrunęłam obok narożnika i zaatakowałam. Przewróciłam ją na kanapę i przytrzymałam.

– Niech zgadnę. Zamawiasz pizzę?

Upuściła komórkę. Telefon odbił się od poduszki kanapy i wylądował na podłodze. – To nie to, co myślisz, Dez! Mogę wszystko wyjaśnić.

– Więc nie rozmawiałaś z Denazen?

– Z Denazen? Z tymi idiotami? Oczywiście, że nie. Rozmawiałam z moim tatą.

Niespodziewanie wybiła się w górę, wykorzystując moment mojej nieuwagi. Poleciałam na bok, a ona skoczyła na równe nogi.

– Który przypadkiem pracuje dla Denazen. No tak. Poczekaj. To chyba jednak było dokładnie tak, jak wyglądało.

– Byłabyś głupia myśląc, że jesteś w stanie walczyć z nią i ze mną – powiedział Kale, stając przy moim boku. Zachichotał i dodał – Byłabyś głupia myśląc, że możesz walczyć z Dez. Ze mną, no cóż. To byłoby śmieszne.

Podniosłam oczy ku niebu. Biedny chłopak nie wiedział, że to może obrażać...

– Walczyć z tobą? Nie muszę z tobą walczyć. – Strzeliła z palców tylko dla efektu scenicznego – i zniknęła. – Ja potrafię to.

– Cholera. – Coś mnie walnęło w lewy bok i upadłam na podłogę. Świat rozmył mi się przed oczami, poczułam łzy i z trudem łapałam oddech. Kilka sekund później otworzyły się drzwi frontowe.

– I wiesz co, Dez? Naprawdę jest antidotum na skutki uboczne Supremacji. I działa. Ja pierwsza je dostałam. Tatuś zawsze mnie bardziej lubił.

32

– Dax wpadnie za piętnaście minut, żeby nas zgarnąć. Wszyscy idziemy się przekimać do niego.

Skrzywiłam się i objęłam tułów ramionami. Znów nadeszła fala zimnych dreszczy. Były tak silne, że zapominałam przy nich o bólu, a ten w ciągu ostatnich kilku godzin zrobił się znacznie gorszy.

– W mieszkaniu Daxa? To chore. Tam chyba nawet nie ma dość miejsca na podłodze.

Alex pokręcił głową.

– Nie w mieszkaniu. W domu.

Mrugnęłam powiekami.

– To on ma dom?

– Ma, i to nie jeden, a cztery.

– Jeżeli ma cztery domy, to dlaczego mieszka w jakimś beznadziejnym mieszkanku z widokiem na śmietniki Parkview?

Alex wzruszył ramionami i odsłonił zasłony, żeby objąć wartę.

– Należały do jego kolegi.

Opadłam bez sił na kanapę i owinęłam się szczelniej bluzą Kale'a.

– Jakoś nie mogę w to uwierzyć. Co za dziwaczna moda.

Kale ukląkł przy mnie i położył mi dłoń na kolanach. Żałowałam, że nie zostałam w dżinsach. Ciepło jego palców nie przenikało przez skórzane spodnie.

– Co takiego?

– Czy tak łatwo mnie ogłupić? Przez tyle lat mieszkałam w tym samym domu, co Tata i nie miałam pojęcia o tym, jak straszne rzeczy robi. A teraz to samo na nowo. Kiernan i ja byłyśmy blisko. Jak to możliwe, że tego nie zauważyłam?

– Nikt tego nie zauważył – rzucił Alex.

– Ale moja siostra? Jak to w ogóle możliwe?

Alex westchnął.

– Kiedy mężczyzna i kobieta się kochają...

Wystarczyło jedno spojrzenie i natychmiast się zamknął. Już mi nie było tak chłodno i zrzuciłam bluzę. Teraz zaczęły się fale gorąca. Z dwojga złego to było gorsze. Chłód do pewnego stopnia łagodził ból. Wszystko było jakieś takie odrętwiałe. Ale nie gorąco... Uczucie gorąca wszystko podkręcało. Pulsowanie, uderzenie bólu, wszystko było silniejsze. Zacisnęłam zęby, walcząc z bólem i powiedziałam:

– Czuję się, jak Lois Lane. Jest mi wszystko jedno.

Alex obejrzał się przez ramię, stojąc przy oknie.

– Lois Lane?

– Oczywiście. Ona była symbolem całkowitej niewiedzy. Clark Kent i Superman – ten sam facet, tylko bez okularów! Rozumiesz?

– Superman? – spytał Kale.

– W komiksach łotr nad łotry – odparł Alex, odwracając się z powrotem do okna.

Prychnęłam i próbowałam wyprostować palce. Nie chciały się poruszyć.

– Nawet nie to – powiedziałam z trudem. – Moc ma od obcych. Ale jest jeszcze lepiej. Frank Castle – to było dopiero łotrzysko komiksowe.

Alex znów się odwrócił. Wyglądał na poirytowanego. Powinnam była wiedzieć, bo tę debatę toczyliśmy chyba już z milion razy. – Mściciel? Mówisz poważnie? Ten facet to ciota. Kiedy wreszcie to zrozumiesz?

Kale wyglądał na nieco podenerwowanego.

– To chciała powiedzieć Jade? Że byliście ze sobą? Alex zachichotał, zadowolony i wrócił do rozglądania się za Daxem.

– Tak jakby – powiedziałam, kiedy fala gorąca minęła. Znów wciągnęłam przez głowę bluzę i czekałam na chłód. Starając się mówić głośno, skończyłam zdanie. – Ale nie przejmuj się tym. To, że mamy wspólną przeszłość, nie ma żadnego wpływu na twoją i moją przyszłość.

Widziałam, że ramiona Alexa zesztywniały. Poirytowany, zacisnął pięści i powiedział:

– Chodźmy. Dax już jest.

Kiedy wyszliśmy, na podjeździe czekał Dax. Siedział za kierownicą czarnego jak smoła hummera. Machał na nas nerwowo. – Pospieszcie się. Cross chyba tu nikogo nie przyśle, ale lepiej nie ryzykować.

Alex siadł z przodu, a Kale pomógł mi się wdrapać na tył.

– Dax! Zwinąłeś komuś tego hummera?

Spojrzał na mnie niechętnie w lusterku wstecznym.

– Chyba powinienem się obrazić. Twoja matka zadała mi to samo pytanie.

Wrzucił wsteczny, dodał gazu i po chwili pędziliśmy jakąś drogą przez ciemność.

Musiałam przysnąć, bo kiedy się ocknęłam, hummer pędził w dół gruntowym podjazdem. Wyjrzałam przez okno i zobaczyłam z tyłu za samochodem maleńkie kamyczki, podskakujące w chmurze pyłu, oświetlonej na czarno światłami hamowania. Miałam wrażenie, że niknie za horyzontem.

Kiedy dojechaliśmy, pojawiła się w reflektorach mała drewniana chata.

– Gdzie jesteśmy?

– Jakieś piętnaście kilometrów za miastem. Jesteśmy tu bezpieczni. Dom jest na czyjeś nazwisko, więc nikt mnie tu nie namierzy. – Dax wyłączył silnik i wysiadł z samochodu. Ruszyliśmy za nim. Przez kilka chwil słyszeliśmy tylko wiatr przewracający zeschnięte liście i odgłosy naszych kroków. Przedzieraliśmy się przez jakieś błoto.

Kiedy byliśmy trzy metry od domu, Kale chwycił mnie za ramię i zamarł. Pociągnął mnie do tyłu i wyszedł między mnie, a krzaki.

– Ktoś tam jest.

Dax machnął tylko ręką.

– W porządku. Shanna?

– Tu jesteśmy – odpowiedziała mama, wychodząc z cienia zza domu. Za nią, kuśtykając, szła Ginger, obok Jade, Paul i kilkoro innych.

– Bez problemu znaleźliście dom?

Skinęłam głową, a on wyciągnął z kieszeni klucze. Przytrzymując otwarte drzwi, uśmiechnął się.

– Witam w domu.

Weszliśmy do skromnie umeblowanego saloniku. Po prawej była mała kuchnia z jadalnią. Po lewej coś, co wyglądało na niewielki hol. Sądząc po rozmiarach domu, kiedy oglądałam go z zewnątrz, stwierdziłam, że nie ma tam więcej niż dwa pokoje.

– Ładnie tu, ale dla nas chyba za mały. Nie większy niż twoje mieszkanie.

– Tak. Dlatego zejdziemy na dół. Tam jest trochę więcej miejsca. Chodźcie. Rozlokujmy wszystkich, żebyśmy mogli przespać się choć parę godzin.

Dax ruszył i znikł za rogiem, cała reszta deptała mu po piętach. Wszedł do pierwszej sypialni po prawej i otworzył ścienną szafę. Podniósł jedną po drugiej kilka plastikowych torebek, leżących obok drzwi i pociągnął za rękaw jedynej rzeczy wiszącej w szafie – jasnożółtego swetra.

Uśmiechnął się do mamy szelmowsko i powiedział:

– To ci się naprawdę spodoba.

Popatrzyła na małą szafę. Nie wyglądała na przekonaną. Kilka sekund później rozległ się trzask zamka i szafa zniknęła. Na jej miejscu pokazała się duża, biała winda.

– Wszyscy na pokład.

Podobnie jak mama, Kale też niechętnie wchodził do windy, ale Dax zapewnił ich, że jazda będzie krótka. Zjechaliśmy może dwa albo trzy piętra. Kiedy drzwi znów się otworzyły, wyszliśmy z windy i znaleźliśmy się w znacznie większej wersji pokoju frontowego z góry.

– Ktoś mi coś wsypał do drinka na imprezie, tak? – szepnęłam.

– Zacząłem to budować trzy lata temu po zachęcie ze strony Ginger. Większość pracy zrobiłem sam. – Dax pokazał korytarz po prawej. – Świetlice jeszcze nie są całkiem skończone, ale kuchnia funkcjonuje i jest wyposażona, sypialnie są gotowe. W pomieszczeniu na końcu korytarza jest sprzęt sportowy, jeżeli ktoś będzie miał ochotę spuścić z siebie trochę pary, a pod koniec tygodnia będzie można korzystać z basenu.

– Z basenu? – Jade nie mogła uwierzyć własnym uszom.

– W tym wszystkim przypominasz mi Bruce'a Wayne'a, Dax. – Powiodłam wzrokiem po pomieszczeniu. Na ścianie po drugiej stronie wisiał wielki, płaskoekranowy telewizor. Wokół niego ustawiono dwie wielkie, miękkie, beżowe kanapy i szezlong w podobnym kolorze – stały półkolem. Na ścianie najbliżej nas wisiały półki pełne płyt DVD, a z drugiej strony pełne płyt z muzyką. Przyjrzałam się tytułom i stwierdziłam, że jest tu wszystko – od „Smerfów" do „Reservoir Dogs". Podobnie z płytami CD. Wszystko od melodyjek Disneya do zespołu Metallica.

Dax tylko się uśmiechnął.

– Pogadamy rano. Teraz chyba wszyscy powinni się trochę przespać. Pokoje są tam. Na drzwiach macie przyklejone karteczki z informacją, który pokój jest dla kogo. – Odwrócił się do mnie, kiedy wszyscy ruszyli korytarzem.

– Nie wyglądasz za dobrze. Mogę ci coś przynieść?

– Jakiś środek przeciwbólowy, może aspirynę. Wszystko mnie boli i trudno mi się skupić.

Skinął głową.

– Rozlokuj się. Zobaczymy, co się da zrobić.

Kale i ja ruszyliśmy za rzednącym tłumem, okazało się, że nasze pokoje są na końcu korytarza. Odczułam ulgę widząc, że na drzwiach jest tylko moje imię. Dzielenie pokoju z mamą przez parę ostatnich miesięcy było niełatwe.

Pchnęłam drzwi, ale nie chciało mi się zapalać lampy. Cienki promień światła z korytarza wystarczył – oświetlał drogę do łóżka po drugiej stronie pokoju. Dziesięć kroków. Tyle musiałam przejść od drzwi do łóżka. Dziesięć wymuszonych, pełnych bólu kroków. Teraz ból nie ustępował ani na chwilę. Nie był intensywny, ale wyczerpujący. Położenie się spać w skórzanych spodniach to może nie najmądrzejsze, ale nie miałam siły, żeby się tym martwić. Przebieranie się, albo zamiana z tych spodni w co innego – to za dużo pracy. Zamknęły się drzwi, a kilka chwil później usłyszałam czyjeś ciche kroki.

Kale przykrył mi plecy kocem.

– Powinienem już pójść. Musisz odpocząć.

Skuliłam się na poduszce, powieki mi leciały, chociaż próbowałam ich nie zamykać.

– Nie zostaniesz?

– Zostanę, aż nie zaśniesz.

Zmarszczyłam brwi w ciemności. Niewidzialna ręka już owijała mnie szczelnie kocem.

– To długo nie potrwa.

Jeżeli odpowiedział, to i tak nie usłyszałam, bo znalazłam się na placu budowy. Zaczęłam nienawidzić tego miejsca. Tym razem przynajmniej wylądowałam bliżej niedokończonego budynku niż dźwigu. Samo patrzenie na dźwig bolało.

– Martwię się o ciebie. – Brandt jako Sheltie siedział na wielkiej bryle żużlu po prawej. Budynek obok placu budowy był jedną wielką ruiną. Nie pamiętam, co tu kiedyś było, ale wiedziałam, że już od tygodni był przeznaczony do rozbiórki. Wokół gruz, połamane cegły, rozbite szkło – zdziwiło mnie to, że Brandt i ja byliśmy boso.

– Ja umieram. – Brzmiało to tak, jakbym się żaliła na coś tak trywialnego, jak zadanie z matematyki. Przynajmniej wyglądałam dobrze. Już od dłuższego czasu nie miałam okazji wyjść tak, jak teraz. A jako, że to był sen, byłam pewna, że moja podświadomość próbuje mi coś powiedzieć.

Zamiast okropnej bluzy Meeli miałam na sobie moją ulubioną kamizelkę w kolorze oberżyny i sprane dżinsy. Miałam nawet naszyjnik, który Brandt podarował mi na szesnaste urodziny i zrobione paznokcie. Zła Francuzka, jak mówiła na to Kiernan. Czarne, z białymi końcówkami.

– Chodzi ci o to, co masz na barku?

Skinęłam głową, bawiąc się długim naszyjnikiem.

– Chyba nie zostało mi już dużo czasu.

– Jesteś w dobrych rękach. Znajdą jakieś wyjście.

– Boję się. – Brandt był jedyną osobą poza Kale'em, której mogłam to przyznać. – Jest sposób, żeby to naprawić, ale efekt nie będzie przyjemny.

– Dasz sobie radę. Zawsze sobie dawałaś radę. – Wyglądał przez chwilę tak, jakby chciał coś powiedzieć, ale tylko się odwrócił.

– Szkoda, że cię tu z nami nie ma. Czułabym się lepiej.

Wciąż z odwróconą twarzą, powiedział:

– Chcę wrócić do miasta, Dez, ale nie mogę. – Ramiona mu zesztywniały. – Jeszcze nie. Jestem w samym środku czegoś ważnego.

Jego odpowiedź trochę mnie zabolała.

– W środku czegoś ważnego? Co ty kombinujesz, Brandt?

Kiedy odwrócił się, żeby na mnie spojrzeć, usta miał otwarte, wargi się poruszały, ale nie wydobywał się z nich żaden dźwięk. Westchnął i wskazał ręką na budynek. Przed frontem stała mama, po jej obu stronach – dwie kobiety, których nie znałam. Jakiś mężczyzna podszedł do pierwszej i dał jej zastrzyk.

– Następny przystanek – powiedział Brandt. Zmusił się, żeby powiedzieć te słowa, były niejasne, ale go zrozumiałam. Pokazał mi jakiś na froncie budynku powyżej miejsca, gdzie stała mama. Drugie piętro. Obok jakiejś beczki stał mężczyzna.

– Nie znoszę tych niedopowiedzeń.

Wszystko się zamazało i nagle byliśmy w windzie. Brandt chwycił moją rękę i kilka razy przycisnął nią jakiś guzik. Spojrzałam, ale to nie był numer piętra, ale dwa słowa. *Następny poziom.*

§

Otworzyłam oczy w całkowitej ciemności. Zaczęłam macać w mroku i w końcu znalazłam lampę, którą kątem oka zobaczyłam tuż przed położeniem się spać. Pokój był bardzo ładny. Większy niż ten, w którym mieszkałam w Sanktuarium i jakoś dziwnie lepiej przystosowany do mojej osobowości. Ściany były ciemnoszare, na podłodze wykładzina w intensywnym, ciemnym błękicie. Musiałam się przez chwilę zastanowić, czy to jakiś dziwaczny zbieg okoliczności, czy maczała w tym palce Ginger.

Zsunęłam się z łóżka i zauważyłam karteczkę stojącą przy lampie. Na papierowym ręczniku leżały dwie tabletki przeciwbólowe. Na karteczce zaś bazgrołami Kale'a napisano: „To zostawił Dax". Czułam się trochę lepiej niż przedtem, ale połknęłam tabletki na wszelki wypadek.

W rogu pokoju stała szafa, szuflady były puste. Obok łazienki w ścianie były zamknięte drzwi – przypuszczałam, że to garderoba. Kiedy je otworzyłam, zdziwiłam się nieco. W przeciwieństwie do szuflad tamtej szafy, garderoba nie była całkiem pusta. Z jednej strony na wieszakach wisiało kilka par dżinsów – rozmiar sześć – a z drugiej – kilka podkoszulek i bluzek. Ściągnęłam jedną i uśmiechnęłam się. Czarna, rozciągliwa bawełna z logo Hot Topic na dole. Sięgnęłam też po parę dżinsów, ściągnęłam bluzkę z wieszaka i zrzuciłam z siebie skórzane spodnie. Przebrana – czując się znacznie luźniej – wyszłam na korytarz. Nie wiedziałam, która godzina, bo znowu zgubiłam komórkę, ale chyba nie minęło zbyt wiele czasu.

Z kilku pokojów na końcu korytarza dobiegał jakiś dźwięk. Miękkie, ciche, nieustające postukiwanie. Kiedy ruszyłam za tym dźwiękiem, zza zakrętu korytarza zobaczyłam, że to Kale. Był skupiony na wielkim, białym worku treningowym, zwisającym z sufitu – chyba dotarłam do małej sali gimnastycznej.

Przez minutę byłam w stanie tylko patrzeć. Wyglądał, jak opętany demon. Narzędzie śmierci. Był piękny. Była to strona Kale'a, której zbyt często nie widziałam. Jego strona Denazen, tak to kiedyś nazwał. Cała wściekłość i ciemna strona jego duszy, skupione na osiągnięciu jednego celu. Przetrwania. Kale był skupiony na worku treningowym tak, jakby ten był osobiście odpowiedzialny za kradzież jego wolności. Każdy cios był jak prosty, jasny komunikat. *Już nigdy.* Pozabijałby ich jednego po drugim, jeśli znów próbowaliby go dorwać w swoje ręce – albo zginąłby, próbując. Ja bym do tego nigdy nie dopuściła.

378

Byłam tak głęboko pogrążona w myślach, że nie zauważyłam, kiedy mnie zobaczył.

Uspokoił worek treningowy i uśmiechnął się.

– Nie śpisz.

Weszłam do sali gimnastycznej.

– Jak długo spałam?

– Niedługo. Jestem tu jakieś dwie godziny.

– A ty w ogóle nie spałeś? – Widziałam, że jest zmęczony. Miał worki pod oczami, skulone ramiona. Drobiazgi, których nikt inny by nie zauważył. Dla mnie to był wrzask zmęczenia.

Cały zesztywniał.

– Potrafię skutecznie funkcjonować bez snu.

– To nie Denazen, Kale. Nikt nie spodziewa się po tobie, że będziesz funkcjonował bez snu.

Oparł się plecami o ścianę i usiadł na podłodze.

– Słyszałaś moją rozmowę z Jade.

– Daję słowo, że nie szpiegowałam. Jeżeli poczujesz się lepiej, to kiedy jej mówiłeś to wszystko o Denazen, czułam się winna.

Przechylił głowę na bok.

– Winna?

– Nie chciałeś, żebym o tym wszystkim wiedziała.

– Jade zapytała mnie, dlaczego. Słyszałaś, co odpowiedziałem?

Zamiast zareagować na pytanie, usiadłam po przeciwnej stronie i westchnęłam.

– Przez całe moje życie wspierał mnie Brandt. Zawsze był za mną. Niezależnie od wszystkiego. Jeżeli chciałam się wygadać, to pojawiał się przy moim boku. Jeżeli musiałam się wypłakać, nadstawiał ramię. Jeżeli byłam głupia, albo robiłam coś wyjątkowo kretyńskiego, Brandt mnie zatrzymywał, albo w niektórych przypadkach zawoził na izbę przyjęć. – Trąciłam jego sportowy półbut bosą stopą. – A później spotkałam ciebie. Jesteś wszystkim, czym był Brandt i czymś jeszcze więcej. Rozumiesz, co chcę powiedzieć?

– Zawsze zawiozę cię na pogotowie, jeżeli zrobisz sobie krzywdę.

Westchnęłam.

– Chcę przez to powiedzieć, że ty jesteś moim najlepszym przyjacielem, Kale. Moim wspólnikiem w zbrodni. Ty i ja przeciwko całemu światu, pamiętasz? Nie ma nic w moim życiu, czego nie chciałabym z tobą dzielić i chcę, żebyś i ty czuł tak samo. Wiem, że nie powiedziałam ci o truciźnie i zdaję sobie sprawę, że to było głupie. Próbowałam cię ochronić i to też było głupie. Jade akurat tu miała rację. Nie potrzebujesz ochrony, ale ja też nie. Od teraz nie będę przed tobą niczego kryła, ale musisz mi obiecać to samo.

Nie był przekonany.

– Uwielbiam, jak na mnie patrzysz. Jest w tym jakaś niewinność i nie chcę tego zniszczyć.

– Nie potrafiłbyś tego zniszczyć. Nic nie mógłbyś zrobić, ani teraz, ani w przyszłości, co by zmieniło to, co widzę, gdy na ciebie patrzę.

– Chyba nie doceniasz Denazen.

– Mam coś dla ciebie – powiedział Kale, kiedy szliśmy korytarzem w kierunku pokoju frontowego.

Przez chwilę rozmawialiśmy, ale w końcu byliśmy oboje zbyt ożywieni, żeby spać i ruszyliśmy zobaczyć, czy jeszcze kogoś męczy bezsenność. Wyjął z kieszeni telefon Kiernan i wyciągnął przed siebie.

– Upuściła to.

– No, proszę. Całkiem o tym zapomniałam. – Pamiętam, jak Kiernan upuszczała telefon, ale co się później z nim stało – tego nie wiedziałam.

– Nie powinniście już spać? – powiedział Dax, wychodząc z jednego z pokojów.

– Jestem zbyt roztrzęsiona – powiedziałam, poruszając palcami lewej dłoni. Kiedy zasnęłam, zaczęły mnie łaskotać. Teraz ledwo co je czułam. To swego rodzaju błogosławieństwo, bo kiedy zdrętwiały, nie czułam bólu.

Westchnął i pokazał gestem koniec korytarza.

– Cała reszta jest w kuchni. Kale, dasz nam chwilę?

Kale zawahał się. Lubił Daxa, ale czasami, kiedy na niego patrzył, przysięgłabym, że słyszę przekleństwa i wściekłość w jego myślach. Dax mówił różne brzydkie rzeczy, kiedy dowiedział się, że jestem córką Marshalla Crossa.

Trudno mi było go za to winić. Denazen ukradła jego siostrzenice bliźniaczki i zrobiłby wszystko, żeby je odzyskać.

Po kilku sekundach Kale skinął głową i zniknął za rogiem.

– Muszę z tobą porozmawiać. – Dax oparł się o ścianę. – Pewnie zauważyłaś...

– Jeżeli chodzi o ciebie i mamę, nie przejmuj się. Jesteście przecież dorośli.

Skinął głową.

– Nie. To wiem, ale jest pewna różnica wieku. Nie chciałbym, żeby to było dla ciebie jakieś dziwaczne.

– Spoko. Może by mi się to i wydało dziwne, gdybym nie miała tysiąca innych zmartwień.

Założył ramiona na piersiach.

– Naprawdę chciałaś się oddać w ich ręce?

Otworzyłam usta, żeby coś powiedzieć, a później zamknęłam. Milczenie potwierdzi jego podejrzenia tak, jak gadanie ujawni moje zamiary. W obu przypadkach tracę.

– Posłuchaj. To już jest zadecydowane. Nikt nie wraca do Denazen.

Kiedy weszliśmy do kuchni, zobaczyłam, że Kale i ja nie byliśmy jedynymi, których dręczy bezsenność. Ginger stała przy stole między dwoma młodszymi chłopakami – obaj mieli chociaż raz na sobie swoje własne podkoszulki. Mama siedziała na centralnym blacie, w jednej ręce miała butelkę coli, a w drugiej – papierosa, Alex stał po drugiej stronie i kręcił serwetkami w powietrzu tuż nad ich głowami.

W drzwiach stał Kale.

– W porządku?

– Jak kwaśny deszcz.

Zmarszczył brwi, ale nie pytał dalej.

– Nie wiem, jaki macie plan – powiedziałam, zwracając się do reszty – ale trzeba go szybko wdrożyć. – Wyciągnęłam ramię i próbowałam się nie udławić. Pajęczynowate czarne linie sięgały już niemal nadgarstka. Przed wyjściem z pokoju spojrzałam w lustro i zobaczyłam, że minęły linię szyi. Za chwilę wślizną się na mój bok.

– Jak szybko możemy zebrać oddziały? – spytała mama. Zrobiła się nieco blada.

– Trzeba zadzwonić do Crossa – powiedziała Ginger. – Umówić się z nim na spotkanie. Niech wybierze miejsce i czas. Musi myśleć, że to wszystko się dzieje na jego warunkach i że jesteś w desperacji.

Wyjęłam telefon Kiernan i położyłam go z hukiem na stole.

– Rzeczywiście jestem w desperacji, więc kłamać nie muszę.

– Powiedz mu, że twój jedyny warunek to ściągnięcie Aubreya.

– Brakuje nam ludzi, Ginger. – Alex strzelił z palców i serwetki popłynęły na stół. – Nie uważasz, że Cross będzie miał wsparcie?

– Deznee jest słaba. Wie o tym. Jeżeli dobrze odegra swoją rolę, Cross uwierzy, że jest przerażona i zdesperowana. Nie potraktuje tego jak pułapki.

Alex zmarszczył brwi.

– Na moje ucho to niedocenianie przeciwnika.

– Sprowadzimy wszystkich, którzy mogą nam pomóc, uwierz mi, Alex. To się uda.

Było coś takiego w jej głosie, co wzbudziło zimny dreszcz na moich plecach. Tak, jakby to zdanie było niedokończone. To się uda – *tak, jak jest przeznaczone*. Nie chodzi o to, że jej nie wierzyłam, ale wiedziałam, wobec kogo jest lojalna. Jest lojalna wobec swojego daru i tego dziwacznego kodu, który się razem z nim pojawił.

A jednak nie miałam wyboru. Opracowałam plan zapasowy, gdyby coś się nie powiodło. Sięgnęłam po telefon, przejrzałam kontakty Kiernan i znalazłam Tatę. Wybrałam numer, mając nadzieję – chociaż do końca nie wiedziałam, dlaczego – że to nie mój Tata odpowie.

– Cześć, Deznee.

Westchnęłam ciężko. Nadzieja uleciała.

– Domyślam się, że moja siostrzyczka tego samego ojca powiedziała ci, że zgubiła telefon, co?

– Dziwię się, że tak długo ci zeszło. Pewnie teraz ból zrobi się nie do wytrzymania.

Rozejrzałam się po kuchni. Ginger zachęcająco skinęła głową. Dax, który przed chwilą stał przy krześle mamy, był teraz przy mnie, pochylony, żeby móc usłyszeć głos Taty.

– Ja nie chcę umierać.

Tata zachichotał.

– Co chcesz przez to powiedzieć?

– Zrobię to. Oddam się w wasze ręce. Tylko przyrzeknij, że będziesz miał antidotum, a ja dotrzymam słowa.

– No, nie wiem, Deznee. Kiedy Kiernan poinformowała mnie, że twoje umiejętności się pogłębiły, nie jestem do końca pewien, czy ich potrzebujemy. I szczerze mówiąc, jeszcze nie postanowiłem, czy chcę stracić ostatnią część leku Supremacji na ciebie. To byłoby bez sensu, żebyś cierpiała, jeśli postanowimy podać go komuś innemu. Taki okrutny to nie jestem.

Zaczęło mi wirować w głowie. Znów przyszedł atak chłodu, czułam w barku maleńkie, pulsujące igły bólu, rozchodzącego się po nogach i rękach.

– Proszę...

– Gdybyś mi zaproponowała Dziewięćdziesiąt Osiem, moglibyśmy dobić targu. Twoja umiejętność, choć jest użyteczna, nie jest ofensywna. A Dziewięćdziesiąt Osiem jest mi teraz bardziej potrzebny.

– Nie – warknęłam. Musiałam zagryźć wargę, żeby nie wrzeszczeć z bólu. – Wytrzymam i umrę powoli. I wtedy stracisz i mnie, i jego. Ja albo nic.

Mijały sekundy, a ja miałam wrażenie, że to godziny. Albo dni. W końcu westchnął.

– No, może jakoś się dogadamy. W końcu to zwierzę ma taką obsesję na twoim punkcie, że prędzej czy później i tak zrobi coś głupiego.

– Gdzie i kiedy?

– W przyszły poniedziałek. Przy Parkview Field.

– W przyszłym tygodniu? Nie dożyję i wiesz o tym doskonale. Teraz. Do spotkania musi dojść teraz.

Odezwał się cichym głosem, niemal widziałam uśmiech na twarzy tego skurwiela.

– Jutro. Jedenasta wieczór.

– Nie wiem, czy...

– Jutro. Jedenasta wieczór. Do widzenia. – Chwila przerwy. – Jeśli Bóg pozwoli. – I rozłączył się.

§

Ból się nasilał. Trucizna była wszędzie. Czułam, że przesuwa się razem z krwiobiegiem, wżera się pod skórę. Wysysa ze mnie ostatnie zapasy energii. Kradnie czas, który mi pozostał. Kiedy zrobiło się południe, byłam prawie pewna, że nie dotrwam do jedenastej wieczór. Wszystkie nerwy płonęły, dwa razy zaczęłam wrzeszczeć, przekonana, że Tata stoi przy moim łóżku. Lekarstwa już nie pomagały, więc większość dnia spędziłam w łóżku, zasypiając i budząc się co chwilę.

– Jak się czujesz? – W rogu pokoju, na fotelu, na którym cały dzień siedział Kale, widziałam teraz Alexa. Otworzyłam oczy i znów byłam w krainie żywych.

– Przypomnij mi, żebym tego już drugi raz nie robiła.

Uśmiechnął się, ale ten uśmiech był wymuszony.

– Gdzie jest Kale?

Zawahał się.

– Ginger kazała Jade, żeby go uśpiła.

– Co takiego?

– To muszę chłopakowi przyznać – jest zadziwiająco wytrzymały. Od czterech dni nie śpi. Zaczął się robić nerwowy. Ginger stwierdziła, że to może być niebezpieczne, więc poprosiła go, żeby się przespał. Kiedy odmówił, i tak postawiła na swoim.

Jezus, Maria.

– To było, prawdę mówiąc, zabawne. Spodobałoby ci się. Posłali tam Jade – oczywiście. Spanikował. Próbował ją udusić.

– Oczywiście. Mnie zawsze omija to najfajniejsze. I co, nie żyje? – spodziewałam się, że zauważy pełen nadziei ton w moim głosie.

Zmarszczył brwi.

– Ona jest niepokonana, pamiętasz?

Chwila ciszy.

– Coś muszę powiedzieć – odezwał się nagle. – To niełatwe i strasznie mi głupio, więc pozwól mi dokończyć, dobra?

Skinęłam głową. Nie było powodu, żeby mu mówić, że może wstać z fotela i śpiewać arie operetkowe, a ja i tak nie mogłabym go powstrzymać.

– Przepraszam. Przepraszam za to, co się stało z tą dziewczyną u Rudeya kilka lat temu. I za to, co się stało w Sumrun. To było... działanie impulsywne. Nie przemyślałem tego, co robię. W Sumrun chciałem Kale'owi zrobić krzywdę. Chciałem ci pokazać, że jest słaby, a ja silny. Pokazać ci, że ja mogę cię chronić. – Westchnął i podniósł oczy na sufit. – Wierz mi, że nie miałem zamiaru go zabijać, chociaż mogło na to wyglądać.

– Ale chciałeś go przekazać mojemu Tacie.

Opuścił głowę i spojrzał na mnie przeciągle.

– Jak najbardziej. I za to nie będę się usprawiedliwiał. Sądziłem, że robię to, co dla ciebie najlepsze, Dez. Bo tylko ty się liczyłaś. – Skulił ramiona i dodał: – Bo tylko ty się liczysz.

– Alex.

– I rozumiem. Kochasz go. I wiesz co? Widzę, że i on cię kocha. Powiedział, że nie odejdzie od twojego łóżka, żeby spać. Tak, jak patrzył, kiedy zdał sobie sprawę, co zrobiła Jade – on zrobi dla ciebie wszystko. Ale chcę, żebyś wiedziała, że ja też.

Wstał i podszedł do drzwi.

387

– Nie proszę cię, żebyś wybierała między mną a nim. Już dokonałaś wyboru i potrafię z tym żyć. Ale chciałem, żebyś wiedziała – naprawdę wiedziała – że wszystko, co do ciebie czułem było w stu procentach realne.

34

– Wszyscy wiedzą, co mają robić? – Ginger stała przed hummerem w jasnobłękitnym fartuszku i pasujących do niego ortopedycznych butach. Żal mi było tych na ulicy, którzy wezmą ją za kruchą bezbronną staruszkę. Parkview Field to plac zabaw, który od trzech lat był w budowie. Sam park znajdował się na szczycie wzgórza, które z jednej strony kończyło się klifem. Akurat stawiano prawie dwumetrowy płot wokół terenu. Bez płotu jakiś dzieciak mógłby łatwo, biegnąc za piłką, spaść z urwiska. Zgodnie z naszym planem, Kale i ja mieliśmy wejść przez główną bramę i ruszyć prosto na drugi koniec. Do klifu. Rozkład parku sprawiał, że Ginger i pozostali bez trudu mogli nas obserwować z bezpiecznego punktu na zewnątrz i ruszyć, żeby otoczyć teren, kiedy zobaczą, że Tata i Aubrey weszli do środka. Idealny scenariusz zasadzki, która zatyka wejście, jak korek butelkę.

Na początku uznano, że mam pójść sama, co mnie trochę przerażało, ale miało sens. Po co wchodzić tanecznym krokiem i oddawać Tacie nas oboje, skoro tego chciał najbardziej? Kale jednak, który nie godził się na żadne kompromisy, powiedział, że nie puści mnie samej. Posłużył się słowami, które ja osobiście wypowiedziałam: „Jesteśmy zespołem. My przeciwko całemu światu."

Po jakimś czasie okazało się, że Kale nie ustąpi. Ginger miała ograniczone opcje. Albo pozwoli mu pójść ze mną, albo znów każe go uśpić. W końcu zgodziła się, chyba tylko dlatego, iż wiedziała, że dwa razy go nie oszuka. Trzymał się z dala od wszystkich – a zwłaszcza od Jade – co dawało mi akurat dużą satysfakcję.

Po drodze do parku zasypiałam i budziłam się. Na skraju świadomości pojawiały się rozmyte obrazy i dziwne dźwięki. Znów widziałam Brandta. Trzymał mnie za rękę, kiedy Kale opowiadał, jak humanitarnie postępują ludzie Denazen.

Był i taki moment, że pojawił się Tata, mama trzymała mnie w ramionach, śmiali się i rozmawiali tak, że wszystko, co złe w moim świecie, robiło się dobre. To była scena z moich dziecinnych marzeń. Szczęśliwa rodzina.

Kiedy dotarliśmy na miejsce i zwlokłam się z tylnego siedzenia hummera, nie byłam pewna, co jest rzeczywistością, a co halucynacją. Wszystko było za ostre, za głośne. Nogi miałam jak z waty, mięśnie bolały mnie tak, jakby przejechała mnie ciężarówka.

Czułam krople potu na czole i na plecach, a jednak nie potrafiłam dość ciasno i szczelnie owinąć się bluzą. Na ziemi leżał świeży śnieg. Byłoby to dziwne, zważywszy na to, że jest dopiero wrzesień, ale dziwniejszy był kolor śniegu. Zielony, trochę szpiczasty. Śniego-trawa.

– Gotowa? – Kale pojawił się u mojego boku.

Wciągnęłam kaptur na głowę, zakryłam rękawami czubki palców i skinęłam. Słowa sprawiały mi zbyt duży ból i wysiłek. Były jak połykanie żyletek. To jedyne wyjaśnienie.

Zmusiłam się do przełknięcia, czując ich metaliczny smak. Podobny do dziwnego posmaku w ustach, kiedy zje się marchewkę nie całkiem dojrzałą, ostrą, jak żyletka. Widziałam, że przede mną staje Ginger. Jej oczy wydawały mi się większe niż zwykle, a słowa miały lekki pogłos.

– Jade wejdzie tuż za tobą. Jeśli miałoby się coś stać, chcę, żeby tam była.

„Jeśli miałoby się coś stać." To pewnie znaczy, jeśli mi się nie uda. I nie przeżyję. Chciałam się kłócić i powiedzieć, że Kale bez trudu wyniesie moje ciało, ale przypomniałam sobie, że nie może. Chyba, że nie będą chcieli robić pogrzebu. Jakoś tak byłoby nie fair podać mnie mamie w postaci kupki prochu. *To twoja córka, Sue. Przepraszam, że taka niepozbierana, powinniśmy przynieść plastikowy pojemnik.*

Wyobraziłam sobie tę scenę i zaczęłam chichotać, jak wariatka. Wszyscy się odwrócili i gapili na mnie.

– Musimy się pospieszyć – powiedziała mama, sięgając ręką do mojej twarzy. Odepchnęłam jej dłoń. Chciała wyrwać mi włosy. Wiedziałam. Nie miałam zamiaru umierać łysa.

– Dez, możesz chodzić? – głos Kale'a.

Coś w głębi mojej duszy zawirowało. Kale nie będzie chciał kraść moich włosów. Nie będzie mnie karmił żyletkami. Skinęłam głową i pozwoliłam mu objąć się ramieniem i pokierować na ścieżkę.

Nie wiem, dlaczego, ale droga w dół zbocza wydała mi się surrealistyczna. To było tak, jakbym próbowała brnąć przez dziwną śniego-trawę podobną do błota, albo tak, jakbym czuła, że to naprawdę nie ja. Tak, jakbym tam była i robiła to, co robię, ale jednocześnie oglądała to wszystko z zewnątrz. Tak, jak w kinie, kiedy kamera robi ujęcie pod fatalnym kątem. Nogi ugięły się pode mną kilka razy. Kale złapał mnie ostrożnie tuż, zanim upadłam w śniego-trawę. Byłam mu wdzięczna. Pachniała nieładnie i byłam pewna, że robi plamy. Nie chciałam zniszczyć bluzy Meeli. Bardzo szybko dotarliśmy do stóp zbocza i do klifu, co mnie trochę rozczarowało. Stałam tam i nagle sobie coś przypomniałam. Coś, co powinnam pamiętać. Przelotnie to zobaczyłam, kiedy szliśmy ścieżką w dół, ale jakbym nie próbowała gonić za tym pamięcią, ta rzecz bez przerwy uskakiwała poza mój zasięg. Pomarszczone dłonie. Zielony atrament i niecierpliwe zęby. Nie. To nie było to. Nie niecierpliwe zęby. Niecierpliwe i nie cierpiące zwłoki instrukcje. *Poczekaj, aż tam się znajdziesz. Potem się rozejrzyj.* Roztrzęsiona wsadziłam rękę do prawej kieszeni bluzy, wyjęłam małą karteczkę, którą włożyła mi tam Ginger, zanim wyjechaliśmy z domu. Kiedy tylko Kale odwrócił się na sekundę, szybko ją otworzyłam.

Na początku nie potrafiłam tego przeczytać. Słowa na papierze zlewały się, literki skakały. Kiedy w końcu na chwilę się uspokoiły, zobaczyłam trzy proste słowa. To wszystko. Słowa, które sprawiły, że serce mocniej mi zabiło, a krew w żyłach zamieniła się w lód.

Nie gniewaj się.

– Kale – szepnęłam, przełykając głośno ślinę. Mój głos był śmieszny. Jakiś taki cichy. Rozmyty. Miałam nadzieję, że mnie rozumie. – Kochasz mnie?

Stężał cały.

– Wiesz, że tak.

Przez chwilę wstrzymywałam oddech, żeby nie panikował. Rzeczywistość już się nie rozmywała po brzegach, rozłupywała się przez sam środek. Musiałam wziąć się w garść. Jeszcze tylko trochę.

– Jeżeli mnie kochasz, zrobisz coś dla mnie, prawda?

Był ostrożny, patrzył na mnie podejrzliwie.

– Wszystko bym dla ciebie zrobił.

Skinęłam głową.

– Poproszę cię, żebyś zrobił coś dla mnie. Coś, co ci się nie będzie podobało.

Puścił moje ramię i odsunął się o krok w tył.

Polały się łzy. Nie mogłam ich utrzymać. Płynęły po policzkach, zostawiając bruzdy, może i parując po drodze. Gdzieś pode mną trawo-śnieg zadrżał. Niebo się zatrzęsło. Czas się zatrzymał. Teraz albo nigdy.

Musiałam się skupić na każdym słowie do tego stopnia, że myślałam, że mózg mi wybuchnie.

– To coś, o czym przyrzekałeś, że tego nigdy nie zrobisz, ale chcę cię o to poprosić tak, czy inaczej. Chociaż to będzie ciężkie. To będzie straszne. Ale musisz to zrobić.

Nagle zrozumiał.

– Oni nie przyjdą. Wsparcie Ginger.

– A to niespodzianka – powiedział Tato.

Odwróciłam się i zobaczyłam go na ścieżce tuż za nami, po jego jednej stronie Aubrey, po drugiej Kiernan. Wiedziałam, że tym razem to nie żadna halucynacja. To było rzeczywiste.

– Nie podchodźcie bliżej – powiedział niemal bezgłośnie Kale.

– Naprawdę chcesz, żeby z twojego powodu zginęła, Dziewięćdzicsiąt Osiem?

Pociągnęłam go za ramię.

– Pamiętasz, o co cię prosiłam parę minut temu?

Skinął, cały blady. Wypuściłam powietrze z płuc. Nie zdawałam sobie sprawy z tego, że je wstrzymuję. A może to ono mnie wstrzymywało.

Odwróciłam się do Taty i powiedziałam:

– Umowa to umowa. Jeżeli pozwolisz Aubreyowi mnie uleczyć, pójdę z wami.

– Nie! – ryknął Kale. Jego błękitne oczy były rozszalałe, chwycił moją twarz i odwrócił do siebie. Wiedziałam, że to nie jest prawdziwe – bo nie mogło – ale podobało mi się to odczucie. – To ja! To ja z nimi pójdę. O to przecież prosiłaś.

Powinnam była wiedzieć, że nie zrozumiał. Za bardzo się na wszystko zgadzał.

– Nie. Chcę, żebyś pozwolił mi odejść.

Tato odchrząknął.

– Ta sprzeczka jest w istocie bezzasadna.

Kale wykrzywił usta i naprawdę się zaśmiał. Przynajmniej tak mi się wydawało, że to był śmiech. A może i zamiauczał. Wszystko wokół było puste w środku i brzmiało wodniście. Nie upadłam tylko dlatego, że czułam awersję do śniego-trawy. Miałam wrażenie, że gęstnieje, robi się głębsza. A na pewno bardziej śmierdziała. Śmiercią i rozkładem. Smrodem, który emanuje ze zwierzęcia zabitego na autostradzie i leżącego przez całe dni w słońcu na poboczu.

– Nie możecie mnie dotknąć – powiedział. – A jeżeli jej dotkniecie, to was pozabijam.

Tata, nieporuszony groźbą Kale'a, uśmiechnął się.

– Wasze wsparcie chyba się... spóźnia.

On wiedział. Nigdy nie próbuj okłamywać kłamcy. A Tato był jednym z najlepszych. Przez siedemnaście lat mnie okłamywał, a ja myślałam, że jest zwykłym prawnikiem.

– Gdzie oni są? – udało mi się splunąć. To pytanie w moich uszach brzmiało jakoś tak „zielono", ale miałam nadzieję, że wydźwięk insynuacji jest czysty.

Tata się zaśmiał. Oczywiście, że musiał rozumieć.

– Nic im nie jest, nie martwcie się. Mam pracowników, którzy nie pozwalają im wejść do parku. Bardzo pokojowo – dodał po chwili. – Zważywszy na mój nastrój, jestem w tym względzie niezwykle hojny. Widzisz, Deznee, zmieniłem zamiar. Wiedziałem, że jeżeli teraz ze mną stąd wyjdziesz, Dziewięćdziesiąt Osiem nie spocznie, dopóki cię nie uwolni. W końcu popełni jakiś błąd i będę miał was oboje – ale to zbyt łatwe, bo już ci się udało wyprowadzić mnie z równowagi. – Założył ręce na piersi. – Dziewięćdziesiąt Osiem pójdzie z nami, a Aubrey cię wyleczy. To są moje warunki. Jeżeli chcesz lekarstwa Supremacji, możesz mnie poprosić, a wtedy o tym porozmawiamy.

Otworzyłam usta, żeby się sprzeciwić temu, co mówi, ale zaczął mną wstrząsać potworny kaszel. Pomimo obrzydzenia do śniego-trawy upadłam. Spadłam prosto na tyłek. Wylądowałam na ziemi z plaśnięciem, a smród rozkładu o mało nie przyprawił mnie o torsje.

– Potrzebuję broni, Deznee. Żeby brać udział w wojnie, którą ty rozpętałaś. Jeżeli byś się nie puszczała ze wszystkimi w sąsiedztwie tamtej nocy, kiedy uciekł Dziewięćdziesiąt Osiem, do tego by nie doszło. Mogłem cię posłać na studia, mieć cię z głowy i żyć spokojnie dalej. A tak, rozwiążemy dwa problemy. Odzyskam swoją ulubioną broń, a ty na-uczysz się mnie nie wkuizać. – Tata zrobił krok w moim kierunku. – To lekcja, której musisz się nauczyć, jeśli chcesz dostać lek Supremacji.

– To nie ma umowy – warknęłam, chwytając Kale'a za ramię i wstając. – Chodźmy. Znajdziemy inny sposób. – Kłamstwa. Gorzkie, śmieszne kłamstwa. Ale powiedziała-bym wszystko, żeby tylko się stąd wydostać. Żeby odsunąć Kale'a od Taty. Żeby się wydobyć z tego smrodu. Wszystko. Tata jednak nie odpuszczał.

On nigdy nie odpuszcza.

– Jedyną osobą, która może spowodować zatrzymanie i cofnięcie się działania trucizny, jest Aubrey – nalegał. Toksyczne Bliźniaki. On miał jakąś dziwaczną obsesję na punkcie dotykania Szóstek. Znów zachichotałam zupełnie nie w porę.

Machnął mi ręką przed oczami i zaśmiał się.

– Ona nie wygląda za dobrze. Jeżeli się nie pospieszycie, Dziewięćdziesiąt Osiem, będzie za późno. Będziesz odpo-wiedzialny za kolejną śmierć.

Stojący obok Taty Aubrey posłał mi złowieszczy uśmiech.

– Więc jak będzie, Dziewięćdziesiąt Osiem? Dez...

– Albo Denazen. – Kiernan uśmiechnęła się, pokazując kilka rzędów szpiczastych, śmiercionośnych zębów. Szczę-kę miała dłuższą niż pamiętałam, a skóra trochę świeciła. Prawie łuskowata.

Halucynacja. To tylko halucynacja. To nieprawda. *Nieprawda. Nieprawda. Nieprawda.*

Wracało mi się w żołądku i tym razem to nie była truci-zna. Właśnie dlatego od samego początku nie chciałam nic mówić Kale'owi. Oczywiście, że nie chciałam umierać, ale na pewno nie chciałam, żeby on skończył w Denazen. Kale wpatrywał się we mnie. Nachylił się i pocałował mnie delikatnie w usta. Przesunął kciukiem po policzkach, ocierając ogniste łzy. Znów halucynacje, ale te mogą być. Zasługiwałam na zapamiętanie kilku fajnych rzeczy. To było prawie tak dobre, jak w rzeczywistości.

– Kocham cię, Dez – szepnął. Odwrócił się do Taty i powiedział – Wylecz ją.

– W takim razie umowa stoi?

– Co tylko chcesz. Jeżeli tylko ją wyleczysz.

– Nie! – Ścieżką biegła Jade. Wkurzało mnie, że nie ma problemu z przedzieraniem się przez śniego-trawę. Następny powód, żeby ją znienawidzić.

– Jade Banna – powiedział Tata. – Cudownie. Rozumiem, że poradziłaś sobie z moim pracownikiem?

Stanęła między Tatą a Kale'em.

– Posyłasz gościa od telekinezy, żeby mnie uziemić? Ktoś tu nie odrobił zadania domowego.

Zastanawiałam się, co ona zrobi. Zagada go na śmierć? Może miała jeszcze jakieś inne umiejętności.

Tata zachichotał.

– Rzeczywiście. A gdybym ci zaproponował pracę?

Jade od razu nie odpowiedziała. Kiedy w końcu dokonała wyboru, w filmie w mojej głowie ściskała ręce Tacie i strzelała piątkę z Kiernan i z Aubreyem, a później robiła zwycięską rundę.

W rzeczywistości posłała go na drzewo.

– Jesteś pewna? – nalegał Tata. – Mógłbym ci zaproponować więcej niż sobie wyobrażasz. Już niczego ci w życiu nie będzie brakowało. Twoja rodzina może wyjść z ukrycia i żyć normalnym życiem, jak wolni ludzie.

– Nie, dziękuję.

– To twój wybór... Na razie. – Tata strzelił z palców i Kiernan podeszła do Kale'a. Założyła ciemne rękawiczki, a z paska zwisały jej świecące, srebrzyste kajdanki.

Kale błyskawicznie uniósł rękę. Zrobił krok wstecz, patrząc raz na Kiernan, raz na Tatę.

– Najpierw ją wylecz – zażądał.

– Powinieneś być mądrzejszy, Dziewięćdziesiąt Osiem.

– Tata mlasnął językiem i pokazał gestem na Kiernan i Aubreya. – Wszyscy wiemy, że jesteś od nich lepszy. Założyłbym się, że nawet panna Banna potrafiłaby ich nieźle przegonić. Nie jestem głupi, żeby cię nie doceniać. Ty będziesz bezpiecznie związany, a Aubrey pomoże Deznee.

– Skąd mam wiedzieć, że dotrzymasz słowa?

Świat zawirował mi w głowie, ale ustałam i nie upadłam, bo przytrzymałam się ramienia Jade.

– Nie rób tego, Kale.

Nie ustępował.

– On łże, jak pies. – Mimo tego, że trucizna coraz mocniej krążyła mi w żyłach, w tamtej chwili najbardziej bałam się, że go utracę i że Tata go zabierze. – Nie daj się nabrać. Znajdziemy inny sposób.

– Na pewno tego chcesz? – Jade mówiła cicho, ale miałam wrażenie, że wrzeszczy mi do ucha. Boże. Nawet na łożu śmierci ta suka próbuje go ode mnie odciągnąć.

– Ufam, że się nią zajmiesz. Proszę, nie zawiedź mnie. – Kale nie spuszczał z niej wzroku, nie patrzył w moją stronę. A ja? Ja nie mogłam odwrócić oczu. – Pilnuj jej.

Skinął na Tatę i wyciągnął ręce. Szczęk metalu i niemal ogłuszający trzask, kiedy tryby zamka kajdanek wskoczyły na swoje miejsce.

Kiernan patrzyła raz na mnie, raz na Kale'a. Niemal było jej przykro. To musiała być halucynacja.

– Nie ściemniaj. Jeżeli nie uda nam się wyjść i wsiąść do samochodu, on nie pozwoli Aubreyowi jej pomóc.

– Nie będę z tobą walczył – powiedział, odwracając się.

– Proszę – błagałam. – Nie rób tego. Nie warto.

Kale zamarł i odwrócił się. To na pewno działanie trucizny. Miał zupełnie niewłaściwy wyraz twarzy. Był szczęśliwy. Wniebowzięty.

– Wiem, że będziesz zdrowa, a to jest warte wszystkiego, co będę musiał przejść. Proszę, nie zapominaj o tym.

Przez chwilę patrzył mi w oczy, a później zwrócił się do Kiernan. Prowadziła go tak, że ominęli Aubreya i ruszyli ścieżką. Tato poszedł za nimi bez słowa.

Kiedy już byli poza zasięgiem wzroku, Aubrey zrobił krok wstecz.

– On najlepiej powinien wiedzieć, że Cross nie ma honoru.

Jade była blada. Prawdę mówiąc, skórę miała koloru zielonego. Jak gdyby tarzała się w śniego-trawie i pomazała sobie twarz i ramiona.

– W takim razie jej nie wyleczysz?

Aubrey patrzył na nas przez chwilę, a później zmarszczył brwi.

– Moje polecenie brzmi tak – przyprowadzić ją ze sobą, albo pozwolić jej umrzeć.

To było to. Po tym wszystkim, przez co przeszłam. Po tym wszystkim, co widziałam. Teraz kopnę w kalendarz w środku zimnego, pustego pola, a przy moim boku będzie dwoje najbardziej irytujących ludzi, którzy kiedykolwiek stąpali po ziemi. Poważnie. Mój anioł stróż odwrócił się ode mnie plecami. Robiło się coraz zimniej. Musiałam siłą wdychać i wydychać powietrze z płuc. Śniego-trawa przesiąkała mi dżinsy. Było mi tak zimno, że nie mogłam już ruszać ramionami. Prawdę mówiąc, niczego już nie czułam. Ból minął i chociaż powinnam być z tego powodu zadowolona, byłam przerażona. Ten ból był realny. Namacalny. Było to coś, czego mogłam się trzymać w środku rozpadającej się i pękającej na tysiące fragmentów rzeczywistości. Bez niego stracę kontakt ze światem.

Nie wiedziałam, skąd się zjawił, ale nagle przede mną wyrósł Able. Skakał z nogi na nogę i śpiewał *Już za daleko i nic nie czujesz, co, moja panienko?* Odwróciłam się, bo nie chciałam patrzeć na jego zadowolony z siebie pysk.

Coś zamigotało mi przed oczami, poczułam oddech czegoś ciepłego na szyi i uchu. Znów głos Able'a.

– Cross nie ma honoru, ale w odróżnieniu od niego ja mam.

Nie. To nie Able. Ton głosu wprawdzie ten sam, ale słowa nie te. Bardzo dziwaczny, niemal niezauważalny akcent Able'a wyparował.

To Aubrey.

Wyciągnął ręce i wziął moją twarz w dłonie. Coś we mnie pękło. To, co biologiczne czy chemiczne, ściana która zatrzymywała truciznę. To coś, co tak cudownie łagodziło ból. W końcu się poddałam, rozpadłam się na milion kawałków, pozwoliłam, by dojmujący ból przetoczył się przeze mnie, jak fala tsunami. Kiedyś wyskoczyłam z pędzącego samochodu, straciłam równowagę, surfując na wagonie pociągu, a teraz straciłam Kale'a. W tamtym momencie jednak żaden ból nie mógł się równać z cierpieniem, które rozrywało mnie na strzępy. Z mojego gardła wyrwał się wrzask. Nie słyszałam go, ale czułam, ze przedziera się przez moje ciało i eksploduje z ust. Jego dźwięk – dźwięk wszystkiego dookoła – był ostry, jakby każdy odgłos wzmacniały tysiące megafonów, skierowanych na moją głowę. Za nimi był tylko szum. Bolały mnie mięśnie, gotowała mi się krew. I w momencie, kiedy byłam pewna, że mnie zabił, bolesna mgła się rozwiała. Jak gdyby ktoś magicznym gestem strzelił z palców, albo wyłączył światło. Po prostu jej... nie było.

Kiedy otworzyłam oczy, przede mną klęczał Aubrey, twarz miał bez wyrazu.

– Dlaczego...

Wstał.

– Wierzę w to, co robi Denazen, wierzę w jego wartości. Chcę naprawić świat dzięki naszym darom.

Jade prychnęła.

– Jeżeli w to wierzysz, to założę się, że Cross ma dla ciebie złotą rybkę i też w to uwierzyłeś.

Aubrey wyciągnął rękę. Chwyciłam ją i pozwoliłam, żeby mnie postawił na nogi. Była spocona i chłodna tak, jak ręka Able'a, ale nic mnie to nie obchodziło. Miałam przyjemne wrażenie, że mogę ją poczuć.

– Cross to nie Matka Teresa. Jego metody są... nieortodoksyjne.

Prychnęłam.

– Uważasz, że posłanie własnej córki na śmierć jest „nieortodoksyjne"?

– To – powiedział Aubrey, marszcząc brwi – dało mi trochę do myślenia. – Odwrócił się i ruszył ścieżką.

– Poczekaj.

Zatrzymał się, ale nie odwrócił.

– Miałeś mnie przyprowadzić, ale wracasz z pustymi rękami. A on się dowie, że ja żyję. Nie będziesz miał kłopotów?

Wciąż odwrócony do nas plecami, Aubrey wzruszył ramionami.

– Zgodziłaś się ze mną pójść. Mój brat mocno ci przywalił. Było jasne, że nie dasz rady, więc nie miałem wyboru i musiałem cię najpierw wyleczyć. Już szliśmy do samochodu, ale po drodze trafiliśmy na zasadzkę. Miałem szczęście, że udało mi się wyjść cało.

Zrobił kilka kroków naprzód i zatrzymał się. Odwrócił i spojrzał mi prosto w oczy.

– Będę pilnował Dziewięć... Kale'a.

35

Minęło sześć dni, odkąd Kale wybrał moje życie i poświęcił swoją wolność.

Na początku nic nie czułam. Znów byłam jak martwa. Tam, gdzie kiedyś było moje serce, teraz znajdowała się lodowata dziura. Czarna pustka wypełniała wszystkie godziny każdego dnia. Później zaczęło się pięć etapów żalu. Najpierw zaprzeczenie. Zbudź się. Zrób coś z porankiem. Zapukaj do drzwi Kale'a i poczekaj, aż ci otworzy. Na pewno otworzy. Przecież nigdzie nie pojechał. To trwało tylko dwa dni.

Później przyszedł gniew. Rozwalałam meble w pokoju domu Daxa na kawałki – wrzeszczałam, aż straciłam głos. Dax był święty. Następnego dnia bez słowa wstawiał nowe meble.

Etap negocjacji skończył się prawie w tym samym momencie, kiedy się zaczął. Kilka godzin płaczu i błagania wyższych mocy, żeby mnie posłuchały. Zrobię coś, co jest nie do pomyślenia – wśliznę się do Denazen i go odbiję. Potrafię to powtórzyć. Zrobiłabym wszystko – oddałabym wszystko, jeżeli tylko udałoby się to jeszcze raz.

Godzina mijała za godziną, a ja coraz ostrzej widziałam sytuację taką, jaka naprawdę jest. To niemożliwe. I wtedy zaczęła mnie ogarniać depresja. Tata pewnie czeka, aż zaatakuję. Będzie gotowy. Będzie miał nadzieję. Chociaż coraz lepiej opanowywałam swój dar, nie mogłam oszukiwać siebie, ani innych, że będę w stanie się wśliznąć do środka i wyjść niezauważona. To, że wrzucą mnie do jakiejś klatki w Denazen, Kale'owi nie pomoże. Ani nie pomoże tym, którzy przeciwko niemu walczą. A teraz tym bardziej trzeba zwyciężyć.

I tam właśnie utknęłam. Gdzieś między błaganiem a depresją – wreszcie to zaakceptowałam? Nie, do tego nigdy nie dojdzie. Nie będę mogła z tym żyć. Jak tylko przejrzę na oczy, wszystko będzie musiało się zmienić.

Spałam całymi godzinami, zwinięta w kłębek na łóżku Kale'a czekając, aż Brandt się ze mną skontaktuje. Wróci. Kiedy tylko dowie się, co się stało. Rzuci to, co akurat robi i zjawi się, żeby mnie wesprzeć. Tak to działa.

On jednak się nie pojawił.

– Tak myślałam, że cię tu znajdę – mruknęła Jade, siadając przy mnie. – Zamykanie się w ciemności w jego pokoju niczego nie zmieni, sama wiesz. Jak zapalisz światło, to jego wciąż nie będzie.

– Wszystko mi jedno. – To głupie, wiem, ale co mogłam powiedzieć? Nie da się sprzeczać z faktami i bić głową o ścianę.

Właściwie można, ale co z tego wyniknie? Jeżeli człowiek sprzecza się z faktami, to siedzi po ciemku w czyimś pokoju. W pokoju kogoś, kto nie wróci.

– Mnie to nie obchodzi, bo uważam, że jesteś zła, że jesteś wściekłą suką, ale wszyscy się o ciebie martwią.

– I ciebie wysłali, żeby mi to przekazać?

– Zgłosiłam się na ochotnika. Wprawdzie cieszy moje serce, kiedy widzę cię w takim stanie, ale to śmieszne. I Kale na pewno by tego nie chciał.

Zasadniczo zostawili mnie w spokoju. Nawet mama. Jedzenie znajdowałam na ladzie kuchennej z karteczką z moim imieniem przy talerzu. Dzbanki z kawą pojawiały się tajemniczo przed pokojem Kale'a przez całą noc. A obok talerz paluszków serowych i ostry jak diabeł sos marinara. To było najgorsze. Wiedzieli tylko, że je lubiłam. Nie rozumieli, co dla mnie znaczą ani jakie wzbudzają wspomnienia. Jade miała jednak rację. To było śmieszne.

– Myliłaś się.

Zaciekawiona uniosła brwi.

– Myliłam się?

– Mówiłaś, że dotyk Kale'a jest toksyczny. I że to działa na mnie i na innych, ale nie miałaś racji. To nie Kale ma toksyczny dotyk, to ja jestem toksyczna. – Przypomniałam sobie Brandta, to, jak jego życie zmieniło bieg, bo mi pomagał. I Curda, który doznał wstrząsu mózgu, kiedy to wszystko się zaczęło. Marka Ostera, Rosie, Alexa ...

– Wszystkim, których spotykam na swojej drodze dzieje się krzywda. To moja wina.

Jade prychnęła.

– Wprawdzie nic by mnie bardziej nie ucieszyło, niż ci przytaknąć, ale nie widzę powodu do obwiniania się za nieszczęścia całej ludzkości. Bo nie przejrzałaś Kiernan? Nikt jej nie przejrzał. Oszukała wszystkich. A ty wciąż jesteś mi winna przeprosiny.

– A, to – westchnęłam. – Wciąż tego nie pojmuję. Jak się mogłam nie zorientować i... Ale nie to chcę powiedzieć.

Jeżeli tamtej nocy nie wróciłabym do naszego starego domu, Able nie mógłby mnie dotknąć. Nie byłoby topora, który wisiał nad głową Kale'a.

– Bzdury – rzuciła. – Jak na osobę dość bystrą zachowujesz się, jak kretynka, wiesz? Jeżeli by do tego nie doszło tamtej nocy, mogłoby dojść każdej innej, kiedy szłabyś ulicą albo siedziała w knajpie. Jedynie ciebie mogli wykorzystać, żeby go dopaść i odwrotnie. Zdawałaś sobie z tego doskonale sprawę.

Chociaż pewnie miała rację, a ta myśl, choć przygnębiająca wciąż wzbudzała mój wewnętrzny uśmiech, nie mogłam tego głośno przyznać.

– Daj mi kilka minut z Deznee, Jade – usłyszałam od drzwi głos Ginger. Jezu! Ta kobieta jest jak babcia-ninja. Pewnie po niej Kale to odziedziczył.

Jade obrzuciła mnie ostatnim na wpół wkurzonym spojrzeniem i pozwoliła Ginger zająć swoje miejsce przy mnie. Wiedziała, że jestem jej winna przeprosiny, nie wspominając już o paru rundach w klatce bez reguł, za to, że naprawdę próbowała mi wykraść chłopaka, ale to będzie musiało poczekać.

Ginger nie traciła czasu.

– To jest bezproduktywne.

– Specjalnie mnie to nie obchodzi.

– A powinno. Wiem, że dla ciebie to bolesne, ale musisz spojrzeć szerzej.

– Spojrzeć szerzej? Chyba kpisz. Kale to twój wnuk, do ciężkiej cholery! Wiedziałaś, ze do tego dojdzie. To ty włożyłaś mi karteczkę do kieszeni i wpuściłaś nas w sam środek tego bagna. Pozwoliłaś, żeby Denazen go przejęła. Już drugi raz.

– Już to ćwiczyłyśmy, Deznee. Nie można igrać z losem. Głową muru nie przebijesz.

– To jakaś wymówka?

Nie odpowiedziała. Siedziała chwile bez słowa, a ja poczułam, że ogarnia mnie poczucie beznadziei. Przypomniałam sobie tę noc na dźwigu. I nie wiem, z jakiego powodu przypomniałam sobie wieczór, kiedy spotkałam Ginger.

– Kiedy się poznałyśmy powiedziałaś, że jest ci przykro. Za to, co nadchodzi. Tak było, prawda?

Ginger wstała i oparła pomarszczoną dłoń na moim ramieniu.

– Wiedziałam, że do tego dojdzie, ale nie za to cię przepraszałam.

Ciężar żalu zamienił się w wielki głaz. W coś gorszego. Przypomniałam sobie, co powiedziała pierwszej nocy u Meeli. Że Alex i ja zapłacimy najwyższą cenę.

Ścisnęła mnie za ramię i kuśtykając podeszła do drzwi. Nie oglądając się za siebie rzuciła przez ramię.

– Najgorsze dopiero nadejdzie.

PODZIĘKOWANIA

Przede wszystkim dziękuję moim najbliższym. Ich bezwarunkowa miłość i pełne wsparcie jest fundamentem moich życiowych dokonań. Mojemu mężowi, najukochańszemu i obdarzonemu największą cierpliwością mężczyźnie na świecie i moim rodzicom, którzy są po prostu niesamowici. Kocham was.

Heather, Katy i Christa – dziękuję wam za pomysły, sugestie, rady i przyjaźń. Uważam się za wyjątkową szczęściarę, bo jesteście w moim życiu.

Liz, redaktorka moich powieści oraz Entangled Publishing... nigdy nie przestanę wam dziękować za to, że mnie doceniliście i daliście mi szansę. Cieszę się na to, co jeszcze nadejdzie.

Mojemu agentowi Kevanowi... Dzięki, że we mnie uwierzyłeś!

Wielkie dzięki dla Dani, która dba o publiczny wizerunek moich powieści i magicznym dotknięciem zamienia to, co na pozór nierealne w rzeczywistość... jesteś niesamowita. Bez Ciebie byłabym zagubiona, jak dziecko we mgle.

Czytaj dalej – dodatkowa scena – historia opowiedziana z punktu widzenia Kale'a...

Spełniony sen Jade

Jade i ja wróciliśmy do domu zgodnie z instrukcją. Trudno mi było znieść myśl o tym, że mam zostawić Dez, ale ufałem Ginger. Ona wie, co dla nas najlepsze. Poza tym miałem więcej czasu, żeby nauczyć się panowania nad sobą. Przez jakiś okres nad tym pracowaliśmy, ale jak dotąd, bez powodzenia. Zaczynało mnie to męczyć.

– Masz – powiedziała Jade, podając mi kolejną roślinę. Nie wiedziałem, skąd są, ale ktoś zostawił tu dla nas kilkanaście roślin doniczkowych. Teraz było ich tylko kilka.

– Spróbuj z tą.

Wziąłem roślinę, trzymając za plastikową doniczkę i zastanawiałem się, co ma na myśli, mówiąc „z tą". Roślina miała białe kwiaty. Czy Jade sądziła, że to jakaś różnica?

Kiedy skinęła głową, wyciągnąłem palec, zawahałem się tylko na chwilę, a później dotknąłem jednego z delikatnych, białych płatków. Przez krótką chwilę był miękki pod moimi palcami i przypominał satynową gładkość skóry Dez. Później wyparował, zamieniając się w kupkę pyłu i suchej ziemi.

Upuściłem doniczkę i kopnąłem ją na drugą stronę pomieszczenia. To mogła być ona. Dez. Nic, tylko wspomnienia i pył, a wszystko dlatego, że ja nie potrafiłem nad sobą zapanować.

– Kale – powiedziała Jade, stając za mną. Była bardzo blisko. Czułem słodki zapach jej perfum – coś owocowego, od czego Dez dostałaby migreny. – Popatrz na mnie. Uda ci się.

Odwróciłem się, żeby na nią spojrzeć. Przybliżyła się jeszcze bardziej i teraz niemalże się do mnie przyciskała.

Trzepotała powiekami. To było zrozumiałe. W powietrzu w tym domu było pełno kurzu.

– Coś ci wpadło do oka?

Wydała się zdziwiona tym pytaniem. Zrobiła krok wstecz, spojrzała na mnie dziwnie i odparła.

– Ja... Ty... Nie.

Westchnąłem i oparłem się o ścianę.

– Jeżeli Dez przyszłaby tu z nami, mógłbym się lepiej skoncentrować.

– Wręcz przeciwnie – rzuciła Jade. – Poza tym uważam, że ta przestrzeń jest dla ciebie dobra. Masz szansę dowiedzieć się, kim jesteś, bez kogoś, kto stoi ci nad głową.

Niestety wiedziałem doskonale, kim jestem. I wcale mi się to nie podobało. Jade nie rozumiała, że ta świadomość jest do zniesienia tylko wtedy, kiedy mam przy sobie Dez. Kiedy na mnie patrzy. W jej oczach byłem idealny i czysty. Nie mroczny, taki, jakim siebie znałem.

Ta dziewczyna nie lubiła Dez. Tyle rozumiałem, a jej uczucie było odwzajemnione. Dla mnie to było zabawne. Żadna z nich nie chciała tego przyznać, ale miały wiele wspólnego. Obie uparte i silne, obie były zmuszone patrzeć prosto w oczy straszliwym rzeczom zbyt wcześnie w swoim życiu.

– Czy pomyślałeś kiedyś, że być może to, że nie potrafisz dotknąć Dez, to jakiś znak z wszechświata?

– Z wszechświata? To znaczy od Boga? – To mnie niepokoiło. Nie byłem pewien, czy wierzę w jakąś wyższą moc, jak to ujmuje Ginger, ale jeżeli Bóg rzeczywiście jest realny, to byłem po złej stronie, bo zrobiłem tak wiele strasznych rzeczy.

– Chodźmy na podwórze za dom – powiedziała Jade, biorąc mnie za rękę. Skórę miała miękką i ciepłą, ale nie było porównania z Dez. Nie cofnąłem ręki, żeby jej nie urazić.

– Jest piękny wieczór, a tu jest tyle zieleni.

Miała rację. Powietrze nocy było chłodne, zeszło ze mnie trochę napięcia. Czułem frustrację i nie sposób było się skupić. Nie teraz, kiedy Dez coś przede mną ukrywała. To miało coś wspólnego z tymi Bliźniakami – głownie z Able'em – i to mnie niepokoiło.

– Ona mi nie mówi prawdy.

Jade zerwała liść z drzewa po prawej stronie i weszła przede mnie na ścieżkę. Podając mi liść, spytała:

– Kto?

Wiedziałem, co będzie, ale tak czy inaczej wziąłem od niej liść. W chwili, kiedy moje palce – kciuk i wskazujący – zamknęły się na cienkiej łodyżce, liść się skurczył i odfrunął w postaci pyłu, którego część osiadła na włosach Jade.

– Dez. Coś przede mną ukrywa. Powiedziała mi to jeszcze wcześniej.

– To dlatego nie robisz żadnych postępów. Mówiłam ci, to wszystko jest związane z emocjami. Musisz oczyścić umysł. Uwolnić się od tego wszystkiego.

Czemu ona nie rozumie, że to niemożliwe? To była Dez. Jak mogę odpuścić, kiedy bezsprzecznie coś się dzieje?

– Powiedziała, że to dlatego, żeby mnie ochronić.

Jade wyglądała na poirytowaną.

– Ochronić cię? Mało prawdopodobne. Ktoś taki, jak ty, nie potrzebuje ochrony. Osobiście uważam, że chodzi o coś innego.

– O coś innego? – Chwilę to potrwało, ale zdałem sobie sprawę, co ona powie, zanim jeszcze otworzyła usta. I choć wiedziałem, że to nieprawda, zagotowało się we mnie ze złości.

– Byłabym złą koleżanką, jeśli bym ci na to nie zwróciła uwagi, Kale. Nie widzisz, jak ona patrzy na Alexa? Przecież kiedyś byli parą. On oczywiście wciąż o niej pamięta, a ja widziałam, jak ona na niego patrzy. Na pewno też ją ciągnie do Alexa. Prostowałem i zginałem palce. Wskazujący. Środkowy. Serdeczny. Mały. Kciuk. Później policzyłem do pięciu. Zawsze będę się trochę niepokoić o Alexa. Dez zaprzeczała, ale wiedziałem, że to prawda. Widziałem to, kiedy na niego patrzy. Nawet przelotne spojrzenie mówiło o wielu rzeczach, ale na tym się kończyło. Dez powiedziała mi, że ja jestem jej przyszłością, a ona nigdy nie skłamała.

– Mylisz się. On jej zrobił krzywdę.

Jade zrobiła usta w podkówkę, a mnie się nie spodobało to, jak na mnie patrzyła. Ze współczuciem.

– Ty też. Mało jej nie zabiłeś.

Poczułem się tak, jak gdyby mnie ktoś kopnął, nie miałem czym oddychać.

– Ja nie...

Nagle naprawdę mnie zatkało. Wiedziałem, co zrobiłem. Ten moment tysiące razy odtwarzałem w pamięci, tę noc na dźwigu.

– To nie była moja wina. Ja bym nigdy...

Jade podeszła bliżej i chwyciła moją rękę w dłonie.

– Wiem, że tego nie chciałeś – mówiła dalej Jade. – Ale Dez jedzie na czystych emocjach. To dziewczyna, która chce wszystkiego, albo niczego. Nie może cię dotykać i kto wic, czy to dla niej nie za wiele. Alex jest tuż obok, zainteresowany i jego może dotykać.

Myliła się.

– Nie znasz jej.

– Uratowała cię od Denazen. Rozumiem. To naturalne, że czujesz się z nią związany.

– Ja kocham Dez – powiedziałem. Powtarzałem to Jade niezliczoną ilość razy w ciągu ostatnich kilku dni. Nie byłem ślepy. Oczywiście, podobałem się jej. Ale mówiłem jasno, jak jest.

– Jesteś pewien? Może powinieneś zrobić sobie przerwę i wyjść na świat. Poznać sam siebie. Opuścić tę piwnicę. Nie próbuję ci namieszać w głowie, ale jeśli byłeś tylko z nią, skąd wiesz, że nie ma kogoś innego?

Kochałem Dez. Całym sercem i duszą. Kiedy jednak na nią ostatnio patrzyłem, zauważałem w niej wątpliwości. Chwytałem jej spojrzenie, kiedy patrzyła na mnie i Jade, i rozpoznawałem iskrę w jej oczach. Rozpoznawałem ją, bo to właśnie czułem, kiedy ona patrzyła na Alexa. Zazdrość.

Całe napięcie ze mnie uszło. Nagle wszystko stało się jasne, wiedziałem, co mam robić. Co muszę zrobić. Na początku Dez miała wątpliwości co do naszego związku. Martwiła się, że jeżeli będę mógł kogoś dotykać, może zdam sobie sprawę, że jej nie chcę. Zdam sobie sprawę, że jestem z nią z niewłaściwego powodu.

Jade chwyciła mnie za rękę i poczułem, że się bezwiednie uśmiecham.

– Uważam, że powinieneś się zastanowić...

– Mogę cię pocałować?

– Co? – Tego chciała, a więc byłem zdezorientowany. Mam wrażenie, że wszystko we mnie ją irytowało. To, co mówię, mieszało jej w głowie, a to, jak się zachowuję, jakby ją obrażało. A jednak chciała mnie pocałować. I robić ze mną inne rzeczy. Wyraz zdziwienia na jej twarzy sprawił, że o mało nie zacząłem się śmiać.

– Czy mogę cię pocałować? – spytałem jeszcze raz. Może nie usłyszała, bo mówiłem cicho. Stare przyzwyczajenie. Kiedy w Denazen gasły światła, zmuszano nas do zachowywania ciszy nocnej.

Zrobiłem krok w jej kierunku, objąłem ją w pasie i przycisnąłem usta do jej ust. Była inna niż Dez. Po pierwsze, była wyższa. Nie musiała się wspinać na palce, żeby się do mnie zbliżyć i trochę mi tego brakowało. Po drugie było jej trochę mniej. Jade była piękna i delikatna, jak porcelanowa figurynka – coś, co można łatwo potłuc. Dez w porównaniu z nią była silna. Była pięknym wojownikiem. Była mniej równa.

Martwiłem się. Pomyślałem, że może zrobiłem coś złego, po prostu pochylając się i całując ją bez ogródek, bo Jade na początku nie zareagowała. Po chwili jednak zaśmiała się perliście, chwyciła mnie mocno, przyciągnęła, aż byliśmy ze sobą ściśnięci.

Pocałunek nie trwał długo. Dokładnie pięćdziesiąt siedem sekund. Wiem, bo liczyłem.

Kiedy się ode mnie oderwała, miała zaróżowione policzki i półuśmieszek na twarzy.

– No, no, to wpadka.

Powiodłem wzrokiem za jej spojrzeniem. Półtora metra od nas stały Dez i Kiernan, a na twarzy Dez było coś, czego nigdy wcześniej nie widziałem.

Odezwała się nieprzyjemnym głosem.

– Ale z ciebie ninja, co? Stałam tu całe dwadzieścia sekund.

Była zdenerwowana – to było jasne – i rozumiałem dlaczego. Ale kiedy wszystko wyjaśnię, znów będzie zadowolona. Już nigdy nie będzie musiała się martwić.

– Dez, ja...

– Nie, powaga. Wszystko w porządku, rozumiemy się? Świetnie do siebie pasujecie. Wiesz, możecie się obmacywać bez bólu, śmierci i tak dalej.

Zaczęła się wycofywać, a ja ruszyłem do przodu. Wtedy dopiero zdałem sobie sprawę, jaki popełniłem błąd.

– Poczekaj, Dez, to...

Śmiała się i jednocześnie łzy lały jej się po twarzy. Zbierały się w dołeczkach na jej policzkach przez chwilę, a później spadały na pożyczoną bluzkę.

– To nie jest to, na co wygląda? To mi chcesz wcisnąć? A wiedziałeś, że Alex próbował mi to powiedzieć? A może to ty mi chciałeś powiedzieć, że to zmowa? Jakaś gra, która ma być tarczą, osłaniającą mnie przed czymś wielkim i niedobrym? I wiesz co? Alex też mi to mówił. Prawdę powiedziawszy, mimo to, że szczerzycie na siebie zęby, macie nagle ze sobą wiele wspólnego. Obaj mnie wystawiliście dla jakiejś taniej dziwki.

Jade tryumfowała.

– Widzisz? Zauważyłeś, że wciąż opowiada o Alexie?

Musiałem się bardzo sprężać, żeby w tamtej chwili nie przywalić Jade. Pocałowałem ją, żeby coś udowodnić Dez. Martwiła się, że nigdy nie byłem z nikim innym. Teraz już byłem. To doświadczenie, którego nigdy nie zapomnę.

Doświadczenie zupełnie nieważne. Coś, co nawet na centymetr nie zbliżało się do tego, co czułem, kiedy byłem z nią.

W moim mniemaniu to był najbardziej logiczny sposób na uspokojenie jej obaw. Czasami łatwo zapomnieć, że inni ludzie nie postrzegają świata tak, jak ja. Alex zrobił jej dokładnie to samo całe lata temu. W jej oczach ja właśnie powtórzyłem tę rzecz.

Próbowałem ją złapać, ale byłem zbyt wolny. Odwróciła się na pięcie i pomknęła w ciemność.